Les compagnons du coquelicot

HENRI TROYAT | ŒUVRES

La Lumière des justes :	
I. LES COMPAGNONS DU COQUELICOT	*J'ai lu* 272***
II. LA BARYNIA	*J'ai lu* 274***
III. LA GLOIRE DES VAINCUS	*J'ai lu* 276***
IV. LES DAMES DE SIBÉRIE	*J'ai lu* 278***
V. SOPHIE OU LA FIN DES COMBATS	*J'ai lu* 280***
LA NEIGE EN DEUIL	*J'ai lu* 10*
LE GESTE D'ÈVE	*J'ai lu* 323*
LES AILES DU DIABLE	*J'ai lu* 488**
Les Eygletière :	
I. LES EYGLETIÈRE	*J'ai lu* 344****
II. LA FAIM DES LIONCEAUX	*J'ai lu* 345****
III. LA MALANDRE	*J'ai lu* 346****
Les Héritiers de l'avenir :	
I. LE CAHIER	
II. CENT UN COUPS DE CANON	
III. L'ÉLÉPHANT BLANC	
FAUX JOUR	
LE VIVIER	
GRANDEUR NATURE	
L'ARAIGNE	
JUDITH MADRIER	
LE MORT SAISIT LE VIF	
LE SIGNE DU TAUREAU	
LA CLEF DE VOÛTE	
LA FOSSE COMMUNE	
LE JUGEMENT DE DIEU	
LA TÊTE SUR LES ÉPAULES	
DE GRATTE-CIEL EN COCOTIER	
LES PONTS DE PARIS	
Tant que la terre durera :	
I. TANT QUE LA TERRE DURERA	
II. LE SAC ET LA CENDRE	
III. ÉTRANGERS SUR LA TERRE	
LA CASE DE L'ONCLE SAM	
UNE EXTRÊME AMITIÉ	
SAINTE RUSSIE. Réflexions et souvenirs	
LES VIVANTS (théâtre)	
LA VIE QUOTIDIENNE EN RUSSIE AU TEMPS DU DERNIER TSAR	
NAISSANCE D'UNE DAUPHINE	
LA PIERRE, LA FEUILLE ET LES CISEAUX	*J'ai lu* 559**
ANNE PRÉDAILLE	*J'ai lu* 619**
GRIMBOSQ	*J'ai lu* 801***
UN SI LONG CHEMIN	*J'ai lu* D103**
Le Moscovite :	
I. LE MOSCOVITE	*J'ai lu* 762**
II. LES DÉSORDRES SECRETS	*J'ai lu* 763**
III. LES FEUX DU MATIN	*J'ai lu* 764**
LE FRONT DANS LES NUAGES	*J'ai lu* 950**
DOSTOÏEVSKI	
POUCHKINE	
TOLSTOÏ	
GOGOL	
CATHERINE LA GRANDE	*J'ai lu* 1618*****
LE PRISONNIER N° 1	*J'ai lu* 1117**
PIERRE LE GRAND	*J'ai lu* 1723****
VIOU	*J'ai lu* 1318**
ALEXANDRE Ier, LE SPHINX DU NORD	
LE PAIN DE L'ÉTRANGER	*J'ai lu* 1577**
IVAN LE TERRIBLE	
LA DÉRISION	*J'ai lu* 1743**
MARIE KARPOVNA	*J'ai lu* 1925**
TCHEKHOV	
LE BRUIT SOLITAIRE DU CŒUR	*J'ai lu* 2124** *(fév. 87)*
GORKI	

Henri Troyat
de l'Académie française

La lumière des justes
1

Les compagnons du coquelicot

Éditions J'ai lu

« La lumière des justes donne
la joie. »

Proverbes de Salomon, XIII, 9.

PREMIÈRE PARTIE

1

Il n'y avait plus de route : à sa place, un fleuve d'uniformes, de drapeaux, de lances, de fusils, coulait avec lenteur à travers la campagne. Pris dans le mouvement de cette armée intarissable, Nicolas Mikhaïlovitch Ozareff, lieutenant des gardes de Lithuanie, se haussait de temps à autre sur sa selle pour essayer d'apercevoir au loin la tête du défilé. L'ordre de marche était connu de tous. Impossible de se tromper : cette tache écarlate, dans un nuage de poussière, c'était, à la limite du regard, le régiment des cosaques rouges du tsar, rangés par quinze de front. Sur leurs talons, chevauchaient les cuirassiers, les hussards et les escadrons de volontaires de la garde royale prussienne, les dragons et les hussards de la garde impériale russe. L'empereur Alexandre s'avançait ensuite, entre le roi de Prusse et le prince de Schwarzenberg, représentant l'empereur d'Autriche. Un état-major de plusieurs centaines d'officiers de toutes les armes et de toutes les nations entourait les triomphateurs de la veille : le vieux Blücher et Barclay de Tolly, promu feld-maréchal sur le champ de bataille. Derrière eux, ouvrant l'interminable cortège des troupes d'infanterie alliées, venaient les gardes de Lithuanie, qui appartenaient à la deuxième division de la garde impériale russe.

Ils avaient été tenus en réserve pendant les derniers combats. Tous les hommes avaient un air fort, discipliné et joyeux. Les fusils, portés sur l'épaule gauche, oscillaient régulièrement. Le soleil luisait sur les baïonnettes, sur les gibernes bien astiquées, sur les étuis des sabres-briquets. Les baudriers de cuir, passés au blanc cru, coupaient le vert déteint des tuniques. Des tambours roulaient par-devant. Mille semelles claquaient ensemble dans la poussière.

Exceptionnellement, les jeunes officiers de l'infanterie de la garde possédant une monture avaient obtenu le droit de chevaucher en tête de leurs sections respectives, au lieu de défiler à pied comme dans les parades habituelles. Nicolas Ozareff se réjouissait de cette mesure qui le mettait à l'aise pour tout voir et être vu de tous. Sa jument, Kitty, n'était pas belle, avec son gros ventre gris pommelé, son encolure courte et ses jambes maigres. Mais quoi ? Il n'avait jamais prétendu rivaliser d'élégance avec ces messieurs de la cavalerie. Jetant un regard par-dessus son épaule, il chercha, derrière lui, les cuirassiers et les chevaliers-gardes qui fermaient la marche. La route martelée fumait. Le reflet des cuirasses sautillait en cadence dans la brume bleuâtre de l'horizon. Comme l'armée, malgré sa fatigue, ses blessures, paraissait nombreuse, ordonnée, puissante ! Comme la victoire avait bon goût, en cette tiède matinée du mois de mars 1814 ! Des cadavres avaient été traînés sur le talus pour dégager le passage. Nicolas Ozareff évitait de penser à eux, par souci de ne pas gâcher son plaisir. Il les voyait à peine, du coin de l'œil. Des gêneurs ! Un pantin disloqué, à la figure sale, une rosse bouffie, aux jambes roides comme des pieds de table, un affût de canon rompu, un boulet noir enlisé dans l'herbe, un havresac en peau de chèvre, avec quelqu'un dessous, les bras en croix, la face contre terre. On disait que les morts se chiffraient par milliers d'un côté comme de l'autre.

Une rangée de peupliers, sur la gauche, avait été hachée par la mitraille. Sur la droite, en revanche, le paysage semblait intact, avec ses pentes piquées de vignes, les fissures crayeuses de ses carrières, ses petites maisons tapies dans un feuillage vert tendre et ses moulins à vent aux ailes immobiles. Au sommet d'une colline, la potence du télégraphe, bras coupés, ne transmettait plus de signaux. Les batteries s'étaient tues. Hier encore, elles tonnaient parmi de rondes bouffées de fumée blanche ; les régiments, en ordre de bataille, rampaient, tels des chenilles, à travers la plaine ; le tsar et son état-major s'installaient sur une éminence qui dominait la région...

Bercé par le pas de son cheval, Nicolas Ozareff retournait en esprit à la minute étrange où, peu après le coucher du soleil, un brusque silence était descendu sur le front. Chez les gardes de Lithuanie, massés en deuxième ligne, les officiers s'interrogaient anxieusement sur les raisons de ce répit. Des estafettes galopaient en tous sens, la face pourpre, l'œil important. Soudain, une clameur avait soulevé la terre. Cela jaillissait des faubourgs de la ville, cela gagnait l'arrière-pays comme une vague, cela grandissait, cela devenait un seul cri poussé par des centaines de voix joyeuses : « Paris !... Paris s'est rendu !... Hourra !... »

Les soldats s'embrassaient. Des chapeaux volaient en l'air. Un officier d'ordonnance arrivait exprès de l'état-major pour confirmer la nouvelle : l'armistice venait d'être signé dans une auberge de la Chapelle, près de la barrière Saint-Denis, entre le maréchal Marmont et les envoyés du tsar. Maintenant, Napoléon pouvait accourir des provinces de l'Est, il trouverait sa capitale occupée. Serait-ce la fin de la guerre ? Hier, aussitôt après la sonnerie du « cessez-le-feu », Nicolas Ozareff s'était rendu à Belleville avec quelques hommes de corvée pour tâcher de s'approvisionner en vin. Dans les caves, forcées à coups de crosses, les soldats russes, français, prussiens, autrichiens, se désaltéraient aux mêmes tonneaux. Pour boire plus commodément, ils avaient appuyé leurs fusils côte à côte contre le mur. « Je n'ai que vingt ans et je viens de connaître l'un des plus beaux jours de ma vie ! », songea Nicolas Ozéroff en cambrant légèrement les reins, comme s'il eût posé pour son portrait devant un peintre de batailles. Il se promettait une grande joie de son entrée à Paris, cité des arts, de la philosophie et des amours faciles. Jamais il ne remercierait trop ses parents de lui avoir donné une éducation occidentale ! Grâce à son précepteur, un émigré précieux et besogneux, M. Lesur, il s'exprimait dès son plus jeune âge aussi aisément en français qu'en russe. Cela lui serait utile pour conquérir, comme disaient ses camarades, « la sympathie des habitants et les faveurs des habitantes ». Plus qu'une verste jusqu'à la barrière de Pantin ! Le régiment s'arrêta pour se changer et se brosser avant de défiler dans la ville. Sur un ordre transmis de section en section, les gardes de Lithuanie tirèrent de leurs housses les magnifiques shakos de parade, s'en coiffèrent, la visière au ras des sourcils, et une floraison de plumets noirs frissonna au-dessus de leurs têtes. Puis ils troquèrent leurs culottes de campagne contre des culottes blanches de sortie, bien propres, conservées dans les havresacs. Nicolas descendit de cheval pour s'arranger lui aussi. Toute l'infanterie russe se déculottait en riant au bord des talus. Deux paysannes épouvantées s'enfuirent à travers champs, poursuivies par les quolibets des soldats. Ayant rectifié sa tenue, Nicolas inspecta ses hommes pour voir s'ils avaient attaché tous les boutons de leurs houseaux de toile et astiqué tous ceux de leurs habits. Le colonel-comte Héraclius de Polignac, un émigré français, chef de bataillon aux gardes de Lithuanie, passa entre les rangs, se déclara satisfait et fit battre la marche.

Nicolas remonta en selle et se prépara, dans son âme, à vivre des minutes plus émouvantes encore. Déjà, des deux côtés de la chaussée, les jardins devenaient plus petits, les maisons plus grandes, plus serrées et plus sales. Etaient-ce les faubourgs de Paris ? Des gens se montraient sur le pas de leur porte. Hommes, femmes, enfants, ils étaient pauvrement vêtus et leurs visages exprimaient la crainte. Il y avait un contraste étrange entre la pompe du défilé, ses drapeaux, ses musiques fracassantes, et l'apathie funèbre de la population. « Evidemment, ils ne nous aiment pas ! songea Nicolas avec tristesse. Ils ont peur de nous. Mais, un jour, ceux-là mêmes qui nous considèrent avec hostilité nous remercieront de les avoir débarrassés d'un tyran sanguinaire. » La conviction de Nicolas était partagée par tous ses camarades. Comment eussent-ils pu être d'un avis différent, alors que de nombreux émigrés français combattaient sous le drapeau russe ? Polignac, Rochechouart, Lambert, Damas, Montpezat, Rapatel, Boutet... L'armée alliée comprenait tant de nations, tant d'uniformes, tant d'insignes, que, pour éviter les méprises entre serviteurs d'une même cause, l'ordre avait été donné aux officiers comme aux hommes de troupe de porter une écharpe blanche à leur bras. Les soldats se contentaient d'un morceau de toile, plus ou moins propre. Nicolas, lui, s'était confectionné un joli brassard avec deux mouchoirs de batiste noués bout à bout. Devant lui, à perte de vue, tous les habits verts étaient ainsi marqués de linges pacifiques. Les tambours, les fifres résonnaient plus fort dans la rue aux façades rapprochées. Soudain, le défilé s'engouffra sous une arche de pierre monumentale, tourna sur sa droite et découvrit une artère plantée d'arbres et bordée de hautes maisons. D'après le plan de Paris que Nicolas avait consulté la veille sous la tente de son capitaine, le cortège, ayant franchi la porte Saint-Martin, devait suivre maintenant la ligne des boulevards.

Il était entendu que les souverains passeraient l'armée en revue sur les Champs-Elysées. A mesure que les régiments victorieux pénétraient plus profondément dans Paris, le nombre des badauds augmentaient sur leur parcours. Selon les conventions d'armistice, les troupes régulières françaises avaient évacué la ville durant la nuit. Seuls les gardes nationaux étaient restés sur place pour maintenir l'ordre. Vêtus de leurs uniformes bleus à épaulettes et parements écarlates, la culotte blanche mal tirée sur la cuisse, le mollet au large dans de hautes guêtres, les soldats-citoyens formaient la haie sur le passage de ceux qu'ils avaient combattus la veille. Nicolas regardait à la dérobée ces visages de bourgeois suant à plein front sous leur grand chapeau à calotte rouge et s'accordait le luxe de les plaindre. Derrière eux, grouillait, bouillonnait, murmurait l'immense foule parisienne. Toutes les fenêtres étaient garnies de têtes. Des curieux s'étaient perchés dans les arbres, sur les impériales des voitures et jusqu'au sommet des toits. Brusquement, des cris éclatèrent :

— Vivent les Alliés ! Vive l'empereur Alexandre ! Vive la paix ! A bas le tyran !...

Ces clameurs enthousiastes, succédant au silence haineux des faubourgs, étonnèrent Nicolas, comme si, passant d'un quartier à l'autre, il eût changé de pays. Quelques femmes élégantes battaient des mains et sautillaient sur place, dans une palpitation de châles, de capelines et de rubans. Des hommes aux gilets voyants agitaient leurs mouchoirs, brandissaient leurs chapeaux, leurs cannes. Certains étaient décorés de cocardes blanches. Au premier rang, un monsieur congestionné aboya :

— Le trône aux Bourbons !

A l'instant même, Nicolas éprouva un léger choc sur sa joue. Un bouquet, lancé de tout près, l'avait frappé à la figure. Il eut la présence d'esprit de rattraper les fleurs comme elles allaient glisser par terre. Puis, les ayant galamment respirées, il les enfonça entre deux boutons de son habit. N'avait-il pas mis trop d'affectation dans son geste ? Il le craignit, un moment. Mais les applaudissements crépitèrent à ses oreilles. Une femme glapit :

— Bravo ! Bravo les Russes !

Nicolas sourit de bonheur et se tourna sur sa selle. Il s'efforçait de voir d'où émanait cet hommage. Mais il y avait trop de monde autour de lui. Les visages français se confondaient en une sorte de matière rose, mouvante. La jument Kitty, flattée, encensait de la tête. « Je dois être vraiment beau sur mon cheval, pensa Nicolas. Comme c'est agréable d'être russe en cette minute ! Nous ne bénirons jamais assez notre cher empereur pour la gloire impérissable qu'il nous a permis de conquérir. » Une voix rude le fit sursauter. Cela venait du flanc gauche de la colonne. Le sergent Matvéïtch vociférait sans ralentir le pas :

— Votre Noblesse, ils vont nous couper du régiment ! Faut faire quelque chose !...

Brisant le barrage des gardes nationaux, la foule s'était infiltrée entre la section de tirailleurs commandée par Nicolas et le reste du bataillon qui s'éloignait dans la poussière. En un clin d'œil, Nicolas se vit pressé par cent inconnus aux visages hilares. Il tenta de parlementer :

— Allons, Messieurs, laissez-nous passer !... Vous voyez bien que vous retardez le mouvement !... Dégagez la rue !...

Des exclamations fusèrent dans la multitude :

— Mais il parle français comme vous et moi !... Et on nous disait que ce sont des barbares !... D'où venez-vous, charmant jeune homme ?

Nicolas, naïvement ému, voulut d'abord répondre à cette question. Mais il n'avait que trop perdu de temps ! Son cheval, engagé dans la cohue, ne pouvait plus ni avancer ni reculer sans écraser quelqu'un. Une jeune femme blonde, assez jolie, avec une lumière impertinente dans les yeux, tenait la jument par la bride.

— Laissez donc, Madame, dit Nicolas dans un soupir.

Puis, se dressant sur ses étriers, il cria :

— Si vous ne vous écartez pas, j'ordonne à mes hommes de charger à la baïonnette !

Il répéta le commandement en russe. Ses sourcils froncés donnaient, pensait-il, un caractère martial à sa physionomie. Un cliquetis métallique lui répondit. Derrière lui, les soldats inclinaient leurs armes, tous ensemble, pour l'attaque. Aussitôt, les flots de la foule s'ouvrirent.

— Marche ! rugit Nicolas.

La section de tirailleurs, forçant l'allure, eut tôt fait de rattraper le gros de la troupe. Les fifres, qu'on n'entendait plus depuis un moment, retentirent de nouveau, aigus et joyeux, à bonne distance. Quelques gardes sautèrent sur place pour se remettre au pas. La foule criait toujours sur leur passage. A un endroit où le boulevard tournait, le régiment s'arrêta encore. Les hommes vérifièrent leur alignement. Nicolas était très ému à l'idée qu'il allait défiler devant son souverain sur les lieux mêmes où avait été décapité le dernier roi de France.

Tout à coup, les façades des maisons s'écartèrent et le régiment se déversa dans un large estuaire de clarté : l'ancienne place Louis XV. Une multitude bigarrée ondulait aux confins de cet espace blanc. L'air vibrait du chant fou des trompettes et du roulement profond des tambours. Les souverains alliés se tenaient à cheval au débouché d'une avenue de verdure. Avec une régularité d'automates, les gardes de Lithuanie défilèrent par trente de front. Nicolas, l'épée tendue vers le bas, la tête violemment tournée vers la droite, vit grandir Alexandre comme un soleil. L'empereur était en petite tenue de chevalier-garde, la poitrine barrée du cordon bleu de l'ordre de Saint-André. De lourdes épaulettes dorées élargissaient sa carrure. Sous le grand bicorne vert, planté de biais et orné d'une cascade de plumes de coq, son visage était d'une jeunesse et d'une gravité saisissantes. Il montait la belle jument grise qui lui avait été offerte jadis par Napoléon. De nombreux officiers généraux entouraient le tsar, mais Nicolas ne voyait que lui, le libérateur de la patrie, le vainqueur de l'hydre, l'Agamemnon des temps modernes. Une fraction de seconde et, déjà, ce tableau majestueux n'était plus qu'un souvenir dans l'esprit de celui qui l'avait contemplé.

★

Vers la fin de l'après-midi, une pluie fine descendit du ciel. Ayant traversé tout Paris au pas de parade, les gardes de Lithuanie s'arrêtèrent dans des labours, au-delà de la barrière, près du village de Neuilly. Nicolas fit former les faisceaux. Comme il était probable que le régiment ne resterait pas longtemps à cet endroit, le colonel avait jugé suffisant de dresser trois tentes pour lui-même et les officiers de son entourage. Mais les heures passaient et aucune estafette n'apportait l'ordre de faire mouvement.

Nicolas sortit de la tente pour se promener dans la campagne. Deux factionnaires montaient la garde devant le drapeau du régiment, planté en terre. Un fanal les éclairait par en bas, à la manière d'un lumignon de théâtre. Il ne pleuvait plus. Des hommes en manches de chemise bavardaient, assis à croupetons devant un feu de branches qui dégageait moins de flammes que de fumée. L'un recousait un bouton, l'autre grattait la boue de ses semelles, un autre encore taillait une badine pour passer le temps. Un brosseur époussetait à coups de balayette un manteau d'officier pendu à une souche. Des chevaux à l'attache hennissaient au loin. Un vieux tambour moustachu enseignait le maniement des baguettes à un gamin de seize ans, qui avait l'air d'une fille habillée en soldat. Une corvée rentrait, chargée de seaux de toile, d'où l'eau débordait à chaque secousse. Des rires gras sonnaient autour d'une marmite. Nicolas huma l'odeur d'une soupe aux choux et son appétit augmenta. Le dîner des officiers avait été frugal : harengs, gruau et fromage de Hollande. Les provisions personnelles de Nicolas étaient restées dans ses bagages. Et les bagages avaient disparu, depuis la veille, avec tous les hommes du train. Nicolas se demanda s'il retrouverait jamais Antipe, son ordonnance. Ce serf rusé, paresseux, bavard — l'un des plus intelligents du domaine — avait été choisi par le propre père de Nicolas pour accompagner le jeune seigneur à la guerre. « Tu ne le lâcheras pas d'une semelle. Tu veilleras sur lui. Tu me répondras de lui sur la peau de tes reins ! » Nicolas entendait encore cette recommandation tonnante et revoyait son père, dressé de toute sa taille, les favoris touffus, l'œil gris d'acier, la narine large, devant les domestiques assemblés sur le perron. Derrière lui, se tenait Marie, la sœur cadette de Nicolas, si pâle, si désarmée, qu'il ne pouvait songer à elle sans un serrement de cœur... Leur mère à tous deux était morte six ans auparavant. Ce deuil les avait encore rapprochés l'un de l'autre. Que devenait-elle, loin de lui, dans la vieille propriété de Kachtanovka, aux côtés de ce père ombrageux et maniaque ? Les lettres mettaient plusieurs semaines à parvenir en Russie. « Demain, je lui écrirai encore, décida Nicolas. Je lui raconterai tout. La bataille, l'entrée à Paris, la magnifique tenue de mes hommes à la parade... »

Nicolas était très fier d'appartenir aux gardes de Lithuanie et, cependant, il n'avait rien fait pour être affecté à ce régiment. En 1812, il n'était encore qu'un gamin poursuivant ses études au deuxième corps des cadets, à Saint-Pétersbourg, lorsque la nouvelle de la prise de Moscou par les Français avait consterné la Russie. Peu après, le colonel commandant l'école annonçait qu'en raison des pertes subies par l'armée russe les meilleurs élèves seraient nommés officiers dans des unités de la garde sans attendre la fin de leur période d'instruction. Un matin gris du mois de novembre, tous les cadets avaient été rassemblés dans la salle de conférences et rangés côte à côte, contre le mur. Le grand-duc Constantin était arrivé, sanglé dans l'uniforme des gardes à cheval, les épaules lourdes, le nez écrasé, les sourcils roux. Sans écouter les discours du directeur, il avait demandé un morceau de craie. Puis, passant devant les élèves qui se figeaient et bombaient le torse, il leur avait tracé des signes cabalistiques sur la poitrine. Qui était gratifié d'une croix, qui d'un triangle, qui d'un cercle et qui d'un carré. Aussitôt après ce travail de marquage, sur un ordre du terrible grand-duc, les carrés s'étaient joints aux carrés, les croix aux croix et ainsi de suite. Nicolas, décoré d'un triangle, avait appris que cette indication le destinait à servir dans les gardes de Lithuanie. Que ces épreuves lui paraissaient aujourd'hui lointaines et puériles ! Il devait faire un effort de réflexion pour se persuader qu'il n'était pas dans l'armée depuis dix ans au moins : campagne de Bohême, combats de Dresde, de Kulm, de Leipzig, passage du Rhin, bataille d'Ems, bataille de Paris... Tant de camarades blessés, tués ! Le dernier en date était le petit Fadéïeff, proprement couché dans l'herbe, devant Belleville. Une balle en plein front. Peu de sang. Une pâleur de cire. Des dents jaunes entre des lèvres bleues. La veille encore, il parlait de se commander un nouvel uniforme pour mener la grande vie à Paris. Plongé dans ses méditations, Nicolas se heurta au chariot de la cantine, arrêté sous un arbre. La vue de cette caisse, haute sur roues et couverte d'une bâche, lui rappela qu'il avait très faim. Le cantinier le reçut avec regret :

— Je n'ai rien que du pain d'épice et du tabac, Votre Noblesse !

Le lieutenant Hippolyte Roznikoff, qui mastiquait quelque chose, assis sur un tambour, grommela :

— On pourrait paver les rues avec son pain d'épice !

Nicolas en acheta tout de même un bout. D'autres officiers s'approchèrent du groupe. Tous étaient désœuvrés et heureux. Mais ils se plaignaient pour la forme. Hippolyte Roznikoff donnait le ton :

— Dire que nous avons pris Paris de haute lutte et que les Parisiens mangent à leur faim et dorment dans leurs lits, pendant que nous campons, le ventre creux, dans la boue ! Est-ce que c'est juste ?

— Les Français n'ont pas fait tant de manières quand ils sont entrés à Moscou ! renchérit le gros capitaine Maximoff.

— Pour ce qu'ils y ont trouvé !... dit Nicolas. Des ruines et des flammes ! Au moins, nous, on ne nous volera pas notre victoire !

— Tu crois ça ! ricana Hippolyte Roznikoff. Mais, mon pauvre ami, pour profiter de Paris, il faut avoir de l'argent, beaucoup d'argent ! Tu as touché ta solde, toi ?

— Pas depuis un mois !

— Alors ? Avec quoi t'offriras-tu les plaisirs de la capitale ? Le Palais-Royal, les théâtres, les cafés, les alcôves hospitalières...

Roznikoff énumérait ces tentations avec un visage si animé, que tous éclatèrent de rire. La nuit était lentement venue. Un à un, des falots s'allumèrent dans le camp. La tente principale rayonnait, au ras du sol, comme une grande lanterne en papier huilé. Une sonnerie retentit : l'appel aux chefs de section. Tous se précipitèrent vers le point de rassemblement. Les semelles claquaient dans la boue avec un bruit de langue. Les épées battaient les cuisses. Le colonel sortit de sa tente. Un papier brillait dans sa main comme une feuille de métal. Il le lut avec emphase. Par ordre du général Ermoloff commandant la 2e division de la garde, le régiment des gardes de Lithuanie devait revenir immédiatement à Paris et prendre ses quartiers dans la caserne de Babylone. Un murmure de jubilation courut parmi les jeunes officiers. Roznikoff poussa Nicolas du coude :

— Babylone ! Le symbole de la richesse, de la corruption et de la luxure ! Ce n'est pas dans notre austère Russie qu'on aurait baptisé une caserne de ce nom-là. Nous n'allons pas nous embêter, frères ! En avant, pour Babylone ...

A peine la nouvelle fut-elle communiquée aux sous-officiers, que le camp retentit de leurs coups de gueule. Courant de part et d'autre avec l'affairement de chiens de berger, renversant des marmites, brandissant le poing, pestant, sacrant, promettant des corvées et des tours de garde supplémentaires, ils eurent tôt fait de ramasser leur monde sur la route. Nicolas remonta à cheval, devant sa section. Le régiment s'ébranla dans la nuit. Des porteurs de falots le précédaient. D'autres marchaient en serre-file. Une brume dorée enveloppait les lanternes.

Il pouvait être dix heures du soir quand les gardes de Lithuanie arrivèrent devant la barrière de l'Etoile. Les deux pavillons de l'octroi, avec leurs colonnes trapues et leurs frontons triangulaires, prenaient, dans l'obscurité, de faux airs de temples grecs. Des gardes nationaux étaient assis sur les marches. Mais c'était un peloton de cosaques qui surveillait l'entrée de Paris. Leurs chevaux étaient attachés aux grilles.

Le régiment traversa une sorte de terrain vague, encombré de gros blocs de pierre. Les porteurs de lanternes éclairèrent au passage les soubassements d'un arc de triomphe, qui, sans doute, ne serait jamais achevé. Quatre énormes piliers, sortant de terre, s'élevaient dans le vide, stupidement, comme pour symboliser l'échec de celui qui avait voulu dédier ce monument à la gloire de son armée soi-disant invincible. L'avenue des Champs-

Elysées commençait là, profonde et ténébreuse. Sur les côtés, entre les arbres, brillaient des feux de bivouac. Des cosaques campaient sous les branches. Leurs chants, leurs rires s'entendaient de loin.

Parmi les gardes de Lithuanie, quelques hommes fatigués traînaient la patte. Pour ranimer leur énergie, le colonel ordonna aux fifres et aux tambours de jouer la marche du régiment. Aux sons de la musique, les têtes se redressèrent. On franchit la Seine sur un grand pont. Des monuments, des palais, se détachaient de la pénombre. Ils paraissaient irréels, sans épaisseur, comme des décors de carton. Tout Paris dormait, cuvant sa défaite. Pourtant, çà et là, au bruit de la troupe, une bougie s'allumait derrière un carreau sombre, une fenêtre s'ouvrait, un Français, une Française en bonnet de nuit se penchaient craintivement sur la rue. Nicolas levait les yeux vers ces citadins mal éveillés et imaginait leur angoisse devant le cortège guerrier qui traversait la ville. « Ce sont les Russes, les Russes qui passent ! » Une croisée se refermait en claquant, puis une autre.

Tout à coup, le régiment s'arrêta devant un édifice noir. Les porteurs de lanternes s'avancèrent. Un factionnaire russe se tenait dans une guérite aux couleurs françaises. Au-dessus du porche, Nicolas lut un écriteau : « Caserne de Babylone. »

— Ça n'a pas l'air gai ! grommela quelqu'un dans les rangs.

2

Le lendemain matin, après l'appel, le capitaine Maximoff prit Nicolas par le bras et l'entraîna, d'un air mystérieux, dans un coin de la cour.

— Regarde ce que j'ai reçu, dit-il en tirant un papier de sa poche.

C'était un billet de logement, chargé de cachets et de signatures.

— Peux-tu déchiffrer ce qu'il y a là-dessus ? reprit-il. C'est écrit en français et je n'y comprends rien !

— « Hôtel de M. le comte de Lambrefoux, lut Nicolas. 81, rue de Grenelle. »

Le capitaine Maximoff secoua sa face rougeaude avec colère :

— Le comte de Lambrefoux ! Qu'est-ce que c'est encore que cet oiseau-là ?

— Quelqu'un de fort aimable, sans doute !

Une grimace de dédain plissa les grosses lèvres de Maximoff. Elles avaient la couleur et le luisant de la viande crue.

— Justement, c'est ce que je déteste le plus au monde ! dit-il avec vivacité. Tu me vois logé chez un perroquet français qui parlera tout le temps sans que je le comprenne?

— Pourquoi pas ? Vous pourriez y être très bien.

— Non, mon cher. Je suis un vieux militaire russe. J'ai mes habitudes. J'aime la cuisine de chez nous. A quelle heure me fera-t-il manger, ce comte de je ne sais quoi, et que mettra-t-il dans mon assiette, et comment répondrai-je à ses compliments et à ses sourires ? Tout compte fait, je préfère rester à la caserne. Le lit y est dur, mais la soupe y est bonne.

— Vous allez rendre votre billet de logement ? demanda Nicolas consterné.

— Oui. A moins que tu ne veuilles le prendre ! dit Maximoff en clignant de l'œil.

Une allégresse subite fondit sur Nicolas.

— Vous feriez ça ? s'écria-t-il.

— Pour ce qu'il m'en coûte ! dit Maximoff.

Et, tordant la bouche sur le côté, il envoya, à six pas devant lui, un jet de salive teinté de jus de chique.

Nicolas lui serra les mains avec effusion, empocha le billet et se précipita vers la chambre qu'il occupait avec trois lieutenants, au premier étage de la caserne. Par une chance appréciable, ses camarades n'étaient pas là. Il en profita pour se contempler à loisir dans un morceau de glace que quelque officier de Napoléon, féru d'élégance, avait fixé au mur avec quatre clous.

Pour son entrée dans une maison française, Nicolas voulait être, de la tête aux pieds, à son avantage. Un rapide coup d'œil le rassura : les talons joints, les épaules raides, une main négligemment posée sur la garde de son épée, il avait une physionomie tout ensemble victorieuse et magnanime comme il convenait à un officier russe en occupation à Paris. Le hâle qui recouvrait uniformément son visage accentuait encore la blondeur soyeuse de ses cheveux et donnait du relief à ses pommettes hautes, à son menton carré, à son nez mince légèrement retroussé au bout. Ses yeux n'étaient pas grands, mais débordaient d'une lumière loyale. Son habit vert foncé, à courtes basques, collet rouge, revers rouges et double rangée de boutons dorés, était rembourré par-devant et bombait sur sa poitrine. Son pantalon blanc s'enfonçait dans de hautes bottes noires. Une ceinture d'argent serrait sa taille à lui couper la respiration. Deux archines, dix verchoks ; des muscles de fer ; un estomac à broyer les cailloux ; et, au niveau du cœur, une palpitation douce, chaude, impatiente... Il tira ses manches, coiffa son shako à plumet noir et sortit de la chambre pour conquérir le monde.

Dix minutes plus tard, il passait devant le poste de garde et la sentinelle lui rendait les honneurs. C'était la première fois qu'il marchait librement dans Paris. La rue qu'il suivait lui parut étroite et sale. Des promeneurs se retournaient avec curiosité sur son uniforme. Derrière lui, c'était toujours le même murmure :

— Vous avez vu le Russe ?... Regardez, c'est un Russe !...

Il demanda son chemin. Un monsieur en habit bleu barbeau le renseigna aimablement :

— Vous êtes dans la rue de Babylone. Tournez à droite dans le boulevard des Invalides, longez-le jusqu'à l'esplanade, vous trouverez la rue de Grenelle des deux côtés de la place... Vous ne pouvez pas vous tromper...

Il se trompa pourtant, et à plusieurs reprises. Finalement, deux gamins en guenilles s'attachèrent à ses pas :

— Un sou pour chacun, Monsieur, et on vous y conduit !

Il accepta. Les garçons trottaient à côté de lui, le nez en l'air, le regard fixé sur la pointe de son plumet. Le plus jeune avait des yeux globuleux à fleur de tête et une large bouche de grenouille ; les traits du second étaient voilés par un semis de taches de rousseur. Au début, l'un et l'autre observèrent le silence. Puis le plus petit demanda :

— Vous vous êtes battu très fort, avant-hier ?

— Moi, non, dit Nicolas ; j'étais en deuxième ligne. Mais mes camarades...

— Si vous avez gagné, dit le plus grand, c'est parce que Napoléon n'était pas là.

— Peut-être !

Alors, le petit pivota sur lui-même et, marchant très vite à reculons, pour voir Nicolas de face, il s'écria :

— C'est pas fini, vous savez ? Il va revenir... Paraît qu'il est déjà à Fontainebleau !...

— On le dit.

— S'il revient, qu'est-ce que vous ferez ?

— Nous nous battrons encore.

— Et vous ne croyez pas que ça ira mal pour vous, cette fois-ci ?

— Nous sommes très nombreux, dit Nicolas en souriant.

— C'est vrai, concéda le plus grand. Partout, ça grouille de Russes, d'Autrichiens !... Mon père dit qu'on a été trahis !... Et il voit des tas de gens, mon père, dans son métier... Il est rémouleur au Gros-Caillou... Moi, je m'appelle Augustin, lui, c'est mon frère, Emile... Quand mon père travaille dans le quartier, on lui rabat la clientèle... Si vous voulez faire aiguiser votre sabre !...

Il rit et ce fut comme si un grelot tremblait dans le fond de sa gorge. Bientôt, la vue des deux gamins accompagnant un officier russe incita d'autres enfants à se joindre au groupe. Nicolas était gêné de cette escorte peu réglementaire. La crainte d'amuser les passants le contraignait à raidir son port de tête, et, plus il se gourmait, plus il se sentait ridicule. Les gosses discutaient avec fièvre dans son dos :

— Moi, je te dis que ça ne peut pas être un Russe, puisqu'il cause le français !

— Alors, qu'est-ce qu'il serait ?

— Un émigré, peut-être !

— Tu rigoles ! Il ne nous aurait pas demandé son chemin ! C'est un Russe ! Un vrai !

— T'as vu son uniforme ? Il est chouette ! Mais pourquoi qu'il a les cheveux si longs ? C'est un fantassin ou un artiflo ? A quoi ça sert, le truc qu'il a sur le côté ?

Nicolas, par dignité, feignait de ne rien entendre. Enfin, on s'arrêta devant un porche peint en vert et surmonté d'une lanterne sur sa potence. Emile et Augustin tendirent leur main cirée de crasse. Nicolas avait pu se procurer quelque argent français chez le trésorier du régiment, contre l'équivalent approximatif en roubles. Il plaça une pièce d'un sou dans chacune des deux paumes ouvertes et demanda :

— Vous êtes sûrs que c'est ici ?

— Aussi sûrs que vous serez bientôt foutus dehors par Napoléon ! hurla Augustin.

Et tous les gosses détalèrent en piaillant. Nicolas sourit et avança la main vers le heurtoir. Un portier, cassé en deux et coiffé d'une calotte, entrebâilla le vantail avec méfiance. En apercevant l'uniforme, il eut un haut-le-corps et ses joues flasques se mirent à trembler. Avec beaucoup de ménagement, Nicolas lui expliqua le motif de sa visite. Alors, le portier soupira et geignant, le conduisit à travers une cour pavée jusqu'au perron d'une belle et vaste maison de deux étages, dont toutes les fenêtres étaient garnies de rideaux.

— Je vais prévenir M. le comte, dit un valet de pied en introduisant Nicolas dans le salon.

Cette pièce était toute en boiseries vert d'eau à filets d'or. La lumière du jour y prenait une coloration sous-marine. Il n'y avait là que des meubles très fins, aux marqueteries précieuses, des sièges aux tapisseries fanées. Des portraits peu éclairés inclinaient vers le sol leurs sourires fardés et leurs regards morts. Un bouquet de lilas s'épanouissait sur la table d'un piano-forte. « Comment va-t-on me recevoir ? pensait Nicolas. Mal, sans doute. En tant que Russe, je suis condamné à choquer, à déplaire... » Le sentiment d'être un intrus lui était de plus en plus désagréable. Soudain, il regretta d'avoir accepté le billet de logement. Le capitaine Maximoff avait raison : la place d'un officier russe était à la caserne. « Et si j'y retournais ? Tant pis pour le bon lit, la bonne table, les conversations en français... » Une porte s'ouvrit derrière son dos, livrant passage à un petit vieux sec. Vêtu à la mode de l'ancien temps, il paraissait échappé à quelque bal en travesti, dont la musique lui eût encore tourné la tête. Une perruque poudrée dominait son haut front d'ivoire. Un jabot de dentelle s'évasait sous son menton en galoche. Il portait un frac de couleur puce, des bas crème à baguettes d'argent, et un face-à-main en sautoir.

— Le capitaine Maximoff, sans doute, dit-il en ajustant le binocle sur son nez.

Nicolas s'excusa, déclina son identité véritable et affirma que le capitaine Maximoff était désolé de ne pouvoir profiter en personne de l'hospitalité du comte de Lambrefoux. Celui-ci se montra enchanté de l'aisance avec laquelle son jeune interlocuteur s'exprimait en français et le pria de s'asseoir.

— Ah ! M. Ozareff, s'écria-t-il, j'aurais certes

préféré vous recevoir chez moi dans des circonstances moins pénibles, mais seriez-vous venu en France si vous n'y aviez été apporté par le vent de la guerre ? Comment avez-vous trouvé notre pauvre pays ?

— Moins abîmé que n'a été le nôtre, dit Nicolas avec réserve.

— Je ne parle pas des destructions matérielles ! répliqua le comte de Lambrefoux en claquant des doigts dans le vide. Je veux dire l'atmosphère... l'atmosphère de l'accueil...

Nicolas voulut être équitable.

— Les sentiments de la population à notre égard m'ont semblé très divisés, murmura-t-il. Mais, dans l'ensemble, je me serais attendu à plus de froideur.

M. de Lambrefoux laissa tomber son face-à-main et leva les yeux au plafond :

— La nation a trop souffert des incessantes guerres napoléoniennes ! Entre les partisans fanatiques de l'Empereur qui refusent d'accepter le désastre et les royalistes qui exigent une restauration immédiate du trône de saint Louis, il y a l'immense masse des Français, qui, hors de toute considération politique, se réjouissent en pensant que le massacre a pris fin. Pour bien des gens, le retour à la sécurité compense la honte de la défaite. On ne raisonne plus, on respire. En ce qui me concerne, je ne vous cacherai pas que je suis toujours resté fidèle aux Bourbons. A ce propos, mes amis et moi-même avons été particulièrement touchés de voir que les troupes alliées arboraient, pour leur entrée dans Paris, le brassard blanc, symbole de la monarchie française !

Surpris par ce flot de paroles enthousiastes, Nicolas ne put s'empêcher de dire que le brassard blanc dont M. de Lambrefoux faisait si grand cas n'était, pour les coalisés, qu'un signe de reconnaissance. Cette remarque parut affliger le comte, qui mit le nez dans son jabot. Mais, bientôt, redressant la tête, il s'exclama gaiement :

— Qu'à cela ne tienne ! Les intentions du tsar ne nous sont pas inconnues ! La déclaration qu'il a fait placarder sur les murs de Paris prouve assez qu'il ne traitera pas avec quelque membre que ce soit de la famille Buonaparte et qu'en revanche il garde son estime à la dynastie qui a construit la France. D'ailleurs, M. de Talleyrand a déjà convoqué le Sénat pour désigner un gouvernement provisoire. Buonaparte sortira par une porte et Louis XVIII entrera par l'autre...

Fort ignorant de la politique française, Nicolas écoutait ces propos avec ennui. Cette agitation doctrinaire lui semblait futile auprès de la grandeur tragique des combats. Les seuls faits importants n'étaient-ils pas que les troupes napoléoniennes eussent été chassées de Russie et qu'Alexandre 1er fût entré en triomphateur dans Paris ? Pour le reste, les Français n'avaient qu'à se débrouiller entre eux. Comme s'il eût deviné les pensées de son hôte, M. de Lambrefoux changea bientôt de conversation.

— Vous tombez dans une maison à l'abandon, cher M. Ozareff, dit-il. Craignant des combats de rues dans Paris, j'ai fait partir ma femme et ma fille pour Limoges. Si Buonaparte veut bien se tenir tranquille, elles ne tarderont pas à revenir. Mais je bavarde et vous devez être pressé de vous installer : vous plairait-il de me suivre ?

La chambre attribuée à Nicolas était située au rez-de-chaussée. Un tissu gris pervenche tendait les murs. Tenu par deux lances d'acajou, un lourd baldaquin jaune surmontait le lit. Face à la porte d'entrée, une autre porte ouvrait de plain-pied sur le jardin vert et touffu, qui s'étendait derrière la maison. Tandis que Nicolas admirait son nouveau domaine, un valet accourut, essouflé, affolé, pour prévenir M. le comte que le portier était en discussion avec un individu sorti d'on ne savait où, parlant un charabia effroyable et menaçant de tout casser si on ne le conduisait pas immédiatement au lieutenant Ozareff. Inquiet, Nicolas suivit le domestique dans la cour et y découvrit, en face du concierge qui écartait les bras dans un geste théâtral d'interception, Antipe, l'œil terrible, la mèche sur le front et les poings serrés.

— Ah ! Votre Noblesse ! glapit-il d'une voix enrouée en apercevant son maître. Dites à ce chien français de retourner dans sa niche !

— Mais quand es-tu arrivé ? D'où as-tu eu mon adresse ? demanda Nicolas.

— On a dormi dans les champs la nuit dernière, et, ce matin, à l'aube, tout le monde debout ! Direction caserne de Babylone ! Là, le capitaine Maximoff m'a dit où vous étiez...

Pendant qu'il s'expliquait ainsi, avec force gestes, Nicolas l'examinait et s'attristait de sa mauvaise tenue. Si les hommes de troupe étaient correctement vêtus dans l'armée russe, les ordonnances s'habillaient avec tout ce qui leur tombait sous la main. Encore ne devait-il pas y en avoir un seul qui fût aussi étrangement déguisé qu'Antipe ! Sur ses cheveux roux, il portait une casquette jaunâtre à la coiffe plissée en accordéon. Une tunique bleue, trop grande, volée à quelque cadavre de grenadier français, pendait de ses maigres épaules. Ses mollets s'enfournaient dans d'énormes bottes de postillon. Toutefois, pour corriger par un détail réglementaire l'extravagance de son accoutrement, il avait noué à son bras une superbe écharpe blanche. A côté de lui, par terre, reposaient une cage avec deux poules dedans, un tas de chiffons d'où émergeait le goulot d'une bouteille et trois casseroles de cuivre attachées ensemble. Sans doute ce butin provenait-il d'une ferme des faubourgs. Nicolas eut honte devant le comte de Lambrefoux, qui observait la scène avec un sourire malicieux.

— J'en ai encore autant à la caserne ! dit Antipe en clignant de l'œil. Vous comprenez, barine, j'ai pas pu tout emporter en une fois...

— Voleur ! grommela Nicolas entre ses dents.

— Seul le Christ ne vole pas : il a les mains clouées !

— Tu oses blasphémer ?

— Ces choses-là, même si je voulais m'en débarrasser, je ne saurais pas à qui les rendre !

— Eh bien ! rapporte-les à la caserne. Laisse-les à n'importe qui. Et tâche de t'habiller convenablement !

— On fera ce qu'on pourra, Votre Noblesse. C'est pas l'envie qui manque, ce sont les moyens. Nous logeons ici ?

— Oui.

— La maison est belle !

— Raison de plus pour y vivre honnêtement ! Si j'entends la moindre plainte à ton sujet, je te renvoie, je te remets dans le rang, je te fais fouetter à mort ! Compris ? Et maintenant, va chercher mes affaires !

Après le départ d'Antipe, Nicolas pria M. de Lambrefoux d'excuser les mauvaises manières du personnage. Mais le comte n'en paraissait nullement affecté. Le portier reçut l'ordre de considérer Antipe comme faisant partie de la maison. Il fut convenu que Nicolas prendrait ses repas dans sa chambre, servi par son ordonnance. Ce soir, pourtant, le comte désirait avoir le jeune officier à sa table :

— Je reçois quelques intimes. Il vous sera intéressant de les connaître. Nous dînons à six heures. Soyez des nôtres.

Nicolas devina que son hôte voulait le présenter comme une bête curieuse à ses amis. La réputation d'esprit des Français était telle, qu'il craignit de sembler balourd à cette compagnie de moqueurs professionnels. A Saint-Pétersbourg même, il n'avait guère eu l'occasion de sortir dans le monde. Enfin, forçant sa timidité, il accepta.

Tout l'après-midi, il fut de service à la caserne, où le régiment lavait ses hardes, nettoyait ses buffleteries, démontait et graissait ses armes, comptait ses boutons et ses cartouches en prévision des prochaines revues de détail. Entre-temps, Antipe avait transporté les bagages de son maître à l'hôtel de la rue de Grenelle. Nicolas y retourna vers cinq heures et demie, et eut juste le temps de se rafraîchir avant de passer à table.

En le voyant paraître, les invités de M. de Lambrefoux eurent le bon ton de maintenir leur intérêt dans les limites de la courtoisie. Il y avait là le comte et la comtesse de Maleferre-Jouët, penchant ensemble vers la soixantaine, un banquier podagre, M. Nouailles, et son fils au long visage de navet, une jeune femme charmante, aux cheveux blonds et aux yeux bleus, avec une mouche au coin de la lèvre, son mari, le ventripotent baron de Charlaz, qui aurait pu être son père, et deux adolescents aux figures poupines engoncées dans de hautes cravates blanches. Nicolas se sentit bientôt parfaitement à l'aise. Son seul regret était de ne pouvoir suivre la conversation dans ses plus subtils détours. Les mêmes noms revenaient d'une bouche à l'autre : Talleyrand, Caulaincourt, le comte d'Artois, Nesselrode, Marmont, Berthier, Buonaparte, Marie-Louise, Metternich... Tous les convives se demandaient si Napoléon, réfugié à Fontainebleau, abdiquerait enfin comme le lui conseillaient, disait-on, ses propres maréchaux, ou, emporté par son orgueil, reprendrait pour quelques jours une guerre perdue d'avance. Quant au futur gouvernement de la France, les avis étaient partagés. Si certains, comme M. de Lambrefoux, ne voyaient de salut que dans la restauration des Bourbons, d'autres, comme M. Nouailles, le banquier, estimaient qu'une régence de Marie-Louise serait peut-être préférable. L'un des jeunes gens osa prononcer les mots de constitution républicaine. Nicolas était surpris de la liberté avec laquelle chaque invité exprimait son point de vue sur un problème aussi grave. En allait-il de même pour eux sous Napoléon ? N'était-ce pas la chute de l'empire qui leur déliait la langue ? On eût dit que, dans ce pays, le moindre citoyen avait en lui les capacités d'un ministre. La politique était l'affaire de tous. Evidemment, une pareille discussion eût été inconcevable en Russie. L'omnipotence du tsar excluait toute tentation de critiquer ses actes ou de prévoir ses décisions. On ne pouvait être russe sans vénérer son souverain, alors qu'on pouvait être français et souhaiter changer de gouvernement, voire de régime. « Au fond, songea Nicolas, la révolution qu'ils ont faite, vingt-deux ans auparavant, les a marqués comme un péché originel. Toute leur vie, maintenant, est empoisonnée par le désir de se mêler des affaires publiques. Ils expient dans la discorde, le cynisme, l'agitation et les bavardages, le crime d'avoir versé jadis le sang de leur roi. »

M. de Lambrefoux s'excusa de ne pouvoir, étant donné les difficultés du ravitaillement, offrir à ses amis un dîner plus convenable. En fait, le repas fut long et copieux. Le maître de maison découpait lui-même les viandes, mais c'étaient deux valets, en livrée marron, qui passaient les assiettes et versaient les vins. Nicolas s'étonnait du petit nombre de gens attachés à la personne du comte. En Russie, un homme de sa condition aurait eu dix fois plus de monde à l'office. Il est vrai qu'en France la domesticité n'était pas serve et qu'il fallait même, peut-être, la payer ! Cela paraissait incroyable ! De temps à autre, rompant le fil de la conversation, quelqu'un posait à Nicolas une question anodine : avait-il eu le loisir de visiter Paris ? Par quel monument comptait-il commencer ? Sa voisine, la jolie baronne de Charlaz, finit par se pencher vers lui en murmurant :

— Etrange réunion, n'est-il pas vrai ? Tous ces gens sont venus ici pour voir un Russe authentique et, une fois devant vous, ils n'osent plus vous interroger selon leur désir. Pourtant, je vous jure qu'ils ont mille choses importantes à vous demander !

— Lesquelles, par exemple ?

— Eh bien ! mais, d'abord, ce que vous pensez de nous !

— Jusqu'à ce jour, Madame, dit Nicolas, les Français n'ont été pour moi que de valeureux adversaires. Laissez-moi le temps de les apprécier autrement que sur les champs de bataille.

— Eprouvez-vous réellement le besoin de les mieux connaître, ou n'est-ce de votre part que politesse de vainqueur ? demanda-t-elle avec un imperceptible sourire.

— Je vous jure, Madame, dit Nicolas, que, depuis longtemps, mon vœu le plus cher était de me rendre en France, mais j'eusse préféré m'y présenter en simple voyageur !

— Vous auriez eu tort : l'uniforme vous sied à ravir !

Nicolas rougit : toute la tablée avait entendu la réflexion de Mme de Charlaz. On se leva pour prendre le café au salon. M. de Lambrefoux versa dans de petits verres une merveilleuse liqueur des îles. Sans l'avoir voulu, Nicolas se retrouva assis, dans une méridienne, à côté de la baronne.

— Ainsi, reprit-elle, vous avez l'intention, pendant votre séjour ici, d'étudier nos mœurs à la façon de Réaumur penché sur ses insectes. Je tremble des désillusions qui vous attendent !

— Si j'en juge par mon premier contact avec la société parisienne, ce n'est pas à une déception que je vais, mais à un enchantement !

Elle lui appliqua une tape sur les doigts avec son éventail, comme pour le prier de n'en point dire davantage. Il s'inquiéta de l'avoir offusquée. Mais, déjà, elle l'éblouissait d'un sourire :

— Confidence pour confidence, désormais je me méfierai des idées préconçues. Avant de vous connaître, j'imaginais les Russes comme des êtres incultes, barbares, dépravés, sanguinaires, vivant à cheval, mangeant des chandelles de suif, oui, des espèces de Huns déferlant sur nous des steppes de l'Asie ! Il ne m'a pas fallu deux heures pour m'apercevoir à quel point je me trompais. Me feriez-vous le plaisir de venir prendre le thé à la maison ? Je vous fixerai le jour...

Nicolas n'avait qu'une crainte : paraître trop heureux. Il dut se contraindre pour arrêter le flot de lumière qui montait à ses prunelles. Quel succès pour ses premiers pas dans le monde ! La baronne de Charlaz lui semblait deux fois plus intelligente et plus désirable depuis qu'elle l'avait distingué..

— Ce sera avec joie ! balbutia-t-il. Quand vous voudrez !

— Peut-être attendrai-je que Mme de Lambrefoux et sa fille soient revenues à Paris, dit-elle. Savez-vous quand elles rentrent ?

— Non.

— C'est ma foi vrai ! Vous débarquez à peine et je vous parle comme si vous étiez de la famille. Mme de Lambrefoux est une femme charmante. Vous verrez... Sa fille aussi est charmante, bien qu'elle ne soit pas du tout dans nos idées. En vérité, je l'ai rencontrée rarement depuis son deuil...

— Elle a perdu un être cher ?

— Un être proche, en tout cas, dit Mme de Charlaz avec un sourire. Son mari, M. de Champlitte.

— Y a-t-il longtemps qu'il est mort ? demanda Nicolas.

— Deux ans, je crois...

— Dans quelle bataille ?

Mme de Charlaz leva les sourcils et un rire musical enfla sa gorge :

— Ah ! ces militaires ! Ils ne conçoivent pas qu'un honnête homme puisse décéder autrement que la poitrine percée d'une baïonnette ou la tête emportée par un boulet. M. de Champlitte n'a jamais fait la guerre. Il s'est éteint dans son lit, à quarante-deux ans, d'une fièvre maligne et probablement cérébrale. C'était, m'a-t-on dit, un excellent mathématicien et un déplorable philosophe. Si vous voulez en savoir davantage sur lui, fouillez donc la bibliothèque de votre hôte : il doit bien y avoir un ou deux ouvrages de Champlitte dans le tas...

Elle cacha le bas de son visage derrière son éventail et chuchota encore, les prunelles au coin des paupières :

— Pour ma part, je n'ai jamais eu le courage de les lire !

Comme elle s'était inclinée vers Nicolas pour prononcer cette phrase, il respira un parfum de peau tiède et d'essence de vanille. Une brume enveloppa instantanément ses idées. M. de Lambrefoux tomba mal à propos dans ce mirage avec sa perruque poudrée et son sourire voltairien.

— Eh bien ! dit-il, je vois que la Russie n'a pas encore déposé les armes ! La campagne de France continue...

Nicolas jugea cette allusion du dernier mauvais goût. Le charme était rompu. D'autres invités s'approchèrent du groupe. Mme de Charlaz se leva avec une mollesse voluptueuse. Elle était belle, blonde, chaude, elle rayonnait. Ses amis l'appelaient Delphine. Nicolas les enviait d'en avoir le droit. Comment une créature aussi exceptionnelle avait-elle pu épouser le baron de Charlaz, qui était adipeux, livide et à demi chauve ? Une fois de plus, Nicolas tenta de s'isoler avec la jeune femme. Mais elle ne fit rien pour l'y aider et, jusqu'à la fin de la soirée, la conversation resta générale.

Vers minuit, en allant se coucher, Nicolas buta sur le corps d'Antipe, qui, selon son habitude, dormait roulé dans une couverture, en travers du couloir, devant la porte. Son ronflement était, à lui seul, un moyen d'intimidation. Nicolas enjamba l'ordonnance, en ayant soin de ne pas l'éveiller, et, tenant haut sa bougie, pénétra dans la chambre. Habitué à la vie rude des camps, il était persuadé qu'il lui suffirait de s'étendre dans un bon lit, aux draps propres, pour s'assoupir aussitôt. Il n'en fut rien. La soirée avait été trop riche. Allongé sur le dos, les mains croisées derrière la nuque, l'œil perdu dans la pénombre, Nicolas pensait à Delphine avec une impatience qui excluait toute idée de repos. « Est-il possible qu'elle m'ait trouvé à son goût ? A-t-elle sincèrement l'intention de me revoir ? Posséder une femme pareille, ce doit être aussi exaltant que d'entrer à cheval dans Paris. » Il s'amusa de cette plaisanterie irrévérencieuse et, comme exorcisé, coula de tout son poids dans un sommeil innocent.

3

Parti à cheval dès les premiers rayons du soleil, Nicolas franchit la barrière vers huit heures du matin. Il était porteur d'un pli de service pour un détachement de gardes de Lithuanie cantonné sur la route du Pré-Saint-Gervais. En traversant Belleville, il fut surpris de constater que, trois jours après la fin des combats, de nombreux cadavres n'avaient pas encore été enterrés. Simplement, on les avait traînés sur le côté de la rue pour faciliter la circulation des convois. Rigides, indifférents, dépouillés de leurs armes et de leurs uniformes, ils prenaient le soleil, appuyés au mur des maisons. On reconnaissait les Français aux taches bleues que leurs habits avaient laissées sur leurs chemises sous l'effet de la sueur et de la pluie. Des mouches se promenaient sur leur visage. Une odeur poisseuse, écœurante, se mêlait au parfum des lilas qui commençaient à fleurir. Les habitants, qui s'étaient réfugiés à Paris pendant la bataille, trouvaient, en rentrant chez eux, des morts inconnus et sans gêne installés sur le pas de leur porte ou dans leur potager. Des familles entières, rassemblées devant une maison aux vitres brisées, aux volets noirs de poudre, tiraient des chaises, des casseroles, d'une montagne de gravats. Ce qui pouvait servir encore était chargé sur une charrette. Quelques cosaques, la lance au poing, caracolaient avec superbe parmi ces chiffonniers aux épaules basses. Sur le passage des Russes, tout n'était que silence et que haine. La France entière, semblait-il, les détestait. Cependant, la veille, à l'Opéra, un public en délire avait acclamé les souverains alliés et le ténor Lays avait chanté sur l'air de *Vive Henri IV* :

Vive Alexandre,
Vive ce roi des rois !...

Les journaux, qui, naguère, célébraient la gloire de Napoléon, le couvraient maintenant d'injures et de sarcasmes. Un quarteron de royalistes tentait de déboulonner la statue de l'empereur, sur la colonne de la place Vendôme. Des enfants misérables vendaient dans les rues les caricatures du tigre Buonaparte et des portraits flatteurs du souverain russe, ou bien encore fredonnaient des couplets de bienvenue en tendant la main pour l'aumône :

Que le bon Dieu maintienne
Alexandre et ses descendants
Jusqu'à ce qu'on prenne
La lune avec les dents !

A cet hommage servile, Nicolas préférait l'insolente réplique d'un autre gamin de Paris : « Aussi sûr que vous serez bientôt foutus dehors par Napoléon !... » La prédiction de l'enfant ne semblait pas devoir se réaliser. Certes, Napoléon refusait encore d'abdiquer et son armée campait à quelques verstes de la capitale, mais le Sénat l'avait déjà déclaré déchu, un gouvernement provisoire s'était constitué en hâte pour appeler Louis XVIII sur le trône et on chuchotait que plusieurs maréchaux de l'empire, Marmont en tête, allaient passer avec leurs troupes au service des Alliés. Alors, il ne resterait plus à Napoléon qu'à se rendre sans conditions. Et cette boucherie, devant Paris, n'aurait servi à rien.

Nicolas reconnut au passage le cabaret où, la nuit de l'armistice, Russes et Français s'étaient enivrés devant les mêmes barriques. La bicoque était déserte, des débris de verre jonchaient le sol. Il n'y avait plus un banc, plus une table sous les tonnelles. Dans les champs, brûlaient de grands feux d'ordures, dont l'odeur âcre prenait à la gorge. Quelques gardes de Lithuanie étaient cantonnés aux abords d'un village dévasté. Là se trouvait un dépôt de voitures et de munitions, qu'il était impossible de laisser sans surveillance. Ayant remis le pli au capitaine commandant le détachement, Nicolas s'apprêtait à reprendre la route, quand le lieutenant Hippolyte Roznikoff sortit d'une tente. Grand, dégingandé, les cheveux d'un noir de corbeau, le nez en forme de bec, l'œil sombre profondément retiré dans l'orbite, il gesticulait et criait :

— Attends-moi ! Je vais à Paris ! J'ai une permission !

Moins chanceux que Nicolas, il avait été affecté depuis deux jours à ce service monotone en dehors de la capitale.

— Mais ça va changer ! dit-il en enfourchant son cheval. Après-demain, je serai relevé par un petit sous-lieutenant qui veut faire du zèle. Et je ne retournerai pas à la caserne. Non, mon cher ! J'ai obtenu, moi aussi, un billet de logement !

— Chez qui habiteras-tu ? demanda Nicolas.

Hippolyte Roznikoff fit la moue :

— Ce n'est pas très brillant : chez un architecte. Il est veuf, il n'a pas de fille et sa servante est une matrone moustachue de soixante ans ! Mais les occasions ne doivent pas manquer à Paris. As-tu déjà quelque aventure française à ton actif ?

— Rien de très net encore, dit Nicolas, mais de fortes espérances !

Il exagérait dans son optimisme : Delphine, comme il l'appelait impunément dans ses rêves, ne lui avait plus donné signe de vie depuis leur rencontre, rue de Grenelle. Il comprenait d'ailleurs très bien qu'elle fût tenue, par sa condition même, à ménager des étapes dans le déroulement de leur intrigue. Les femmes de son rang ne se distinguaient-elles pas des autres justement parce qu'au lieu de s'abandonner tout de go à leur passion elles s'ingéniaient par mille remords, par mille contretemps pudiques, à retarder les délices d'une défaite qu'elles savaient inévitable ? Quarante-huit heures de séparation, pour lui c'était un supplice, mais pour elle, sans doute, un simple prélude à l'idée qu'elle pourrait devenir infidèle. Généreusement, il lui accorda encore trois jours — non : deux jours — pour conclure son débat de conscience. Après quoi, il commencerait à désespérer. « L'aimerais-je déjà au point de ne plus pouvoir me passer d'elle ? », songea-t-il avec crainte.

— Jolie ? demanda Hippolyte Rosnikoff.

— Plus que jolie, dit Nicolas.

— Mariée ?

— Hélas !

— Cela vaut mieux. Ainsi tu auras moins d'histoires !

— Il s'agit d'une femme du meilleur monde, dit Nicolas en poussant son cheval sur la route.

Hippolyte Rosnikoff siffla d'admiration et observa :

— Cela signifie qu'en véritable homme d'honneur tu ne me raconteras plus rien sur elle ?

— Plus rien, dit Nicolas.

Et son regard partit en flèche vers l'horizon.

Sur le chemin du retour, ils croisèrent une bande de soldats russes. En apercevant les deux lieutenants, les hommes s'égaillèrent et disparurent dans les buissons : des pillards ou des déserteurs, sans doute. Non loin de là, sur la pente d'une colline, des officiers français et alliés marchaient à petits pas et se baissaient, de temps à autre, comme pour une cueillette : ils dénombraient les morts par nationalité.

Du côté du château de Vincennes, le canon tonnait, à longs intervalles. Bien que Paris eût capitulé, le général Daumesnil, enfermé dans le donjon, refusait toujours de se rendre. A la barrière de Ménilmontant, des cosaques montraient leurs faces barbues entre les barreaux de la grille. Cependant, les commis de l'octroi avaient repris leur travail de perception et arrêtaient toutes les voitures, fouillaient tous les sacs.

La mort s'était arrêtée aux portes de la capitale. Il y avait un contraste terrible entre la désolation de la campagne jonchée de cadavres et l'aspect animé de la ville où les promeneurs n'avaient jamais été plus nombreux. Nicolas et Roznikoff, après s'être restaurés dans une auberge du faubourg du Temple, remontèrent à cheval pour gagner le centre de Paris. Roznikoff voulait voir si la statue de Napoléon se trouvait encore sur sa colonne. Elle y était, mais enroulée dans des toiles d'emballage. De cet énorme poupon, des cordes pendaient jusqu'à terre. Au pied du monument, un marchand vendait des cocardes blanches. Peu de gens lui en achetaient.

Continuant leur chemin, Nicolas et Roznikoff s'engagèrent dans la rue Saint-Honoré, qui grouillait de piétons et de voitures. Tous les uniformes des armées alliées se coudoyaient dans cette voie étroite, bordée de magasins. Cosaques aux tuniques rouges ou bleues, aux pantalons bouffants, le knout autour du cou et le bonnet crânement enfoncé sur l'oreille, officiers autrichiens en tenue blanche de parade, lanciers aux coiffures carrées, hussards à la poitrine ornée de brandebourgs massifs comme des chaînes. Quelques vêtements civils étaient submergés par cette marée d'épaulettes, de médailles, de galons, de plumets, de franges et de plaques. Les femmes ne savaient plus où donner du regard.

Le flot s'épaississait aux approches de la place Louis-XV. Ce lieu était devenu depuis peu le centre politique de Paris. En effet, le tsar résidait encore dans l'hôtel de M. de Talleyrand, à l'angle de la rue Saint-Florentin. Les abords de cette belle demeure étaient gardés par une compagnie du régiment Préobrajenski. Courriers, officiers généraux, diplomates, policiers, quémandeurs de tout poil entraient, sortaient, se heurtaient, se saluaient, dans un bourdonnement de ruche au soleil. Sur les murs des maisons avoisinantes, se détachaient les affiches blanches des proclamations impériales. Mais il était rare qu'un passant s'arrêtât pour les lire. La plupart des Français les connaissaient par cœur. La curiosité de la foule se portait plutôt vers les Champs-Elysées, où campaient les cosaques. Ce tableau, si familier à Nicolas, plongeaient les badauds parisiens dans un émerveillement craintif. Ils venaient là par familles complètes, afin de voir en liberté « les tribus sauvages de la steppe ». C'était un spectacle instructif et qui ne coûtait rien. On s'exclamait en chœur devant l'aspect primitif du bivouac :

— C'est inouï... A notre époque !...

Les huttes étaient des bottes de pailles soutenues par des lances fichées en terre. De tous côtés, de petits chevaux à l'attache mangeaient l'écorce des arbres. Les feux battaient de l'aile sous les marmites de campagne. Une lessive de haillons pavoisait les branches. Dans l'air flottait une odeur de fourrure, de suif et de crottin. Tous les chiens du quartier étaient assemblés autour d'un amas d'ossements. Sans souci des promeneurs, les hommes s'épouillaient, jouaient aux cartes, dormaient, la tête appuyée contre une selle ou s'expliquaient par gestes avec un colporteur qui leur proposait des oranges. Ils étaient presque tous barbus, hirsutes, avec des yeux bridés et des sourires naïfs. Plus d'une jeune fille, en passant devant eux, baissait pudiquement les paupières. Les mères de famille serraient leur marmots contre leurs jupes. Les maris cambraient la taille et s'efforçaient de prendre un air martial sous leur redingote à collet de velours et leur chapeau haut de forme. De temps à autre, quelque civil, désireux de briller devant son épouse, interpellait un de ces cosaques terrifiants. Nicolas et Roznikoff prêtaient l'oreille à leur conversation de sourds. La discussion aboutissait parfois à un échange de souvenirs : chaînette de montre contre médaille, paquet de tabac français contre gobelet d'émail russe. De l'autre côté de l'avenue, le camp des Prussiens attirait moins de spectateurs.

Après avoir tourné dans l'allée des Veuves, Nicolas et Roznikoff franchirent la Seine sur le pont d'Iéna et se dirigèrent vers le Champ-de-Mars. La caserne de l'Ecole militaire était occupée par des unités de la garde. Deux géants du régiment Pavlovsky, coiffés de leurs mitres dorées, se tenaient en faction devant le porche. Sur l'esplanade, s'étendait un parc d'artillerie français, dont des officiers russes dressaient l'inventaire. Des gardes nationaux empêchaient les badauds de s'avancer jusqu'aux barils de poudre. L'avenue de la Motte-Piquet était hérissée de tentes pointues et les accents de la langue allemande retentissaient jusque sur le seuil des maisons. L'impression de dépaysement s'accentuait encore devant l'hôtel des Invalides. Là, on n'était plus sur les bords de la Seine, mais sur les bords du Rhin. Drapeaux au vent, sonneries de trompettes, allées et venues d'officiers prussiens à la poitrine bombée comme celle des pigeons, bruit du fer battu sur une enclume, meuglement des vaches réquisitionnées pour les besoins de la troupe... Réfugiés sur la plate-forme, derrière les grilles, entre deux vieux canons, les Invalides de Napoléon, bonnet de police en tête et ruban rouge sur le cœur, contemplaient tristement cette déchéance. Nicolas dit à Roznikoff qu'il les plaignait pour l'épreuve qui leur était imposée, mais celui-ci protesta :

— Tu es un sentimental à idées fausses : l'espèce la plus redoutable ! Ces vétérans sont avant tout des soldats. Ils mouraient d'ennui dans leur retraite. Maintenant, ils sont tout heureux de participer à la vie tumultueuse d'un camp, même s'il s'agit d'un camp ennemi ! Tu verras quand tu auras leur âge !...

Les deux amis laissèrent leurs chevaux à la caserne de Babylone et décidèrent de se rendre au Palais-Royal, pour y passer la soirée. En traversant le jardin des Tuileries, ils remarquèrent, comme aux Champs-Elysées, une grande affluence de promeneurs. A croire que toute la population de Paris avait été mise en vacances pour célébrer une fête patriotique. Des femmes aux visages heureux regardaient leurs enfants s'ébattre en poussant des cris d'oiseaux parmi les arbustes et les statues. Des vieillards se chauffaient au soleil. Des amoureux recherchaient l'ombre. Un soldat russe et un garde national étaient en sentinelle à chacune des issues.

— Les Français sont inconscients ! grommela Roznikoff. A les voir, on jurerait que ce sont eux qui ont gagné la guerre !

— Sans doute le propre des peuples civilisés est-il de ne jamais se sentir vaincus !

— ... Parce que tu trouves, toi, que les Français sont très civilisés ? s'écria Roznikoff. Plus civilisés que nous, par exemple ?

Nicolas prit le temps de réfléchir à cette question et dit enfin :

— Oui, Hippolyte, ils ont plus de culture et moins de cœur, plus d'intelligence et moins de sentiment. Chez nous, c'est l'instinct qui commande tout, chez eux, c'est la raison !

Il s'aperçut qu'il venait d'employer les phrases mêmes dont se servait son père quand il voulait agacer M. Lesur, le précepteur des enfants. Alors, le Français devenait tout rouge, citait Jean-Jacques Rousseau et Racine, le maître de maison s'étranglait dans des quintes de rire, Marie détournait ses grands yeux humides, et Nicolas plaignait en silence l'infortuné bonhomme, chassé de chez lui par la révolution et condamné à vivre sous un toit où l'on critiquait sa patrie. Quelles étaient les pensées de M. Lesur, à présent que la France était envahie, Napoléon déchu et la monarchie sur le point d'être restaurée ? Ses jeunes élèves ayant grandi, il était resté au service de leur père en qualité de souffre-douleur. Les deux hommes ne se quittaient plus, unis par une petite haine joyeuse, plus forte que l'amitié. L'un avait autant besoin d'obéir, de ramper, de craindre, que l'autre de dominer, d'humilier et de se repentir. Nicolas imagina leurs discussions dans le salon de Kachtanovka. « — Pourquoi ne partez-vous pas pour la France, monsieur Lesur ? Grâce à nous, les frontières de votre pays vous sont ouvertes. — Je partirais immédiatement si j'étais sûr de recouvrer mes biens ! — Vous en aviez donc ? Je l'ignorais. Combien de villages ? Combien de dessiatines de terre ? Combien de têtes de bétail ? — Monsieur, l'ironie de vos propos me blesse !... » Et ainsi de suite ! Nicolas dodelina de la tête comme à l'audition d'un air connu. Kachtanovka, la vieille maison rose au fronton triangulaire soutenu par quatre colonnes dont le plâtre s'écaillait, les tilleuls entourés d'abeilles bourdonnantes, la robe de Marie glissant parmi les buissons, une balançoire vide entre deux arbres, un samovar sur une table rustitique, le parfum des confitures cuisant en plein air... « Quand retrouverai-je tout cela ? » La voix d'Hippolyte Roznikoff le tira de sa rêverie :

— Qu'est-ce que tu penses de Paris ?

— C'est une ville magnifique ! dit Nicolas.

— Oui, bien sûr, si tu regardes les places, les avenues ; mais il y a tant de petites rues tortueuses, tant de maisons sales et vétustes, tant de coins et de recoins ! Moi, je préfère Saint-Pétersbourg. Là, au moins on trouve de l'ordre, de la solidité, de la géométrie. Les monuments sont tout neufs. Les perspectives se coupent à angles droits...

— A Moscou, les perspectives ne se coupaient pas à angles droits et, pourtant, quel charme dans ce chaos ! soupira Nicolas. Qu'en reste-t-il maintenant ?

— Il paraît qu'ils auront bientôt tout reconstruit.

— Ils ne feront pas mieux que ce qu'il y avait !

Sans se concerter, ils se retournèrent ensemble sur une jeune personne qui marchait d'un pas vif, le sein pointé en avant, la tête mollement balancée sous une capote de mousseline.

— En tout cas, dit Roznikoff, il faut rendre une justice à la France. C'est encore dans ce pays qu'on trouve les plus jolies femmes !

Nicolas appuya violemment cette remarque. Confrontant leurs observations personnelles, ils convinrent que la Française avait des yeux spirituels, le plus petit pied du monde, une grâce divine dans le maintien, des appâts d'une rondeur parfaite et que sa réputation d'amoureuse n'était certainement pas usurpée. Ce sujet les exaltait si fort qu'ils arrivèrent au Palais-Royal dans les meilleures dispositions pour goûter le charme des promeneuses. Malheureusement, ils n'étaient pas les seuls officiers de l'armée d'occupation à avoir eu cette idée. Un parterre d'uniformes s'étendait dans les jardins et sous les arcades. Les femmes seules ne le restaient pas longtemps. Tout ce qui, dans le quartier, portait jupe, avouait moins de quarante ans et avait une tournure aimable, semblait s'être donné rendez-vous ici pour séduire les militaires désœuvrés. Le murmure des conversations était ponctué par des appels aigus des marchands de coco, le dos courbé sous le poids de leur fontaine, et par les cris enroués des vendeurs d'eau-de-vie : « Prenez la goutte, cassez la croûte ! » On trouvait de tout dans les boutiques qui entouraient le jardin : bottes sans couture, éventails, perruques, colliers de perles, châles des Indes, estampes galantes et paysages de cheveux.

Ayant lorgné les vitrines, Nicolas et Roznikoff entrèrent dans un café frais et sombre pour se reposer. Des exclamations joyeuses les accueillirent. Il y avait là quatre officiers de leur régiment, qui les invitèrent à boire du punch. Dès les premières rasades, la compagnie devint très bruyante. A la table voisine, des civils français, la cocarde blanche à la boutonnière, se levèrent pour porter un toast aux vaillants Alliés. Les Russes ne purent faire moins que de trinquer ensuite à la santé de la France. Cet échange d'amabilités parut déplaire à quelques consommateurs assis près de la porte. Leur mine renfrognée disait assez que c'étaient des bonapartistes. L'un d'eux avait des cheveux gris et un bandeau noir sur l'œil. Soudain, il se dressa et prononça d'une voix forte :

— Je lève mon verre à la vraie France, qui n'a pas dit son dernier mot !

Les officiers russes se regardèrent : cette déclaration n'était pas injurieuse pour leur uniforme et, cependant, elle sonnait comme une provocation. Roznikoff, qui supportait mal l'alcool, arrondit des prunelles furibondes et bégaya :

— Quoi ? Qu'est-ce qu'il raconte ? Il veut ternir notre honneur ?

— Non, Hippolyte, dit Nicolas en le retenant par le bras. Reste tranquille. C'est une affaire entre Français.

Mais Roznikoff était comme grisé par la formule qu'il avait trouvée.

— Il veut ternir notre honneur ! répétait-il en tapant du poing sur la table. Je ne permettrai pas ! Je ne tolérerai pas !...

On le calma en le défiant de boire un punch plus corsé à la gloire des gardes de Lithuanie. Il avala trois gobelets coup sur coup, sans presque reprendre son souffle. Nicolas en fit autant. Les royalistes de la table voisine étaient dans l'admiration :

— Ces Russes, quel estomac !...

Cependant, les idées de Nicolas se brouillaient, il voyait trouble. Ce fut ce moment que choisit l'homme au bandeau noir pour élever de nouveau la voix. Debout derrière sa table, il récitait avec emphase la liste des victoires napoléoniennes :

— Austerlitz, Iéna, Eylau, Friedland...

Comme il prononçait le nom de « Moskova », Roznikoff bondit de sa chaise et s'avança vers lui, en titubant :

— Répétez, Monsieur !

— La Moskova ! hurla l'autre en brandissant un gourdin.

Frappé à la naissance du cou, Roznikoff s'affaissa doucement par terre. A vrai dire, il était tellement ivre qu'une chiquenaude eût suffi à le renverser. Nicolas se sentit enflammé par l'esprit de vengeance. D'un geste il commanda aux autres officiers de rester sur place.

— Laissez ! dit-il. C'est de moi seul que ce monsieur recevra la correction qu'il mérite.

Et il avança entre les tables, avec une lenteur calculée, en balançant un peu les épaules. Des pensées nobles sur la camaraderie, la justice, le patriotisme, précipitaient les battements de son cœur. Sur son passage, des gens reculaient en silence et se collaient contre le mur. Enfin, il fut devant l'insulteur, qui le toisait de son seul œil gris et froid.

— Je pourrais vous tailler en pièces avec mon sabre, Monsieur, dit Nicolas d'une voix qui déraillait d'émotion. Mais ce serait encore vous traiter avec trop d'égards. Vos façons de rustre appellent un châtiment de rustre. Jetez votre gourdin et combattons à mains nues !

Au lieu d'obéir, l'homme au bandeau noir leva de nouveau sa canne et Nicolas eut juste le temps de parer le coup avec son avant-bras. Le choc retentit dans son omoplate. Réprimant un cri de douleur, il lança son poing gauche, atteignit un menton osseux, frappa encore une fois, deux fois, en pleine face, vit le bandeau noir qui glissait, découvrant un trou rose en forme d'étoile, saisit le bâton et l'arracha à son adversaire. Une empoignade suivit, les deux hommes se tenant à la gorge. Mais Nicolas était le plus fort. Sous ses doigts crispés, l'homme faiblit, comme vidé de son sang. Alors, Nicolas le poussa rudement contre le mur. Le crâne du Français rendit, en heurtant la pierre, un son creux de calebasse. Son œil unique s'agrandit, se voila. Un filet de bave rougeâtre coula du coin de sa bouche. Il haletait. Nicolas se paya le luxe de rester immobile, tremblant de tous ses nerfs, sans profiter de son avantage. Deux secondes passèrent. Puis le bonapartiste ramassa son gourdin, épousseta ses vêtements et sortit.

Les royalistes explosèrent en vivats. Un verre d'eau froide, jeté à la figure de Roznikoff, le ramena sur terre. Content de son exploit, Nicolas essayait néanmoins de paraître modeste. Il y avait du mérite, car Français et Russes s'accordaient pour le féliciter. Un mauvais goût de sang lui gonflait la bouche. Sans doute avait-il eu la lèvre fendue. Pourtant, il ne se rappelait pas avoir reçu de coup au visage. Le plus âgé des messieurs à cocarde blanche commanda du champagne pour tout le monde.

A partir de cet instant. Nicolas n'eut plus des lieux et des événements qu'une notion confuse. D'énormes quantités de liquide passaient par son gosier. Vingt inconnus riaient et braillaient dans sa tête. Brusquement, des femmes surgirent, la face enduite de rose et de blanc, les yeux hardis, les cheveux parfumés telle une nuit de mai en Ukraine. Etaient-ce là les célèbres grisettes parisiennes ? Ou, plus vraisemblablement, des prostituées ? L'une d'elles, nommée Elvire embrassait Nicolas avec fougue en chuchotant : « Mon cosaque ! », ce qui l'agaçait beaucoup puisqu'il était un garde de Lithuanie. Il tenta de lui expliquer son erreur quand ils se retrouvèrent seuls dans une chambre. Mais la petite s'obstinait à dire : « Sois mon cosaque, sois mon cosaque tout de même ! » Et Nicolas se décourageait. Roznikoff était enfermé dans la pièce voisine, avec une brune capiteuse qui avait un peu de moustache. Comme il parlait mal le français, Nicolas lui servait d'interprète à travers la cloison.

— Eh ! Nicolas, grognait une voix pâteuse. Qu'est-ce qu'elle vient de dire ? Tu as entendu ?

— Oui. Elle a dit qu'elle te trouvait beau et mystérieux ?

— Ah ! bon ! Merci. Elle est gentille, tu sais ? Et toi, ça va toujours.

— Ça va ! soupirait Nicolas en aidant Elvire à dégrafer sa robe.

En fait, ça n'allait pas du tout. Il était rompu. Sa lèvre enflait. Son crâne était un globe de feu. Il se demandait avec angoisse s'il aurait assez d'argent pour payer la fille.

4

Nicolas relut le billet avec dévotion et en baisa la signature : Delphine le conviait chez elle, ce soir même, vers minuit, pour « un thé à l'anglaise, tout à fait improvisé ». L'heure de la réunion et son appellation insolite le confirmèrent dans l'opinion que cette femme était une merveilleuse ennemie de la banalité. M. de Lambrefoux avait reçu une invitation analogue. Sans doute y aurait-il foule dans les salons de la baronne. Mais il était plus facile à deux êtres de se parler dans la multitude qu'en présence de témoins comptés. Delphine avait dû avoir cette pensée ingénieuse. Nicolas l'en remercia dans un battement de cœur. Il n'avait qu'un regret : les événements de la veille ne l'avaient guère préparé à se montrer en public sous un jour favorable. Sa lèvre inférieure avait encore enflé pendant la nuit et ressemblait à un fruit bleuâtre. Une égratignure marquait sa joue. Et son bel uniforme avait été déchiré au col dans le combat. Pour les dégâts vestimentaires, Antipe jurait qu'il y remédierait facilement. Assis en tailleur sur une table, au milieu de la chambre, il tirait l'aiguille d'un geste large et fredonnait une navrante mélopée. Nicolas, planté devant une glace, s'appliquait des compresses d'eau fraîche sur le coin de la bouche, en espérant que la boursouflure disparaîtrait. De temps à autre, il se tournait vers Antipe et l'interrogeait du regard. Antipe hochait la tête négativement. Nicolas soupirait et revenait à ses soins. Après deux heures d'effort, il renonça.

— Vous êtes assez beau comme ça pour des Françaises, barine ! ricana Antipe. Est-ce qu'elles savent seulement ce que c'est qu'un homme ? Vous entrerez, et tout le monde fera : Ah !

Mais Nicolas refusait de se laisser convaincre :

— C'est stupide ! On va me demander ce qui s'est passé, d'où me vient cette blessure...

— Eh bien ! vous leur raconterez comment vous avez rossé l'ami de Napoléon, et, s'ils sont chrétiens, les gens vous diront merci. Regardez, il est comme neuf, votre uniforme ! Maintenant, je n'ai plus qu'à cirer vos bottes et à repasser votre chemise.

— Tu ne l'as pas encore fait ? dit Nicolas. Mais qu'est-ce que tu attends ? Il va être dix heures !...

Il courut derrière Antipe dans la blanchisserie, d'où deux femmes en tablier s'envolèrent, effarouchées par l'intrusion des Russes. Ayant pris possession des lieux, Antipe saisit un fer chaud et se mit en devoir de repasser la chemise. Il s'emplissait la bouche d'eau et la vaporisait en pluie sur l'étoffe. Son visage aux joues gonflées était l'allégorie mythologique de la tempête. Nicolas s'impatientait. Jamais il ne serait prêt à temps.

Il le fut si bien qu'il lui restait une heure à perdre quand il enfila ses gants blancs et se regarda dans la glace. A part la lèvre fendue et le teint brouillé, tout était en ordre. Enfin, M. de Lambrefoux le fit quérir et ils montèrent ensemble dans une calèche. L'hôtel du baron de Charlaz se trouvait dans la rue de Sèvres. Chemin faisant, M. de Lambrefoux dit à Nicolas qu'il avait reçu, le matin même, d'heureuses nouvelles de sa famille. Seule la petite poste avait été rétablie jusqu'à présent, mais un ami était arrivé de Limoges porteur d'une lettre. La comtesse et sa fille, après s'être reposées chez des cousins, comptaient revenir à Paris dans une huitaine de jours.

— Je regrette de leur avoir imposé un voyage inutile en province, dit le comte, mais, dans l'angoisse où nous étions, pouvais-je prévoir que Paris serait miraculeusement épargné ? Ma femme surtout était très inquiète. Sophie est notre seule enfant. Son triste départ dans la vie nous la rend deux fois plus chère.

Nicolas éprouvait un tel besoin de prononcer le nom de la femme aimée, que, pour marquer son intérêt aux propos du comte, il dit avec sentiment :

— Je sais, Monsieur : l'autre soir, Mme de Charlaz m'a appris le deuil cruel qui avait frappé votre fille.

— Ah ! dit M. de Lambrefoux avec un rire fêlé, je vois que j'ai été devancé sur le chemin des confidences. Tant pis pour moi, tant mieux pour vous ! Mme de Charlaz connaît fort bien notre Sophie. Elles étaient pensionnaires dans le même couvent...

Nicolas cacha sa surprise : vu l'âge du comte, il imaginait que sa fille approchait de la quarantaine, et voici qu'elle rivalisait de jeunesse avec Delphine. Le mot de « couvent » le troublait aussi : Delphine élevée par des religieuses ! Cela semblait inconcevable. Décidément, cette femme était une somme de contradictions.

La calèche du comte tressauta en passant un

caniveau. Deux valets, porteurs de lanternes, se précipitèrent au-devant des visiteurs. Suivant M. de Lambrefoux, qui était plus corseté et plus parfumé que de coutume, Nicolas gravit un large escalier de marbre et s'arrêta sous les feux d'un lustre. Au seuil du salon, un autre valet, à bas blancs et perruque poudrée, bombait le poitrail et arrondissait une bouche de conque marine pour clamer les noms :

— M. le comte de Lambrefoux !... Le lieutenant Ozareff !...

Nicolas fit deux pas en avant. Delphine s'épanouit, toute de nacre, de rose et de lumière, auprès de son mari, gras et blafard. Une société brillante les entourait, parmi laquelle Nicolas remarqua deux autres uniformes russes, un prussien et un autrichien. Un instant, il eut peur de la concurrence. Mais les deux Russes étaient de vieux colonels du régiment Sémionovsky, chauves, couverts de décorations et sans prétentation à la galanterie. Après leur avoir présenté ses respects, Nicolas se sentit plus à l'aise. La maîtresse de maison le promenait de groupe en groupe avec une fierté de propriétaire. Pour achever de la séduire, il s'efforçait d'être courtois dans ses manières, désinvolte dans ses reparties. Soudain, Delphine, l'observant de plus près, s'écria :

— Mais... vous êtes blessé !...

Il se mit à rire et, prenant de l'assurance, relata son expédition au Palais-Royal avec tant de drôlerie, que des exclamations saluèrent son récit :

— Charmant ! Il est charmant ! Aurait-on plus d'esprit sur les bords de la Néva que sur ceux de la Seine ?

Le nombre des jeunes femmes augmentait autour de Nicolas et Delphine en paraissait ravie. A plusieurs reprises, elle dut le laisser pour accueillir de nouveaux venus, mais ses absences n'étaient jamais longues. Quelques dames, d'une grande distinction, interrogèrent Nicolas sur les mœurs de son pays. Etait-il vrai que le servage existât encore en Russie ? La mode féminine était-elle la même à Saint-Pétersbourg qu'à Paris ? Et les théâtres, la poésie, la table, la danse, la religion ? Il répondait de son mieux. Quand il en vint à parler des rites de l'Eglise orthodoxe, une flamme d'intérêt brilla dans toutes les prunelles. Les fêtes de Pâques étant proches, il raconta comment, après la messe de minuit, les fidèles, hommes et femmes, échangeaient un triple baiser de joie en prononçant la formule : « Christ est ressuscité ! » Cette coutume amusa vivement l'assistance. Delphine intervint :

— Sans doute ne s'embrasse-t-on ainsi qu'entre proches parents, entre gens d'une même famille ?...

— Non, Madame, dit Nicolas. Nul n'a le droit de refuser le baiser pascal.

— Même une femme qui vous serait à peu près inconnue, même une jeune fille ?...

— Elles sont tenues d'accepter, comme les autres !

Les dames crièrent à la barbarie.

— Rassurez-vous, reprit Nicolas. Chez nous, seul un incroyant pourrait mettre une mauvaise intention dans ce geste de fraternité.

— Quand faites-vous vos Pâques ? demanda Delphine.

— Dans la nuit de samedi à dimanche prochain, dit Nicolas. Oui, tout à fait exceptionnellement, cette année, les Pâques orthodoxes coïncident avec les Pâques catholiques !

— Eh bien ! je vous attends chez moi, dimanche prochain, à trois heures. Vous serez des nôtres, Mesdames, n'est-ce pas ?

De petits rires gênés répondirent à Delphine :

— Mais oui, certainement...

— Je compte sur vous toutes, renchérit-elle. Ce sera très intéressant. Nous verrons si M. Ozareff a le courage de nous annoncer la résurrection du Christ... à la manière russe !

Un remous agita dix visages féminins, coiffés de diadèmes et de plumes :

— Delphine, vous êtes incorrigible !...

— Monsieur, qu'allez-vous penser ?...

— Nous sommes en pleine extravagance !..

— Je tiens le pari, dit Nicolas en claquant des talons militairement. Rendez-vous ici, le 29 mars.

— Comment, le 29 mars ? dit Delphine. Vous retardez, Monsieur Ozareff. Nous sommes déjà le 5 avril !

Nicolas s'excusa. Où avait-il la tête ? Toujours cet absurde décalage chronologique : le calendrier des pays occidentaux était en avance de douze jours sur le calendrier russe (1).

— Quelle est donc, pour vos compatriotes, la date historique de l'entrée des troupes russes à Paris ? demanda Delphine.

— Le 19 mars 1814, Madame, répondit Nicolas avec fierté.

— Eh bien, Monsieur, dit-elle en souriant de toute la profondeur de ses yeux, je vois qu'il y a loin de votre 19 mars au nôtre. Le 19 mars, pour nous, vous étiez battus sur les rives de l'Aube, et c'est le 31 mars seulement que vous nous avez fait l'honneur de nous délivrer. Avec ces façons différentes de compter le temps, Français et Russes auront bien du mal à se rejoindre !

— Le temps n'est qu'une convention, Madame,

(1) Le décalage entre le calendrier grégorien et le calendrier julien était de douze jours au XIXe siècle. Il fut porté à treize jours au XXe siècle.

dit Nicolas, et aucune convention n'a jamais résisté aux sentiments sincères !

Cette réplique lui était venue si spontanément, qu'il dut se retenir pour n'en point paraître aussi enchanté que son entourage. On se pâmait d'aise. Il y avait de la gratitude féminine dans l'air. « Pourvu que je sois aussi bien inspiré jusqu'à la fin de la réception ! », se dit Nicolas.

Le « thé à l'anglaise » n'était en fait qu'un abondant souper, arrosé de toutes les boissons possibles, y compris la fade infusion britannique. Les convives étaient répartis dans deux salons, entre six tables fleuries. Séparé de Delphine, Nicolas trouva moins de plaisir à cette deuxième phase du programme. Mais, par la force acquise, il continua de briller au profit de ses deux voisines, qui n'étaient ni jeunes ni jolies. Charmées, elles se laissèrent aller pour lui à quelques indiscrétions. Il apprit que le baron de Charlaz, aujourd'hui adversaire déclaré de Napoléon, lui devait son titre et sa fortune comme ancien fournisseur aux armées. Quant au comte de Lambrefoux, ruiné par la Révolution, il n'avait que très péniblement recouvré un peu d'aisance grâce aux capitaux que sa femme avait pu rapatrier d'Italie. « La France est si divisée ! disait la dame de gauche. La vieille noblesse et la noblesse nouvelle se jalousent et se détestent ! » « Il est rare, disait la dame de droite, qu'on les trouve réunies, comme c'est le cas, dans la même maison ! Mais la baronne de Charlaz est une ensorceleuse ! » Nicolas approuvait, entre deux bouchées. Devant lui, passaient des gigots, des côtelettes d'agneau, du gibier en sauce. Après les entremets et les desserts, il avala une glace à la vanille, et ce fut comme si une calotte polaire eût coiffé les aliments dans son estomac. Il regretta de n'avoir pas un verre de vodka à sa disposition pour réchauffer toutes ces victuailles françaises. Champagne et liqueur achevèrent de l'alourdir. Au café, la conversation devenant politique, il eut moins l'occasion d'intervenir et commença de s'ennuyer. On parlait du pamphlet qu'un écrivain français, M. de Chateaubriand, avait publié avec éclat, le jour même : *de Buonaparte et des Bourbons*. Ceux qui avaient lu ce texte disaient qu'il respirait le génie. Après une démonstration aussi magistrale, les derniers partisans de Napoléon se détachaient de lui. Réfugié à Fontainebleau, parmi quelques soldats fidèles, « l'infâme » avait d'ailleurs abdiqué en faveur de son fils, pour gagner du temps. Mais les Alliés n'étaient pas dupes de la manœuvre. Il était d'ores et déjà décidé que le Sénat, dans sa séance du lendemain, 6 avril, appellerait officiellement Louis XVIII au trône. Quant au comte d'Artois, Paris lui préparait une réception triomphale. Une aïeule à aigrette entretint Nicolas de cette perspective :

— Mes petits-neveux se sont fait inscrire pour participer à la cavalerie qui ira au-devant de Monsieur. Ces jeunes gens s'équipent tous à leurs frais : il en coûte mille deux cents livres par personne. Ce n'est pas excessif. Les officiers porteront le panache blanc et une écharpe blanche au bras, avec trois fleurs de lys en or brodées dessus. Lorsque je songe à cette arrivée, j'ai peur que mon vieux cœur ne puisse supporter un tel excès de joie !

— Que sera-ce lorsque vous devrez acclamer notre souverain en personne ! dit Delphine en s'approchant d'elle, une tasse de café à la main.

— Quand le comte d'Artois a-t-il prévu d'entrer à Paris ? demanda Nicolas.

Delphine inclina la tête sur le côté et fit une moue coquette :

— Dois-je vous répondre selon le calendrier français ou selon le calendrier russe ?

— Selon le calendrier français, dit Nicolas : je n'en veux point connaître d'autre maintenant.

— Le mardi 12 avril, dit Delphine, deux jours après la visite que vous avez promis de me faire à l'occasion des Pâques orthodoxes.

Jusqu'à la fin de la réception, Nicolas vécut sur le plaisir que lui avait procuré cette phrase. Il fut même très aimable avec le baron de Charlaz. Celui-ci, contrairement aux apparences, n'était ni bête ni jaloux. Il semblait amusé du succès que sa femme remportait auprès du jeune officier russe.

— Il faudra revenir, dit-il en prenant Nicolas par le bras, familièrement.

« Vraiment, les Français sont plus évolués que nous ! songea Nicolas. Un mari russe m'aurait déjà provoqué en duel ! » Cette affirmation était gratuite, Nicolas n'ayant guère eu le temps de vivre en société dans son propre pays. A trois heures du matin, ce fut un homme délirant de bonheur que M. de Lambrefoux ramena, en calèche, à la maison.

★

Dans la nuit du samedi au dimanche, les soldats russes assistèrent à la messe solennelle de Pâques, célébrée par des prêtres orthodoxes au milieu des camps, dans les cours des casernes, dans des chapelles improvisées et même dans des églises catholiques. Le lendemain matin, l'armée alliée et les gardes nationaux furent assemblés en carré sur la place Louis-XV pour un *Te Deum*. L'autel se dressait à l'endroit où avait été exécuté Louis XVI. Après avoir passé les troupes en revue, le tsar et le roi de Prusse gravirent sans escorte les marches de l'estrade sacrée. Dès le début du service divin, tous les régiments d'infanterie se découvrirent et mirent un genou en terre, à l'exception des gardes nationaux. Les cavaliers demeurèrent à cheval, mais tête nue et le sabre bas. Nicolas goûtait profondément l'étrangeté du spectacle : au cœur de Paris, près de la Seine, face au jardin des Tuileries, des prêtres barbus, mitrés, revêtus de chasubles d'or, officiaient en vieux slavon, parmi le scintillement des bannières et des icônes. Le soleil brillait haut dans le ciel. Des nuages bleutés s'échappaient des encensoirs balancés par les diacres. Les chœurs militaires chantaient à pleine voix. Cent un coups de canon annoncèrent la fin de la cérémonie. Il fallut plus d'une heure pour que le régiment des gardes de Lithuanie pût, à son tour, musique en tête, prendre le chemin de la caserne.

Les soldats étaient mécontents, parce que, contrairement à la coutume, ils n'avaient pas reçu d'œufs coloriés pour leurs Pâques. Quant à la vodka, celle qu'on leur avait distribuée était, disaient-ils, de fabrication prussienne et provenait de la distillation de pommes de terre. En tout cas, elle se buvait comme de l'eau et restait froide dans le ventre. Sans œufs rituels et avec une vodka pareille, les Pâques n'étaient plus une fête orthodoxe ! La pensée de tous les hommes se tournait vers la Russie, où la résurrection du Seigneur se célébrait présentement dans la joie, l'abondance et la tradition. Même les officiers étaient enclins à la nostalgie. Seul peut-être de tout le régiment, Nicolas était heureux. Il songeait avec impatience à sa prochaine entrevue avec Delphine. Serait-elle dans d'aussi bonnes dispositions que le soir où elle l'avait mis au défi de l'embrasser « à la russe » ?

Le temps de faire brosser son uniforme par Antipe, et il se précipita vers la rue de Sèvres.

Delphine l'accueillit dans un petit salon bouton

d'or. Elle était assise entre deux jeunes femmes que Nicolas avait déjà vues chez elle. Rassemblant son courage, il dit : « Christ est ressuscité. » Puis, il attendit que le plafond s'écroulât. Mais Delphine, avec une grâce ingénue, haussa son visage vers lui comme une fleur s'oriente vers le soleil. Engourdi de respect, il lui effleura les joues du bout des lèvres, à trois reprises. En se redressant, il était cramoisi.

— A vous, Mariette ! A vous, Zélie! dit-elle. Joyeuses Pâques !...

Moins hardies que Delphine, ses deux amies refusèrent, par minauderie, de se laisser embrasser. Le baron de Charlaz arriva sur leurs éclats de rire, et, apprenant de quoi il retournait, voulut qu'au nom du Christ, Nicolas lui donnât aussi l'accolade. Le vieux bonhomme grimaçait, bouffonnait, les bras ouverts, la face luisante et l'œil porcin. En obéissant à son injonction, Nicolas se demanda s'il ne se couvrait pas de ridicule. Un chaud regard de la baronne le rassura. On le garda pour le dîner. Cette fois, il n'y eut que douze convives. En sortant de table, Delphine attira Nicolas dans l'embrasure d'une fenêtre et dit :

— Nous nous voyons bien mal, nous avons à peine l'occasion d'échanger trois mots ! Je vous ferai savoir quand je pourrai vous rencontrer plus tranquillement.

Il ne la reconnaissait pas : elle avait des yeux vagues, comme embués de larmes, deux plaques roses sur les joues et une lèvre inférieure qui tremblait. Avant même qu'il eût trouvé que répondre, elle s'était éloignée de lui. Quand il la rejoignit dans le groupe des invités, elle s'était déjà ressaisie. Son maintien était si naturel, que Nicolas se demanda s'il avait bien compris ce qu'elle lui avait chuchoté au passage.

★

Napoléon abdiquait et acceptait de se retirer dans l'île d'Elbe, le comte d'Artois faisait une entrée brillante à Paris, Louis XVIII se préparait à quitter l'Angleterre pour la France et Nicolas attendait que Delphine se décidât. Le jour même de l'arrivée de Monsieur, frère du roi, le tsar avait laissé l'hôtel de M. de Talleyrand pour s'installer à l'Elysée-Bourbon avec son état-major. La surveillance du palais était assurée à tour de rôle par les différents régiments de la garde. Bientôt, Nicolas fut appelé à prendre ce service, avec sa compagnie, sous les ordres du capitaine Maximoff. Après la relève en musique, les gardes de Lithuanie s'établirent dans la cour d'honneur, sur le côté droit, tandis que les gardes nationaux formaient les faisceaux sur le côté gauche. La maladresse de ces soldats français d'occasion excitait les moqueries des Russes. Nicolas dut intervenir pour défendre à ses hommes de lancer des quolibets à leurs vis-à-vis.

Dès que les sentinelles eurent été disposées, le prince Volkonsky, chef d'état-major du tsar, apparut sur le perron et appela le capitaine Maximoff d'un geste impératif de la main. En revenant au poste de garde, le vieux militaire était très troublé.

— Une sale histoire ! grommela-t-il. Le tsar attend le général polonais Kosciuszko et veut qu'on lui rende, à son arrivée, les mêmes honneurs qu'à un feld-maréchal. Malheur à nous si nous le laissons passer sans un roulement de tambours ! Mais comment le reconnaître ? Je ne l'ai jamais vu, moi !

— Moi non plus.

— Le prince m'a simplement dit que Kosciuszko avait le nez retroussé ! En voilà un signalement ! Maintenant, toi comme moi, il faut ouvrir l'œil ! Tu n'aimerais pas être mis aux arrêts de rigueur pour une bévue, hein ?

Nicolas imagina le drame : Delphine l'appelant chez elle pour un tête-à-tête amoureux, et lui, empêché de la rejoindre parce qu'il n'aurait pas salué à temps le général Kosciuszko !

— Comptez sur moi, dit-il. Pas un homme au nez retroussé n'entrera ici sans que je le remarque !

Et le supplice commença : d'après le règlement, seuls les princes du sang avaient le droit d'arriver jusqu'au perron de l'Elysée en voiture. Les autres devaient laisser leur équipage devant la porte et traverser la cour à pied, tête nue. Planté devant le poste de garde, Nicolas scrutait avec anxiété la figure des visiteurs. Il en identifia quelques-uns au passage : les maréchaux Ney, Marmont, Berthier, le général de Sacken, le baron de Stein... Quant aux personnages qui lui étaient inconnus, il se fiait à son instinct pour évaluer leur importance. Les heures s'écoulaient lentement et aucun nez retroussé ne se montrait à l'horizon. Viendrait-il seulement, ce Polonais diabolique ? La fatigue aidant, Nicolas était déjà enclin, vers midi, à relâcher sa surveillance. Soudain, comme il regardait par le porche ouvert sur le faubourg Saint-Honoré, il vit un fiacre jaune, marqué d'un gros numéro, qui s'arrêtait à deux pas de là, dans la rue. Un vieillard descendit de voiture, péniblement. Il portait un uniforme bleu à col violet brodé d'or. Une petite épée, qui avait l'air d'un jouet d'enfant, pendait sur sa cuisse. Son bras replié serrait contre son flanc un bicorne à plumes noires. Avant même d'avoir distingué ses traits, Nicolas fut frappé par une conviction foudroyante : c'était Kosciuszko ! Il se rua dans le poste de garde et annonça d'une voix étranglée :

— Il arrive !

Le capitaine Maximoff boutonna en hâte son habit.

— Tout le monde dehors ! hurla-t-il.

Une minute plus tard, le vieillard en uniforme bleu franchissait le porche, et la compagnie de garde, rangée de front, lui présentait les armes. Les tambours battaient rondement sur son passage. Il salua le détachement d'un geste mou de la main. « Pourvu que ce soit bien lui ! pensa Nicolas avec angoisse. S'il s'agit d'un visiteur ordinaire, je suis perdu ! Les arrêts de rigueur !... » Attiré par le bruit, le prince Volkonsky reparut sur les marches de l'Elysée. Allait-il s'étonner, se fâcher ? Non ! son visage sévère se dénoua dans une grimace d'accueil. Il tendit ses deux bras vers le nouveau venu. Sans bouger un cil, le capitaine Maximoff chuchota :

— On a deviné juste !...

La chance souriait tellement à Nicolas, qu'il fut à peine surpris de voir, sur le coup de deux heures, Antipe se camper, les mains derrière le dos, de l'autre côté de la rue. Pas de doute possible : Delphine avait fait déposer un billet rue de Grenelle, et Antipe, en fidèle serviteur, l'apportait à son maître. Au mépris des instructions reçues, Nicolas sortit rapidement de la cour et s'avança vers son ordonnance.

— Qu'est-ce que tu fais là ? demanda-t-il.

— Je venais voir où habitait le tsar, barine.

— Et c'est tout ?

— C'est déjà beaucoup pour un simple pécheur comme moi !

— Tu ne m'as rien apporté ?

— Pourquoi ? Vous avez faim ?

— Mais non, imbécile !... Je veux dire... Il n'y a pas une lettre pour moi, à la maison ?

— Toujours rien de Russie.

— Et d'ailleurs ?

— Non plus. Ah ! tiens, une nouvelle : la femme

et la fille du comte de Lambrefoux viennent de débarquer. Partout, on remue des valises. Les domestiques courent dans les couloirs...

Nicolas haussa les épaules. Il était déçu.

— Ne reste pas ici, dit-il.

Et il rentra dans la cour, tête basse.

★

De retour à l'hôtel de Lambrefoux, Nicolas trouva la maison aussi calme qu'il l'avait laissée le matin pour se rendre à l'Elysée-Bourbon. Le comte se tenait seul au salon et reçut le jeune homme d'un air compassé. Nicolas lui demanda si sa femme et sa fille étaient bien arrivées.

— Oui, oui, marmonna-t-il, elles sont là. Elles ont fait un excellent voyage. Je vous remercie...

— J'espère avoir bientôt l'occasion de leur présenter mes hommages, dit Nicolas.

— Certainement. Mais pour l'instant, elles se reposent. Elles sont très lasses...

Nicolas comprit qu'il ne devait pas insister. Il allait se retirer, lorsque la porte du salon s'ouvrit devant une femme rondelette d'une cinquantaine d'années, aux yeux noirs sous des boucles de cheveux gris. M. de Lambrefoux, réprimant un mouvement de surprise, s'avança vers son épouse et lui présenta Nicolas.

— J'ai déjà beaucoup entendu parler de vous par mon mari, Monsieur, dit la comtesse.

Elle le considérait avec un mélange d'amitié et de crainte. « C'est mon uniforme qui l'étonne ! » pensa Nicolas. Pour la rassurer, il lui parla de l'hospitalité qu'il avait trouvée dans cette demeure et du scrupule qu'il éprouvait à y prolonger son séjour.

— Je ne voudrais pas vous déranger ! dit-il.

— Vous ne nous dérangez pas du tout, Monsieur ! s'écria Mme de Lambrefoux en lançant à son mari un regard qui demandait conseil. D'ailleurs, la maison est grande. Chacun peut y vivre à sa guise...

Cette remarque laissa Nicolas perplexe. Etait-ce un moyen de lui faire entendre qu'il devait rester dans son coin, ou, tout au contraire, une invitation à prendre ses aises ? Dans le doute, il sourit et remercia Mme de Lambrefoux. Comme il s'inquiétait de savoir si Mme de Champlitte était remise de sa fatigue, le comte, une fois de plus, changea de conversation. On eût dit que ni lui ni sa femme ne désiraient parler de leur fille devant un étranger. Tout cela sentait le mystère. Mais Nicolas était trop amoureux pour s'intéresser plus de dix minutes aux affaires des autres.

Il prit congé de ses hôtes, et dîna comme d'habitude, dans sa chambre, servi par Antipe qui lui apportait les plats de la cuisine. Le couloir était si long, que l'ordonnance avait beau courir : à l'arrivée c'était lui qui avait chaud et la nourriture qui était froide. Le repas terminé, Nicolas se mit à sa correspondance. Il commençait une lettre pour son père, quand un pas léger retentit à hauteur du plafond. Etonné, il leva la tête :

— Qu'est-ce que c'est ?

— La fille du comte habite au-dessus de vous, dit Antipe.

— Tu l'as vue ?

— Non. Elle ne se montre pas. Vous avez encore besoin de moi, barine ?

Nicolas l'envoya coucher dans le couloir. Lui-même n'avait pas sommeil. Deux grosses bougies brûlaient sur sa table. En travers de la page blanche, l'ombre de la plume d'oie bougeait faiblement. Si Nicolas avait écrit à Delphine, il n'eût pas hésité une seconde sur le choix des mots. Mais que dire à un père si lointain, si incompréhensible ? « J'espère que vous êtes toujours en bonne santé et que le domaine ne vous donne pas trop de souci. Fédotenko a-t-il pu installer son atelier de teillage près de l'étang ?... »

Là-haut, Mme de Champlitte marchait, s'arrêtait, repartait, s'approchait de la fenêtre...

★

Les jours suivants, Nicolas n'eut pas davantage l'occasion d'apercevoir la fille du comte de Lambrefoux. Mme de Champlitte et sa mère se cantonnaient dans leur appartement au premier étage. Le comte lui-même semblait, depuis peu, éviter toute rencontre avec le jeune homme. « En quoi ai-je démérité ? » se demandait Nicolas. Il se consolait en pensant que Delphine, du moins, lui accordait une confiance toujours accrue. Elle l'avait invité dans sa loge, à l'Opéra, pour une représentation d'*Œdipe à Colone*. Son mari serait là, bien entendu, mais Nicolas ne pouvait en prendre ombrage. Il avait même l'impression que cet homme affable était disposé à l'encourager dans son entreprise. Peut-être, pour certains vieillards, le meilleur moyen d'honorer une épouse était-il encore de fermer les yeux sur ses égarements ? Quoi qu'il en fût, lorsque Nicolas parut, à sept heures du soir, en grand uniforme, dans la loge de l'Opéra, le mari et la femme eurent pour lui le même regard d'amitié et presque de reconnaissance. Ils étaient accompagnés du comte et de la comtesse de Maleferre-Jouët. Pour ne gêner personne, Nicolas resta debout derrière les sièges. Il voyait la nuque blonde de Delphine, ses épaules nues. Elle désignait, au fond de la salle, l'ancienne loge de Napoléon, dont l'aigle était masqué par des draperies et les cloisons tendues de velours bleu brodé de fleurs de lys. La décoration avait été improvisée pour recevoir, deux jours auparavant, le comte d'Artois.

— Je ne me console pas d'avoir manqué cette brillante soirée ! dit Delphine en se tournant vers Nicolas, comme pour le prendre à témoin d'un malheur. Ma vie est un tourbillon où le secondaire prime le principal. Je n'ai même plus le temps de prévoir...

— Bien des gens vous soutiendront qu'à notre époque c'est une chance ! dit le baron.

La salle s'emplissait. Des vendeurs de journaux et des loueurs de jumelles circulaient entre les rangs du parterre. Les quinquets étaient déjà allumés. Tout à coup, le public se figea, des violons gémirent, une basse ronfla, une flûte se lamenta d'être seule. Pendant tout le spectacle, Nicolas ne put songer à l'amour autrement qu'en musique. C'était son tourment personnel qu'orchestre et chanteurs célébraient avec pompe, bien qu'en apparence ils fussent chargés d'interpréter les malheurs du vieil Œdipe aveugle, barbu et proscrit. A l'opéra succéda un ballet-pantomime : *Nina, ou la Folle par Amour*. Le rideau rouge tomba définitivement à neuf heures et demie, sur une ovation fracassante.

La rue de Richelieu, aux abords du théâtre, était encombrée d'équipages dont les lanternes ponctuaient la nuit. Sur le perron des crieurs appelaient les voitures. Des porteurs de falots numérotés proposaient leurs services aux bourgeois qui rentraient chez eux à pied. Les Maleferre-Jouët se hissèrent dans leur berline à fond jaune serin et partirent après avoir débité mille propos aimables par la portière. La calèche de M. de Charlaz fut avancée aussitôt. Nicolas voulut prendre congé, par discrétion, mais le baron se fâcha :

— Quelle idée ! Vous allez monter avec nous !

Demi content, demi gêné, Nicolas s'installa sur

la banquette qui tournait le dos à la route. En face de lui, il y avait Delphine en robe claire, et le mari, énorme, mou et méditatif, en habit noir et plastron blanc. La calèche roulait au petit trot. A chaque secousse, le genou de Nicolas effleurait celui de la jeune femme. Parfois, un rayon lumineux entrait dans la voiture. Alors, le temps d'un battement de paupière, la figure de Delphine se détachait, souriante, énigmatique, de la pénombre. Son parfum emplissait la caisse aux vitres fermées. Occupé à le respirer profondément, Nicolas entendait à peine les propos qui s'échangeaient devant lui. Soudain, il dressa l'oreille. Le baron disait d'une voix autoritaire :

— Je vous assure, ma bonne amie, que je ne puis faire autrement. J'ai promis à M. Nouailles de passer le voir ce soir, vers dix heures, en sortant du théâtre. Nous avons à parler affaires.

— Ne pourriez-vous le voir demain, à la banque ? demanda Delphine.

— Il y est constamment dérangé par des solliciteurs !

Delphine poussa un soupir et détourna la tête.

— Rassurez-vous, reprit le baron, je ne vous imposerai pas l'épreuve de m'accompagner.

— Merci, dit Delphine. Je vous avoue que je suis bien lasse !

Le baron prit la main de sa femme, y colla ses lèvres et conclut :

— Vous allez donc me laisser devant la porte de ce cher Nouailles, vous rentrerez directement chez vous, puis la voiture conduira M. Ozareff rue de Grenelle et viendra me reprendre. J'ai donné mes instructions au cocher.

— Mais je peux rentrer à pied ! balbutia Nicolas.

— Vous auriez tort, puisque je mets quatre bonnes roues à votre disposition, répliqua le baron. En outre, dites-vous bien que je serais inquiet de laisser ma femme rouler seule en calèche dans la nuit. Votre présence auprès d'elle m'est un gage de sécurité.

L'intonation était ironique. Nicolas eut l'impression d'être joué. En allant au-devant de ses désirs, M. de Charlaz lui enlevait l'illusion d'une conquête difficile. Mais peut-être cet arrangement avait-il été pris à l'instigation de Delphine ? Peut-être était-elle d'accord avec son mari, bien qu'elle feignît d'être surprise ? De toute façon, la situation était embarrassante pour un homme d'honneur.

— Me voici arrivé, dit le baron.

Il déposa encore un baiser sur les doigts de sa femme, serra la main de Nicolas, comme pour le remercier de ce qu'il allait faire, descendit de voiture aidé par le cocher et se dirigea en boitillant vers une maison au portail ouvert. Quand le cocher revint, Delphine lui dit :

— Nous rentrons, Germain. Mais n'allez pas trop vite. Vos secousses m'ont rompu la tête.

Puis, tournée vers Nicolas, elle ajouta d'une voix suave :

— Asseyez-vous près de moi, Monsieur. Vous avez l'air en pénitence sur votre banquette.

En prenant place à côté de Delphine, Nicolas entra dans un nuage de bonheur. La notion de sa chance le paralysait. Incapable de dire un mot, il regardait sa voisine, dans l'ombre, avec une intensité dévorante. La calèche s'ébranla doucement. Les deux chevaux marchaient au pas. Des claquements de sabots, des grincements de ressorts, se mêlaient aux rêves de Nicolas et l'entraînaient à croire qu'il était parti pour un voyage sans fin avec la femme aimée. Au bout d'un long moment, il s'enhardit à murmurer :

— Quelle soirée merveilleuse, n'est-il pas vrai ?

Pour toute réponse, une tiédeur vivante se rapprocha de son épaule. A ce contact, il perdit la tête.

— Je vous aime ! dit-il.

Un cri étouffé lui parvint, qui était plus d'étonnement que de courroux. La calèche tressauta, soulevée par un cahot. Sans avoir bougé, Nicolas se retrouva avec une femme pantelante sur la poitrine. Il était presque sûr qu'elle pleurait. Tant de délicatesse le transporta.

— Je vous aime, Delphine, répéta-t-il pour se donner le courage d'aller plus avant.

Elle ne répondait pas, soupirait et frissonnait toujours. L'un des chevaux hennit longuement. Ce fut pour Nicolas comme un joyeux signal. Il inclina son visage, chercha le souffle de Delphine et lui baisa les lèvres. Elle se débattit un peu sous son étreinte, puis l'embrassa elle-même, en lui tenant la tête dans ses deux mains. Quand elle le lâcha, il avait un goût de sang sur la langue. Elle l'avait mordu. C'était sublime ! Il voulut la ressaisir, mais, cette fois, elle le repoussa de ses bras tendus et gémit :

— Non !

— Mais pourquoi, Delphine ? chuchota-t-il.

— Nous n'avons pas le droit !

Il ne comprit pas qu'elle s'avisât de cet empêchement après lui avoir donné sa bouche avec tant de fougue.

— Delphine, s'écria-t-il, soyez charitable !

— Ah ! Monsieur, je le voudrais bien ! dit-elle. Mais je ne suis pas libre ! Vous me mépriseriez si je cédais à vos prières !

— Pas du tout ! bégaya-t-il. Comment pouvez-vous croire ?...

Elle secoua tristement la tête :

— Vous m'avez volé un baiser en profitant de ma faiblesse. Je veux bien l'oublier. Mais à la condition que vous me promettiez de l'oublier vous-même. Redevenons des amis. Sinon, je ne pourrais plus vous revoir.

Le passage de l'ivresse amoureuse à la froide morale avait été si rapide, que Nicolas en fut comme déséquilibré. Un ange de sagesse lui parlait maintenant du fond de la voiture. « Elle est fidèle ! songea Nicolas. C'est affreux et c'est admirable ! Je l'en aime deux fois plus ! »

— Laissez-moi espérer, du moins ! balbutia-t-il.

— Non ! Non ! dit-elle en se tordant les doigts. Ne me tourmentez pas davantage. Quand j'aurai recouvré mon calme, ma raison, je vous le ferai savoir. Mais pour l'heure, fuyez-moi, je vous en supplie !... Et que Dieu vous protège !

Ces derniers mots stimulèrent l'enthousiasme de Nicolas. A demi agenouillé dans la calèche, il sentait la garde de son épée qui lui entrait dans les côtes. Ses lèvres couraient fiévreusement sur les mains abandonnées de Delphine. Elle était comme morte. La voiture s'arrêta.

— Déjà ! soupira Nicolas.

— Il le faut bien, mon doux ami ! dit Delphine.

Il l'accompagna jusqu'à la porte de sa maison et demanda encore :

— Quand vous reverrai-je ?

Elle mit un doigt sur ses lèvres, étincela en passant sous une lanterne et disparut. La lourde porte retomba au nez de Nicolas. Victoire ou défaite ? Il ne savait que penser. Le cocher attendait ses instructions. Nicolas décida noblement qu'il ne pouvait profiter de la voiture d'un homme dont il avait failli compromettre l'épouse.

— Je rentrerai par mes propres moyens, dit-il.

Et il partit à pied dans la nuit.

Toutes les étoiles du ciel brillaient sur son désespoir. En arrivant à l'hôtel de Lambrefoux, il se demandait encore s'il pourrait continuer de vivre dans l'incertitude où le laissait Delphine. Le portier, dormant debout, consentit à lui ouvrir. Deux fenêtres étaient éclairées au rez-de-chaussée et trois au premier étage. Le pas de Nicolas résonna dans le grand vestibule à colonnes de stuc comme dans une église vide. Un quinquet brûlait sur une table, près de l'entrée, sous le portrait d'un homme triste, en costume Louis XV, qui tenait un livre à la main. Soudain, une silhouette noire, vive, légère, traversa la zone lumineuse et s'élança dans l'escalier. Sans avoir jamais vu Mme de Champlitte, Nicolas ne douta pas que ce fût elle. Il espéra qu'elle se retournerait, qu'il apercevrait enfin son visage. Mais la jeune femme courut sans s'arrêter jusqu'au sommet des marches et s'enfonça dans l'ombre. Cette fuite était absurde et désobligeante. Intrigué plus qu'il n'aurait voulu l'être, Nicolas franchit le vestibule, évita le corps d'Antipe affalé dans le couloir, ouvrit la porte de sa chambre et entendit, au-dessus de sa tête, un pas menu qui faisait craquer le plancher.

5

— Barine ! Barine, vous voulez la voir ? chuchota Antipe.

— Qui ? demanda Nicolas en posant sa plume.

Assis devant sa table, il était en train d'écrire à Delphine une lettre qu'il ne lui enverrait pas, mais dont les phrases poétiques exaltaient son chagrin.

— La fille du comte, répondit Antipe. Elle est dans la bibliothèque avec ses parents. Du jardin on les distingue très bien. Venez vite !

Piqué dans sa curiosité, Nicolas hésita une seconde, puis sortit à pas de loup, derrière son ordonnance. Un crépuscule bleu alourdissait les feuillages des arbres. L'allée principale conduisait à la statue d'un Cupidon, bandant son arc au-dessus d'une vasque. Au lieu de se diriger vers la fontaine, Antipe entraîna Nicolas dans un sentier étroit qui revenait vers la maison. Une fenêtre apparut derrière une haie de buis sombres. Le gravier crissait sous les bottes d'Antipe. Il se retourna vers Nicolas et lui indiqua un banc de pierre.

— Montez dessus, barine.

Nicolas obéit. Antipe se hissa derrière lui et tendit le bras vers la fenêtre :

— Qu'est-ce que je vous disais ? Voilà le papa ! Voilà la maman ! Et voilà la fille !

Nicolas écarquilla les prunelles. Assise entre M. et Mme de Lambrefoux, une jeune femme en noir penchait son front sur un livre. Etait-ce l'éloignement qui la faisait paraître si belle ? Sous des cheveux très bruns, coiffés en hauteur, elle avait un visage pâle aux pommettes proéminentes. Antipe clappa de la langue, comme après une bonne rasade :

— Moi, je trouve qu'elle est jolie mais un peu maigre, n'est-ce pas, barine ?

— C'est vrai ! dit Nicolas.

Il pensait à autre chose. Après une courte contemplation, il redescendit du banc et regagna sa chambre. Là, il tourna en rond, s'arrêta, se croisa les bras et décida, tout à coup, qu'il allait adresser une lettre à Delphine. Certes, il n'était pas question de lui envoyer l'épître chaleureuse qu'il avait d'abord composée. Un billet de politesse la toucherait autant sans la compromettre. Il le rédigea d'une traite :

« Chère Madame, laissez-moi vous remercier encore pour cette soirée dont le souvenir ne me quitte plus. Je vous devrai donc, ainsi qu'à M. de Charlaz, mes plus belles heures parisiennes. Ma seule crainte est de vous avoir importunés par ma présence dans votre loge, mon seul espoir est que vous ne m'en tiendrez pas rigueur trop longtemps. Permettez-moi, chère Madame, de me dire votre très humble et très obéissant serviteur. — Nicolas Ozareff. »

Ce texte lui parut un chef-d'œuvre de diplomatie amoureuse. Il plia le papier, le cacheta en imprimant sa bague dans la cire rouge et ordonna à

Antipe de porter immédiatement la missive à destination.

— Mais je ne trouverai jamais ! protesta l'autre. Comment voulez-vous que je demande mon chemin en français ?

— Débrouille-toi ! dit Nicolas en le poussant vers la porte. Et, une fois là-bas, attends un peu avant de repartir. Il y aura peut-être une réponse !

Resté seul, il retourna dans le jardin et grimpa sur le banc. La croisée de la bibliothèque était entrouverte. Comme la nuit approchait, on avait allumé une lampe à l'intérieur. Mme de Champlitte se trouvait toujours là, entre ses parents. Mais, cette fois-ci, elle était debout, le dos à la fenêtre. Le bruit d'une discussion atteignit Nicolas pardessus la rumeur du vent dans les feuillages. Il crut entendre le mot « russe » et tendit l'oreille.

— Je suis sûre, disait Mme de Champlitte, que vous auriez pu refuser d'installer ce Russe chez vous !

— Mais il avait un billet de logement ! répliqua M. de Lambrefoux.

— La belle excuse ! Ne dirait-on pas que vous manquez de relations ? Je vous citerai cent personnes de qualité qui se sont arrangées pour échapper à cette contrainte ! Avouez donc plutôt qu'il ne vous déplaisait pas d'héberger un représentant de l'armée d'occupation !

Nicolas tressaillit, le sang fouetté de colère. Quel mépris dans le discours de cette jeune femme ! Comment osait-elle se prononcer ainsi contre un homme qu'elle ne connaissait pas, contre un pays qui était le plus glorieux du monde ? Il eût aimé lui répondre. Ce fut la voix du comte qui s'éleva, trop conciliante :

— Que vous le vouliez ou non, Sophie, ce garçon est d'un commerce agréable. Votre mère, qui l'a vu, pourrait en témoigner !

— C'est vrai, dit Mme de Lambrefoux, il paraît fort honnête.

— Il n'en est pas moins un étranger ! s'écria Mme de Champlitte. Un étranger qui a combattu contre nous !

— Auriez-vous des sentiments bonapartistes ? demanda M. de Lambrefoux. Du temps de Napoléon, vous n'approuviez pas tellement sa politique !

— Je ne l'approuve pas davantage aujourd'hui, père. Mais la joie de vos amis me blesse. Ils sont royalistes avant d'être français. Comment peut-on accueillir à bras ouverts ceux qui ont tué tant des nôtres ?

Cloué sur place, Nicolas serrait les poings à s'en craquer les jointures. Jamais, en Russie, une fille n'aurait parlé sur ce ton à son père ! Que savait-elle de la politique, à vingt-deux ou vingt-trois ans ? Certes, il était normal que des Français fussent choqués dans leur patriotisme par la présence des troupes alliées sur leur sol. Mais l'extraordinaire générosité du tsar devait inciter les vaincus à plus de gratitude que de rancune. Voilà ce que Nicolas aurait voulu crier, de son banc.

— Libre à vous, père, de loger qui bon vous semble, reprit Mme de Champlitte. Mais, pour ma part, je ne me sens plus chez moi dans notre maison. Tant que cet officier restera ici, dispensez-moi de paraître...

« La peste ! pensa Nicolas. J'espère qu'ils ne vont pas lui céder ! » Pendant un moment, il n'entendit qu'un murmure. Puis M. de Lambrefoux dit :

— Vous ferez comme vous voudrez, Sophie. Je ne vous ai jamais brusquée en rien. Mais ne comptez pas sur moi pour demander à ce garçon de partir.

— Je le regrette, dit Mme de Champlitte avec vivacité.

Sur ces mots, elle s'éloigna de la fenêtre. Blessé dans son amour-propre, Nicolas envisagea d'abord de quitter avec éclat une maison où il était tenu pour indésirable. Puis il réfléchit qu'en agissant de la sorte il eût précisément comblé les vœux de Mme de Champlitte. Or, il n'avait aucune raison de capituler devant cette créature orgueilleuse et autoritaire. Ce n'était pas à titre personnel qu'il était logé ici, mais en tant qu'officier de l'armée russe. L'uniforme dont il était revêtu avait droit au respect de tous. Il saurait le faire voir ! « Je reste ! », décida-t-il dans un mouvement de défi.

Là-bas, les voix s'étaient tues, des ombres se déplaçaient autour de la lampe. Une porte claqua. Les parents se retrouvaient seul à seul. Sans doute allaient-ils parler encore du caractère difficile de Sophie et des précautions à prendre pour ne pas l'irriter. « Pauvres gens ! », se dit Nicolas. Il les jugeait deux fois plus aimables depuis qu'il les avait vus aux prises avec leur fille.

Lentement, il revint à sa chambre et ferma la porte qui donnait sur le jardin. Au-dessus de lui, rien ne bougeait. Mais ce silence était vivant, habité, hostile. « Elle pense à moi et elle me déteste, sans même savoir qui je suis ! » Il remonta dans ses souvenirs pour tâcher de se rappeler s'il avait déjà excité la haine de quelqu'un. Non, jusqu'à ce jour, il n'avait rencontré partout que de la sympathie. Sa franchise, sa simplicité désarmaient les esprits les plus malveillants. Il ôta ses bottes, s'affala sur le lit et leva les yeux vers le plafond où la lampe projetait un rond de clarté jaune. Des pas précipités le tirèrent de sa somnolence. Antipe entra dans la chambre en courant. Il soufflait, suait, rayonnait de toute la face :

— Barine, ça y est ! J'y suis allé, j'ai donné la lettre et j'en rapporte une ! Tenez !

Nicolas décacheta le pli avec des doigts nerveux, ouvrit une feuille de papier satiné et lut dans le ravissement :

« Cher Monsieur,

« Sans doute n'ignorez-vous pas que notre roi bien-aimé fera son entrée à Paris le 3 mai prochain. Tous les vrais Français auront à cœur de le saluer, ce jour-là. J'ai la chance d'avoir parmi mes obligées une couturière, Adrienne Poulet, qui habite à l'angle de la rue Saint-Denis et du boulevard, sur le parcours du cortège. Elle m'offre une de ses fenêtres pour jouir du spectacle. Vous plairait-il de profiter de cette invitation toute simple ? Dans ce cas, notez bien l'adresse, allez-y le 3 mai, vers onze heures du matin, et n'oubliez pas de détruire la présente missive aussitôt après l'avoir lue.

« Je compte sur votre discrétion autant que sur votre présence.

« Delphine de Charlaz. »

Ayant repris la lettre dix fois pour en retenir chaque mot, Nicolas, transporté de bonheur, la brûla solennellement à la flamme d'une bougie, devant Antipe qui se signait et ouvrait de grands yeux.

★

Nicolas dormit mal et s'éveilla l'esprit en désordre. Il aurait voulu ne songer qu'à la lettre de Delphine, mais le souvenir des propos désagréables qu'il avait entendus la veille, dans le jardin, dominait ses réflexions et l'empêchait d'en tirer une joie sans mélange. Ce matin plus qu'hier, il se sentait humilié, comme si, par couardise, il eût renoncé à demander la réparation d'une offense. Il savait bien qu'il n'aurait pu le faire sans révéler du même coup qu'il s'était caché pour surprendre la conversation de ses hôtes, mais la situation fausse où il se trouvait vis-à-vis d'eux lui paraissait incompatible avec son goût de la probité. Un jour ou l'autre, il faudrait qu'il s'en expliquât devant le comte et la comtesse de Lambrefoux, ou, du moins, devant leur fille. Cette décision ramena un peu de calme dans son cerveau et, lavé, rasé, habillé, il revint en pensée à la plus compréhensive et à la plus élégante des Parisiennes, qui lui avait, au risque de se perdre, fixé un rendez-vous.

Ce fut encore à elle qu'il rêva en faisant manœuvrer ses hommes dans la cour de la caserne. Tout péril étant écarté par l'abdication de Napoléon et son départ pour l'île d'Elbe, les troupes victorieuses reprenaient leur instruction à la base. Héros ou non, les soldats n'avaient plus d'autre occupation que de marcher au pas et de présenter les armes avec un ensemble parfait. Il y avait du plaisir, pour Nicolas, à commander tant de rudes gaillards aux faces de moujiks et à se dire que lui-même, leur chef, était sous le charme d'une faible et blonde créature, française de surcroît. Une autre idée contribuait à le rendre optimiste. Par une décision généreuse, l'autorité militaire venait d'accorder aux officiers logés chez l'habitant une indemnité journalière de six francs pour les capitaines et de trois francs pour les lieutenants. C'était le Pactole ! Délivré de ses soucis d'argent, Nicolas se tournait tout entier vers l'amour.

En rentrant à l'hôtel de Lambrefoux, il eut une initiative qui le surprit. Delphine lui avait suggéré de lire les œuvres philosophiques de Champlitte. Il n'avait prêté aucune attention, d'abord, à ce conseil. Mais, à présent, il était curieux de savoir quelles étaient les théories d'un homme dont la veuve paraissait si intransigeante. Peut-être les opinions du mari avaient-elles déteint sur la femme ?

La bibliothèque se trouvait au premier étage. Une porte vitrée la séparait du palier. Après avoir jeté un regard par le carreau pour s'assurer que la pièce était vide, Nicolas y pénétra subrepticement. Une douce odeur de cuir embaumait ce lieu de méditation. La fenêtre était grande ouverte, la verdure du jardin se prolongeait entre les murs par une réverbération frissonnante. Nicolas contourna le bureau et parcourut des yeux le haut rempart des livres. Heureusement, ils étaient classés par ordre alphabétique. Entre Chamfort et Chapelain, il découvrit Champlitte. Il y avait trois ouvrages de lui, très minces et habillés de basanes neuves. Nicolas les saisit comme un voleur et les emporta dans sa chambre. La porte fermée, il s'assit à sa table et détailla le butin : *Lettres sur le progrès incessant de l'esprit humain... Nature, Justice et Conscience... La République heureuse ou douze raisons de croire que la liberté et l'égalité sont les principes nécessaires du bien-être universel...*

Dès les premières lignes, Nicolas comprit de quoi il s'agissait. Sans être précisément athée, l'auteur ignorait l'enseignement de l'Eglise et ne parlait de Dieu qu'en le désignant par les appellations bizarres de « Grand Moteur » ou de « Force créatrice initiale ». Sa conviction, sans cesse répétée, était que tous les hommes naissaient libres, égaux et vertueux, et qu'un système social injuste les empêchait d'accéder à la prospérité dans la concorde. En tout cela, il y avait du Jean-Jacques Rousseau et du Diderot, avec une pointe de Voltaire. Nicolas se rappela les ennuyeuses lectures que lui imposait son précepteur. Victime de la Révolution, M. Lesur n'en admirait pas moins les encyclopédistes. Hélas ! Champlitte n'avait pas leur talent. Sa pensée était fumeuse et sa langue terne. En tête du livre intitulé *Nature, Justice et Conscience* figurait un portrait gravé de l'auteur. Il était laid, avec un front bombé, un nez d'aigle et une bouche en forme de cerise. Comment la fille du comte de Lambrefoux, qui était jeune et bien tournée, avait-elle pu épouser un personnage de quinze ou vingt ans plus âgé qu'elle et d'un extérieur si peu engageant ? Ses parents l'avaient-ils obligée à ce mariage ? La façon dont elle leur parlait ne permettait pas de croire qu'elle leur eût jamais obéi en rien. Avait-elle été séduite par l'intelligence de son mari au point de ne plus le voir sous son vrai visage ? Ce genre d'estime n'était pas d'une femme à peine dégagée de l'enfance. Une courte notice biographique était imprimée sous l'effigie de l'écrivain. Nicolas apprit que le marquis de Champlitte (né le 3 février 1773) avait été d'une précocité extraordinaire dans ses publications scientifiques et politiques et qu'il s'était toujours montré, en dépit de ses origines nobles, un ardent défenseur des décisions de l'Assemblée Législative, puis de la Convention. Toutefois, son amitié pour les Girondins l'avait fait décréter d'accusation, en 1793, par le Comité de Salut Public. Emprisonné le jour même de ses vingt et un ans, il n'avait dû qu'à la réaction thermidorienne d'échapper à la guillotine. Sous le Directoire, puis sous le Consulat et l'Empire, il avait continué de servir par la plume et par la parole « un idéal pour lequel, jadis, il n'eût pas hésité à gravir, tête haute, les marches de l'échafaud ». Malgré cette belle conclusion, Nicolas jugea que Champlitte avait été, sans doute, un individu ennuyeux et peu sympathique. Renonçant à lire jusqu'au bout les trois livres, il alla, l'heure du dîner approchant, les remettre à leur place.

Cette fois encore, avant d'entrer dans la bibliothèque, il glissa un regard par le carreau. Tout paraissait calme à l'intérieur. Nicolas franchit le seuil avec la légèreté d'une ombre et se dirigea vers le fond de la pièce. Il s'apprêtait à ranger les volumes sur leur rayon, quand un froissement d'étoffe lui fit tourner la tête. Une silhouette féminine se dressait hors d'un fauteuil à dossier droit. Pris au dépourvu, il balbutia :

— Mme de Champlitte, sans doute ?

— Oui, dit-elle.

— Lieutenant Ozareff, dit Nicolas en claquant des talons.

Il avait parlé dans le vide. Mme de Champlitte ne l'écoutait pas et regardait les livres qu'il tenait à la main. Elle avait un visage pâle et froid, d'une pureté tragique.

— Je suis confus de vous avoir dérangée, Madame, reprit Nicolas. Je voulais simplement rapporter ces livres...

— A qui aviez-vous demandé la permission de les prendre ? dit-elle d'un ton sec.

Il se rebiffa :

— A personne puisque, depuis votre arrivée, tout le monde me fuit dans cette maison !

— Vous n'êtes pas notre invité, que je sache ! répliqua-t-elle avec un sourire de mépris.

Nicolas s'inclina dans un demi-salut :

— Monsieur votre père avait eu la bonté de me le faire oublier.

— Comptez-vous rester longtemps sous notre toit ?

Vue de près, elle était plus belle encore qu'il ne l'avait cru : svelte, brune, le cou long et souple, la lèvre supérieure un peu courte, les yeux noirs, agrandis de courroux, rayonnants d'insolence.

— Aussi longtemps que l'armée russe occupera Paris, répondit-il fièrement.

Mme de Champlitte haussa imperceptiblement les épaules. Nicolas craignit de ne pouvoir garder son sang-froid jusqu'au bout.

— Je suis un militaire, Madame, reprit-il. Ce n'est pas moi qui ai décidé de venir en France et ce n'est pas moi qui déciderai d'en partir. D'ailleurs, si Napoléon n'avait pas envahi notre pays, jamais nous n'aurions pris les armes contre le vôtre...

— Je vous l'accorde, dit-elle, et je comprends même que nous devions vous supporter, puisque c'est là une conséquence de la défaite, mais ne nous demandez pas en plus d'être aimables !

— Heureusement pour la France, bien des gens pensent autrement que vous !

— Ceux que vous fréquentez ne sont pas ceux qui peuvent me convaincre !

— Est-ce l'avis de monsieur votre père ?

— Mon père est un homme âgé. Il est resté fidèle à ses traditions. Pour lui, rien ne compte dans cette guerre perdue que le retour du roi. Il en oublie tout respect, toute décence !

Elle hésita une seconde et proféra entre ses dents :

— Il me fait honte !

Soudain, Nicolas eut pitié de Mme de Champlitte. Ayant pris l'avantage sur elle, il regrettait ses coups et souhaitait presque une réconciliation, fût-elle précaire. Ce combat de paroles, loin de les séparer, avait créé entre eux, lui semblait-il, une sorte de respect mutuel dans l'incompréhension, d'intimité dans la discorde.

— Madame, dit-il enfin, j'admets que vous me détestiez à cause de l'uniforme que je porte, du pays dont je viens, des morts que vous pleurez. Mais si, dans la guerre, l'individu doit se fondre à la nation et suivre aveuglément ses chefs, le premier bienfait de la paix n'est-il pas de permettre que chacun retrouve ses propres raisons de vivre ? Tant que je me battais, les Français m'apparaissaient, indistinctement, comme une race ennemie. Maintenant, je ne vois parmi eux que des hommes, des femmes, des enfants exactement semblables à ceux que j'ai laissés derrière moi, ni meilleurs ni pires qu'en Russie...

Il s'interrompit pour suivre l'effet de son discours sur le visage de Mme de Champlitte. Elle ne bronchait pas, la tête dressée sur son long cou, la bouche entrouverte, respirant à peine, regardant au loin.

— Cette métamorphose, j'espère que vous la connaîtrez bientôt, vous aussi, reprit-il. D'ailleurs, ou je me trompe fort, ou les livres de M. de Champlitte prônent la fraternité entre les peuples...

Les sourcils de la jeune femme se joignirent. Elle rougit et dit d'une voix essoufflée :

— Laissez cela, Monsieur.

— Vous ne pouvez m'en vouloir d'apprécier l'œuvre de votre mari !

— Je vous prie de ne m'en point parler, c'est tout !

— Je le regrette, Madame, dit Nicolas. Il me faudra donc ne compter que sur moi pour vous persuader...

— De quoi ?

— Du fait que je ne suis pas un ogre ! L'officier russe que vous haïssez est âgé de vingt ans. Il a un père, une sœur, qui habitent dans une vieille maison de campagne, à deux mille cinq cents verstes d'ici. Il les aime, il est sans nouvelles d'eux depuis longtemps. Il espère, une fois revenu chez lui, retrouver des plaisirs pacifiques, tels que la lecture, la chasse, la pêche, les promenades en forêt...

Tout en parlant, il s'était approché de la bibliothèque pour replacer les trois livres sur leur rayon. Quand il se retourna, Mme de Champlitte avait quitté la pièce.

6

Le lundi 2 mai, en arrivant à la caserne, Nicolas trouva ses camarades consternés. Par courtoisie envers Louis XVIII, le général de Sacken, gouverneur militaire de Paris, avait ordonné qu'aucun uniforme allié ne se montrerait dans les rues, le lendemain, jour de l'entrée du roi dans la capitale. Les hommes seraient consignés dans leurs casernes, les officiers resteraient dans leurs logements respectifs et chaque commandant d'unité veillerait personnellement à la stricte observance des instructions reçues. Pour la plupart des compagnons de Nicolas, cette mesure n'entraînait que des inconvénients secondaires. Pour lui, c'était l'écroulement d'une tour vertigineuse avec Delphine au sommet. Il relut dix fois, le cœur battant de rage, la proclamation imbécile affichée à la porte du bureau. Une machination ourdie contre son amour par tous les généraux des troupes d'occupation ne l'eût pas révolté davantage. Comment avertir Delphine ? Comment lui expliquer ? Comment obtenir d'elle un autre rendez-vous ? Dans son désespoir, il distribua à ses soldats quelques punitions imméritées, sans parvenir à se consoler d'être lui-même victime d'une injustice. En le voyant si nerveux, Hippolyte Roznikoff le prit à part et l'interrogea sur les raisons de sa mauvaise humeur. Nicolas lui dit tout et l'autre éclata de rire :

— Ce n'est que cela ? Mais, mon cher, tu n'as aucune imagination ! Il t'est interdit de circuler en uniforme dans les rues, soit ! mais, si tu t'habilles en civil, personne ne te dira rien.

— En civil ? balbutia Nicolas, frappé de honte, comme si Roznikoff lui eût offert de déserter.

— Parbleu ! répliqua l'autre. Tu ne seras ni le premier ni le dernier. C'est l'avantage de loger chez l'habitant : il n'y a pas de contrôle ! Toumansky s'est acheté avant-hier une garde-robe complète de bourgeois pour se promener librement en ville. Et Ouchakoff aussi. Ils m'ont indiqué un très bon magasin où on vend des vêtements d'occasion. Tu veux l'adresse ?

— Non, dit Nicolas précipitamment.

Il avait peur de se laisser entraîner dans un marché diabolique. Le tentateur eut un mince sourire :

— Qu'est-ce que tu risques ? Il est toujours bon d'être renseigné. Le magasin se trouve au début de la rue Saint-Méri et s'appelle : « Au Bonheur des petites Bourses ». Tu t'en souviendras ?

Nicolas baissa la tête. Son choix était fait, mais il ne voulait pas en convenir, il luttait encore.

Il était cinq heures de l'après-midi quand il arriva, plein de remords, au « Bonheur des petites Bourses ». Avant de franchir le seuil de la boutique, il jeta autour de lui un regard inquiet, comme s'il eût craint d'être surpris pénétrant dans un mauvais lieu. Le patron, qui était gras et jovial, ne parut nullement étonné qu'un officier russe lui demandât des vêtements civils à sa taille. On eût juré que toute l'armée d'occupation n'avait d'autre fournisseur que lui. De courbette en courbette, il conduisit Nicolas vers le fond du magasin, où pendaient cent costumes d'une extraordinaire variété de ligne et de couleur. Aux dires du marchand, ces « occasions » étaient presque neuves, en tout cas nettoyées, et provenaient de gandins capricieux, de grands seigneurs ruinés et de fils de famille à qui leurs parents avaient coupé les vivres.

— Je ne les montre qu'aux connaisseurs, dit-il. Sans doute serez-vous étonné quand vous saurez qu'il m'arrive de servir des gens du monde politique et de la finance, des étrangers illustres, des acteurs de l'Opéra et du Théâtre-Français. Pour vous, je vois un bel habit couleur crottin, ou fumée de Londres, un gilet croisé et rayé, à la matelote, tirant sur le vert tendre ou le jaune nankin...

Il déplia un paravent pour isoler Nicolas devant une glace, le laissa se déshabiller et revint les bras chargés de vêtements. Enveloppé soudain de « fumée de Londres », cravaté de blanc, le torse emprisonné dans une soie brochée émeraude, Nicolas écarquillait les prunelles sur cette image imprévue de lui-même. Certes, l'habit manquait de carrure et bâillait sur le ventre, mais le marchand pinça l'étoffe par derrière, déchira une couture, effaça un pli, et ce fut parfait. Un tailleur bossu emporta le costume pour le rectifier dans l'arrière-boutique. Après une heure d'attente, Nicolas put enfin juger du résultat. Entre-temps, le marchand lui avait vendu un chapeau de castor, une canne du genre « porte-respect », des souliers souples et deux mouchoirs de batiste. Devant ce client habillé de pied en cap par ses soins, l'homme joignait les mains et criait au chef-d'œuvre.

Malgré ses adjurations, Nicolas remit l'uniforme pour rentrer chez lui. Comme il portait un gros paquet sous le bras, il évita les rues fréquentées.

★

Un moment pénible pour Nicolas fut celui où, le matin du 3 mai, il dut affronter l'œil critique de son ordonnance.

— Un vrai Français ! soupira Antipe en le voyant dans son nouvel habit. Où est-ce que vous allez comme ça, barine ?

— Cela ne te regarde pas !

— Vous savez que nous autres Russes on n'a pas le droit de sortir ?

— Oui.

— Si quelqu'un vous reconnaît...

— Personne ne me reconnaîtra !

Antipe révulsa les prunelles et dit :

— Que le seigneur jette un voile sur les yeux des honnêtes gens !

Il était temps de partir. Antipe brossa son maître, le bénit, à tout hasard, d'un signe de croix et l'accompagna hors de la chambre.

Nicolas n'avait plus revu Mme de Champlitte depuis leur conversation dans la bibliothèque et appréhendait de la rencontrer, ainsi vêtu, au tournant du couloir. Certes, il n'avait aucun motif de rechercher l'estime de cette femme. Mais il eût souffert de se sentir en état d'infériorité devant elle. Or, privé de son uniforme, il était comme déshonoré. Qui sait si Delphine elle-même ne serait pas déçue lorsqu'il lui apparaîtrait dans cette tenue banale ? La traversée de la cour s'accomplit sans encombre et il entra bravement dans le mouvement et le bruit de la rue.

Marchant parmi des gens qui le prenaient pour

leur compatriote, il avait l'impression de n'être pas tout à fait dans sa peau. Sa taille bougeait à l'aise dans des étoffes molles. Un chapeau d'une légèreté irréelle coiffait son front. Ses pieds avaient des ailes. Sa cuisse gauche s'étonnait de ne plus sentir, à chaque pas, le frôlement d'un fourreau d'épée. Mais ce bien-être même inquiétait Nicolas. Ne trahissait-il pas l'armée, le tsar, pour courir à une femme ? Ne sacrifiait-il pas la discipline au plaisir, l'honneur à l'amour, ou presque ? Delphine comprendrait-elle l'ampleur de son renoncement ?

Comme il craignait d'être en retard, il fut heureux de trouver un fiacre en stationnement sur le quai d'Orsay. La voiture était vieille, avec une capote crasseuse rabattue par-derrière, un cheval squelettique attelé par-devant et, perché sur son siège, un cocher centenaire qui jurait d'aller comme la foudre. On partit au tout petit trot. Dès les premiers tours de roue, l'homme se tourna vers Nicolas et dit :

— Ça fait tout de même plaisir de ne plus en voir un seul dans la rue !

— De qui parlez-vous ? demanda Nicolas.

— De tous ceux qui sont ici et qui devraient être ailleurs. Mangeurs de suif et voleurs de poulets, Cosaques, Prussiens, Autrichiens, je les mets dans le même sac, moi ! Pas vrai, Monsieur ?

L'injure parut d'autant plus forte à Nicolas qu'elle était involontaire. Sa punition d'avoir quitté l'uniforme était de ne pouvoir répondre à ceux qui insultaient l'armée devant lui. N'y avait-il donc rien dans son maintien, dans sa physionomie, qui le distinguât du reste de la population ?

— Je parie que vous allez voir passer le cortège ! reprit le cocher.

— En effet, dit Nicolas.

— Ça sera beau. Ils ont mis des banderoles partout. Moi, roi ou pas roi, je suis pour la paix et le commerce. Entre Français, on s'entendra toujours !

Il parlait encore, quand des gardes nationaux, la cocarde blanche au chapeau, l'arrêtèrent dans la rue Saint-Denis. Interdiction aux voitures d'aller plus loin. Nicolas paya le cocher et continua son chemin à pied, parmi une cohue endimanchée.

A onze heures juste, il frappait à la porte de Mlle Adrienne Poulet, couturière, habitant au troisième étage d'une maison qui sentait le chou-fleur. La femme potelée et rose qui lui ouvrit devait être prévenue de sa visite, car, sans rien lui demander, elle le salua d'une révérence et dit :

— Madame n'est pas encore arrivée. Si vous voulez me suivre...

Marchant derrière elle, il traversa l'atelier désert où régnait un désordre d'étoffes et de bobines, plongea dans un couloir étroit, en effaçant une épaule pour ne pas raser le mur, et déboucha dans une chambre tendue de tissu framboise. Il s'attendait à trouver là quelques personnes venues, comme lui, pour voir le cortège, et fut heureusement surpris d'être seul dans la place. Ce qui frappait l'œil, dès l'abord, c'était un large lit, enveloppé de mousseline brodée, et monté sur une estrade. On y accédait par deux marches. Un lampadaire de style égyptien dominait une chaise longue. Sur un bonheur-du-jour, trônait un écritoire en forme de vase grec.

— Voici la meilleure fenêtre de la maison, dit Mlle Adrienne Poulet en désignant une croisée ouverte à l'angle de la rue et du boulevard.

Et elle s'éclipsa, après une deuxième révérence. Nicolas se demanda comment une simple couturière avait pu se meubler aussi richement. Sans doute les Parisiennes dépensaient-elles beaucoup d'argent pour leurs toilettes. Il posa son castor et son « porte-respect » sur une commode, retira ses gants et se repeigna devant une glace au trumeau décoré d'amours. Ses cheveux longs et blonds bouffaient sur ses oreilles. Depuis le début de la guerre, tous les jeunes officiers russes avaient adopté cette coiffure léonine. Nicolas finissait à peine de s'admirer, quand la porte s'ouvrit de nouveau et Delphine parut.

— Ah ! vous ! s'écria-t-il avec un accent de folle gratitude.

Les épaules drapées dans un châle de cachemire, la tête pudiquement inclinée sous une capote bordée de rubans, elle montrait, pensa Nicolas, une séduction diabolique alliée à la grâce d'un ange. Tandis qu'il lui baisait les mains, elle battit des paupières et dit dans un sourire tendre :

— Comme vous voilà fait, Monsieur !

Il lui expliqua les raisons de son déguisement et elle le remercia d'avoir bravé les ordres de ses supérieurs pour la rejoindre. D'ailleurs, elle le trouvait fort bien mis. Tout au plus eût-elle souhaité un gilet d'une teinte moins franche.

— Je vous indiquerai le fournisseur de mon mari, dit-elle.

Il déplora un peu qu'elle mêlât le baron de Charlaz à la conversation, mais sans doute était-ce un signe de trouble chez une femme que d'évoquer le souvenir de son époux dans des circonstances où il n'avait que faire.

— Quel temps superbe ! reprit-elle d'une voix chantante.

— Oui, dit-il.

— Nous serons bien, à cette fenêtre !

— Certainement.

— Je regrette que mon mari n'ait pu m'accompagner !

Cette seconde allusion à M. de Charlaz parut à Nicolas plus pertinente que la première.

— C'est, en effet, très regrettable, dit-il en contenant sa joie.

Et il ajouta, de son ton le plus détaché :

— Savez-vous si Mlle Poulet a invité d'autres personnes ?

— Cela m'étonnerait fort, dit Delphine, la fenêtre est juste assez grande pour deux !

Il comprit qu'elle lui avait définitivement pardonné son baiser dans la voiture.

— Ah ! Madame, s'écria-t-il, comment vous remercier ?

— Ce n'est pas moi qu'il faut remercier, dit-elle, mais notre bon roi, dont le retour providentiel nous permet de nous réunir. Venez vite. Je ne veux pas manquer un détail de la fête !

Ils s'accoudèrent à la fenêtre. La rue, en contrebas, grouillait d'une foule bruyante. Vus d'en haut, les chapeaux étaient des bouchons multicolores, balancés par de lents remous. Des gardes nationaux, alignés sur deux rangs, limitaient un couloir pour le passage du défilé. Aux façades des maisons, pendaient des banderoles blanches. L'arc de triomphe du faubourg Saint-Denis disparaissait à moitié sous une profusion de drapeaux, de feuillages et d'écussons de carton peint. Du cintre descendait une couronne royale, soutenue par des guirlandes tressées de rubans et de lys. Les cris des petits marchands de boissons et de sucreries piquaient l'épaisse rumeur de la multitude.

— Ah ! qu'il vienne ! gémissait Delphine. Qu'il ne nous fasse pas languir !...

En l'observant de plus près, Nicolas remarqua qu'elle avait trois fleurs de lys brodées sur ses manches bouffantes, qu'une fleur de lys, en or ciselé, lui servait de broche et que le mouchoir dont elle s'éventait dans son émotion portait, lui aussi, une fleur de lys à chaque coin. Comme elle semblait défaillir d'impatience, il lui prit la main et la serra doucement. Mais aucune caresse ne pouvait distraire la jeune femme de son enthousiasme politique. A mesure que le temps s'écoulait, l'atmosphère de la rue devenait plus houleuse. Çà et là, des messieurs intrépides, un plumet blanc au chapeau, brandissaient des gourdins, haranguaient le peuple. Leurs exclamations se mêlaient aux notes plaintives d'un orgue de Barbarie qui jouait : *Vive Henri IV*. Une horloge tinta midi. Soudain, une vibration sourde, hachée, courut dans l'air : le gros bourdon sonnait au loin. Des cloches plus légères lui répondirent.

— Il arrive ! s'écria Delphine d'une voix aiguë.

Et des larmes d'allégresse jaillirent de ses yeux. Les gardes nationaux se serraient les coudes pour contenir la vague humaine qui voulait forcer leur barrage. Cependant, Nicolas se rappelait l'entrée des troupes russes à Paris et pensait qu'il n'y avait pas plus de monde aujourd'hui pour acclamer Louis XVIII qu'un mois auparavant pour saluer les souverains alliés. Il se retint d'en faire la réflexion à Delphine par crainte de la froisser. Au reste, elle ne l'eût pas entendu. Tournée vers le faubourg, elle attendait une apparition céleste, un miracle. Nicolas en profita pour lui prendre la taille. Elle n'eut ni l'idée ni le temps de se défendre. Mille poitrines rugirent en chœur :

— Le voici !... Le voici !... Ne poussez pas !...

Penché sur Delphine, Nicolas respira avec ivresse son parfum de vanille et vit, comme dans un rêve, une calèche ouverte, attelée de huit chevaux blancs, rouler sous l'arc de triomphe. Un bonhomme obèse, joufflu, vêtu d'un surtout bleu à épaulettes d'or, était assis dans la voiture et répondait aux acclamations en soulevant, avec ennui, son volumineux tricorne. Delphine se pâmait.

— C'est lui ! C'est bien lui ! balbutiait-elle. Ah ! mon Dieu, l'heureuse journée ! A côté de notre bon roi — sa nièce ; en face — le prince de Condé et le duc de Bourbon !

— Oui, oui ! dit Nicolas .

Et il lui toucha la joue, du bout des lèvres, sous le bord plongeant du chapeau.

— Oh ! regardez, regardez vite, reprit-elle, ces deux beaux cavaliers qui trottent aux portières ! Les reconnaissez-vous ?

— Non, répondit Nicolas.

En même temps, il lui piqua un baiser à la naissance du cou.

— Ce sont le comte d'Artois et son fils le duc de Berry, chuchota-t-elle d'une voix mourante.

— Ils ont fière allure, dit Nicolas en cherchant la bouche de Delphine.

Un cri lui partit en pleine figure, à bout portant :

— Vive le roi !

Ebranlé comme par un coup de canon, il s'écarta de la jeune femme qui trépignait et vociférait de bonheur :

— Vive le roi ! Vivent nos princes !...

La calèche royale passait sous la fenêtre. Derrière elle, chevauchaient les maréchaux d'Empire hâtivement ralliés à la monarchie. Tous portaient le cordon de la Légion d'honneur en sautoir. Les gardes nationaux présentaient les armes. Une musique militaire jouait au loin. Des cloches sonnaient. Des chapeaux volaient. On jetait des fleurs. Dans un geste insensé. Delphine lança par la fenêtre son mouchoir brodé de fleurs de lys. Il se posa sur la capote d'une grosse femme en mauve, qui ne s'en aperçut même pas. Au milieu du tumulte, Nicolas s'enhardit à murmurer :

— Oh ! Delphine, ma bien-aimée !

Mais Delphine criait toujours :

— Vive le roi ! Vive le roi ! Vivent nos princes !

Alors, enflammé par l'exemple, aiguillonné par l'amour, Nicolas hurla, lui aussi :

— Vive le roi ! Vivent nos princes.

Et Delphine, subjuguée, lui donna sa bouche. Ils vacillèrent ensemble sous les ovations de la foule.

★

En regagnant l'hôtel de Lambrefoux, vers cinq heures du soir, Nicolas se retenait de danser dans la rue. Ah ! ces Françaises !... Comme Delphine l'avait aimé ! Avec quelle fougue et quelle expérience ! Lui qui se figurait n'être plus un novice en matière de volupté, c'était aujourd'hui seulement qu'il avait eu la révélation de la femme. Entre deux étreintes, elle avait exigé qu'il se fît couper les cheveux : « Pourquoi cette tignasse, qui te descend dans le cou et te mange les oreilles ? C'est peut-être la mode en Russie, pour les hommes, mais pas en France. Tu seras tellement plus beau quand tu m'auras cédé ! » Il lui avait promis qu'à leur prochaine rencontre, dans deux jours, elle le verrait coiffé à la française. Le lieu du rendez-vous devait être, cette fois encore, l'appartement de Mlle Adrienne Poulet. Nicolas avait remarqué que Delphine y était comme chez elle. Il semblait même qu'elle eût du linge et des objets de toilette personnels dans les tiroirs. Avait-elle loué cette chambre à sa couturière pour y abriter des liaisons clandestines ? N'était-il qu'un amant parmi d'autres, sur une liste ? Cette supposition était si désobligeante pour lui, qu'il préféra ne pas s'y arrêter. Il avait le sentiment que, s'il voulait continuer à être heureux avec Delphine, il fallait avant tout qu'il évitât de se poser des questions. Mais saurait-il se contenter du plaisir physique ? N'allait-il pas engager dans cette affaire son espoir, sa jalousie, son honneur, son goût du sublime, bref le plus pur de son âme ? Tout à coup, il eut hâte de se remettre en uniforme.

★

La porte cochère se referma en claquant et Sophie dressa la tête.

— Serait-ce déjà votre père ? dit Mme de Lambrefoux.

— Je vais voir, murmura Sophie en posant son livre.

Et elle s'approcha de la fenêtre. Mme de Lambrefoux, assise dans un grand fauteuil, reprit son ouvrage de tapisserie. Elle aimait travailler ainsi, le soir, dans sa chambre, tandis que sa fille lui faisait la lecture à haute voix.

— Eh bien ? dit-elle.

Sophie écarta le rideau. Un homme traversait la cour et se dirigeait vers le perron. Elle reconnut le lieutenant russe. Mais pourquoi s'était-il habillé en bourgeois ? A peine se le fut-elle demandé, qu'une réponse émouvante illumina son esprit. Assurément, c'était à cause d'elle que Nicolas Ozareff avait adopté la tenue civile. Leur conversation de l'autre soir l'avait marqué. Sachant qu'elle tolérait difficilement la présence d'un officier étranger dans sa maison, il avait décidé de ne plus porter l'uniforme en dehors des heures de service. Tant de prévenance, chez un homme si jeune, révélait un noble caractère. Elle l'avait déjà deviné à certains propos, dans la bibliothèque. Elle en avait la confirmation maintenant.

— Vous ne dites rien, Sophie ? demanda Mme de Lambrefoux sans lever le nez de son canevas.

— C'est le lieutenant Ozareff, répondit Sophie d'une voix neutre.

— Ah ! murmura Mme de Lambrefoux.

Et elle se tassa dans le fauteuil. Son visage restait impassible et comme somnolent. Elle jugeait prudent de ne pas aborder avec sa fille un sujet qui les avait divisées quelques jours plus tôt. Sophie attendit un instant les réactions de sa mère, puis, déçue par le silence qui se prolongeait, revint à sa chaise et rouvrit son livre : c'était *Corinne ou l'Italie*, de Mme de Staël. Bien qu'elle connût cet ouvrage par cœur, elle aimait à le relire, en souvenir du temps, où, jeune fille, elle avait pleuré sur les malheurs de l'ardente poétesse abandonnée par le cruel lord Nelvil. Cette fois, pourtant, elle perdit rapidement le fil de l'histoire. Elle entendait sa voix résonner dans la chambre et ne comprenait pas les phrases qu'elle disait. Lord Nelvil n'était plus anglais, mais russe. Il portait un habit gris et un gilet vert. Elle s'étonna d'avoir si bien retenu ces détails de toilette, alors qu'elle avait à peine eu le loisir d'entrevoir le lieutenant Ozareff dans la cour. Par chance, il n'avait pas levé les yeux vers la fenêtre du premier étage. Elle fût morte de honte s'il l'avait aperçue derrière la vitre. Elle buta sur un mot et sa mère dit :

— N'êtes-vous pas un peu lasse, Sophie ?

— Je crois surtout, dit Sophie, que ce roman n'a plus pour moi l'attrait de la nouveauté. Je vais en choisir un autre dans la bibliothèque.

— Ce n'est plus la peine, mon enfant, il est tard...

— Mais si, mère. Je reviens dans un instant.

Elle se leva d'un mouvement naturel et sortit dans le couloir. Quiconque se fût permis de lui dire qu'elle usait là d'un prétexte pour revoir le lieutenant Ozareff l'eût profondément révoltée. Il n'y avait rien d'équivoque dans ses intentions : elle allait chercher un livre, comme elle l'eût fait hier, comme elle le ferait demain... Toutefois, en approchant de la bibliothèque, elle fut tourmentée d'un espoir étrange et se dédoubla sur place. Une part d'elle-même mentait à l'autre. Elle poussa la porte. La pièce était vide. Une pendule battait dans le silence. Sophie posa le livre sur le bureau, s'avança vers la croisée, jeta un regard dans le jardin. L'ombre des arbres s'allongeait. Les pelouses étaient d'un vert sombre. Personne ne se promenait dans les allées. Le lieutenant Ozareff avait dû regagner sa chambre. Son ordonnance fredonnait une chanson russe, du côté des communs. Oubliant ce qu'elle était venue faire, Sophie s'assit dans un fauteuil et une tristesse sans cause l'envahit.

Ce fut dans cette position que ses parents la découvrirent, une demi-heure plus tard. M. de Lambrefoux revenait des Tuileries où il s'était précipité avec des amis pour saluer le roi, retour de Notre-Dame, et l'assurer de son dévouement. Il débordait d'histoires attendrissantes sur l'enthousiasme que l'apparition de Louis XVIII avait soulevé dans la foule. A table, pendant le dîner, il expliqua qu'un grand espoir s'ouvrait devant le peuple français, par la sagesse de son souverain et la bienveillance du tsar. Sophie, que ce genre de propos eût irritée naguère, les écoutait maintenant avec indulgence.

— Même ceux qui ont manifesté au début quelque méfiance envers l'empereur de Russie sont confondus aujourd'hui par sa mansuétude, dit le comte en découpant une aile de poulet. Songez, chère amie, qu'afin d'éviter à notre bon roi l'humiliation de voir des soldats étrangers le jour de son entrée dans la capitale, il a décidé que toutes les troupes alliées seraient consignées dans leurs casernes. Je n'ai pas rencontré un seul officier russe, autrichien ou prussien durant ma traversée de Paris...

Les yeux de Sophie se voilèrent, ses mains faiblirent ; elle les appuya sur la table, de part et d'autre de son assiette. Ainsi, ce n'était pas par égard pour elle que Nicolas Ozareff avait quitté l'uniforme ! Avait-elle été assez naïve, assez sotte, pour lui prêter des intentions d'une telle délicatesse ? « Ma première impression avait été la bonne, se dit-elle. Cet homme n'est qu'un Russe ! » Tandis que ses parents bavardaient à mille lieues de là, elle rêvait au vide absolu de son existence. Depuis deux ans que son mari était mort, elle vivait dans un engourdissement intellectuel et physique dont rien, semblait-il, ne devait la distraire. Pourtant, elle n'avait jamais éprouvé pour M. de Champlitte qu'une admiration voisine du respect. Il l'avait conquise par ses idées et retenue par sa douceur. En le perdant, elle s'était sentie frustrée d'une amitié irremplaçable, mais à peine contrariée dans ses habitudes de femme. Secrètement, elle lui savait gré de l'avoir si peu et si mal approchée. Ainsi, du moins, pouvait-elle songer à lui maintenant sans qu'aucune image charnelle n'entachât la pureté de son souvenir. Elle se dit qu'elle était une personne de tête, tranquille, froide, incapable de connaître les tourments amoureux chers aux romanciers à la mode. Cette idée la réconcilia avec son destin. Elle s'embarqua, de nouveau, sur un lac d'indifférence. Le valet changea les assiettes et apporta un sorbet au citron. Sophie plongeait sa cuillère dans la masse onctueuse et glacée, quand une pétarade éclata. Mme de Lambrefoux appliqua une main sur sa poitrine. Le comte jeta sa serviette et dit :

— Le feu d'artifice du roi ! Allons dans le jardin, c'est de là que nous le verrons au mieux !

Sophie se leva de table et suivit ses parents. Lorsqu'elle aperçut la silhouette du lieutenant Ozareff dans l'allée, elle n'eut pas un tressaillement et pensa : « Eh bien ! quoi ? Je m'y attendais ! C'est tout à fait normal ! » Il avait remis son uniforme. Elle vit là une preuve de franchise. Son père voulut lui présenter l'officier, mais elle dit avec netteté :

— Nous nous connaissons déjà.

Cette réflexion surprit ses parents, qui se confondirent en propos embarrassés. Des fusées éclataient au ciel, libérant une pluie d'étincelles jaunes. Tous les domestiques étaient sortis de la maison. M. de Lambrefoux, paterne et seigneurial, les encourageait à s'avancer dans l'allée :

— Venez, Mariette, venez, Lubin... Vous ne pouvez rien voir du coin où vous êtes... Ce n'est pas tous les jours que la France accueille son roi !...

Les serviteurs se groupèrent derrière lui, à distance respectueuse. Sophie les entendait murmurer :

— C'est beau ! On dirait des étoiles qui sautent !...

L'ordonnance de Nicolas Ozareff se signait après chaque détonation. Un vrai barbare ! Ne disait-on pas qu'il couchait sur le plancher, dans le couloir, devant la porte de son maître ? Il fallait que ce dernier eût lui-même une mentalité bien primitive pour tolérer de pareilles pratiques ! Elle l'observa à la dérobée. Le flamboiement du ciel éclairait sa figure. Il avait une expression à la fois puérile et sauvage. Un enfant émerveillé devant un incendie. « Il est d'une autre race, c'est indéniable ! résolut-elle. Même s'il parle en français, il pense en russe. » Une explosion plus violente la fit sursauter. Parmi les domestiques, une femme cria de peur, un homme rit niaisement :

— Oh ! Celle-là, c'est la plus belle !...

Au firmament, s'ouvrait une ombrelle de feu. Des reflets brillaient dans les vitres. Les arbres se découpaient en dentelles noires sur un fond d'aurore palpitante.

— Ils font bien les choses, dit le comte avec satisfaction. Je regrette, M. Ozareff, que vous n'ayez pu voir le cortège royal...

Comme Nicolas, déconcerté, gardait le silence, Sophie s'entendit prononcer, d'une voix mélodieuse :

— Pourquoi croyez-vous, père, que le lieutenant se soit privé de ce plaisir?

— Parce que, comme je vous l'ai déjà dit, mon enfant, aucun représentant de l'armée alliée n'avait le droit de se montrer aujourd'hui dans les rues.

— Un officier, fût-il russe, n'est jamais en peine pour tourner les règlements, dit Sophie.

Nicolas lui décocha un regard amusé.

— Vous avez le don de double vue, Madame, dit-il. En effet, certains de mes camarades et moimême éprouvions un tel désir de vivre ces grandes heures, que nous avons adopté le costume civil pour nous mêler à la foule de vos compatriotes. Que nos supérieurs hiérarchiques nous le reprochent, ce serait justice, mais quel Français, quelle Française, pourrait nous en tenir rigueur ?

— Monsieur, dit le comte, je vous félicite, et j'espère que vous avez emporté un beau souvenir de l'entrée du roi à Paris.

— Magnifique ! dit Nicolas.

Sa voix vibrait de gratitude : il pensait aux baisers de Delphine.

— Permettez-moi de m'en réjouir en tant que Français, dit M. de Lambrefoux.

Ils échangèrent un petit salut de courtoisie. Les dernières pièces du feu d'artifice éclatèrent du côté du pont Louis-XVI en un gigantesque bouquet blanc, semé de rubis et d'émeraudes. Quand le ciel se fut éteint, les domestiques regagnèrent l'office.

La nuit était fraîche. Sophie serra son châle sur ses épaules. Un moment, elle se demanda si son père n'aurait pas l'idée saugrenue d'inviter le lieutenant Ozareff à prendre une tasse de café au salon. Mais M. de Lambrefoux était trop soucieux de ménager les sentiments politiques de sa fille pour émettre une proposition aussi hasardeuse. Il se contenta de s'appuyer au bras du Russe pour suivre l'allée principale. Sophie et sa mère marchèrent derrière eux. Le gravier craquait. Les deux hommes parlaient à voix basse. Que pouvaient-ils se dire ? Auprès du comte, qui était petit, Nicolas paraissait immense, avec ses longues jambes, son torse tout d'un jet, sa taille fine et ses larges épaules qui bougeaient à peine au rythme de son pas. On se sépara devant la maison.

— Je vous souhaite une bonne nuit, Madame, dit Nicolas.

Un très léger accent slave donnait du charme à ses moindres propos. Sophie essaya de trouver quelque chose d'aimable à répondre, mais ce furent, une fois de plus, des paroles désobligeantes qui lui vinrent aux lèvres :

— Les officiers russes auront-ils le droit de se promener demain dans les rues ?

— Oui, Madame, dit Nicolas sur un ton ironique. A moins que Paris n'attende un autre roi !

— A Dieu ne plaise ! s'écria Sophie.

Elle avait de plus en plus l'impression de n'être pas elle-même, de parler faux, de jouer mal.

— En somme, vous n'aurez laissé que vingt-quatre heures à Louis XVIII l'illusion d'être chez lui ! reprit-elle. C'est peu !

— Nous ferons mieux dans un ou deux mois, je l'espère, dit Nicolas.

— Comment cela ?

— En nous retirant tout à fait.

— Bien des gens vous regretteront ! soupira M. de Lambrefoux en tapotant l'épaule du jeune homme.

Sophie ramassa ses jupes et rentra vivement dans le salon, suivie de sa mère. M. de Lambrefoux les rejoignit bientôt. Nicolas resta dans le jardin, alluma un petit cigare et le fuma avec délices, en regardant les étoiles.

7

En quittant la boutique du coiffeur, Nicolas se sentit la tête légère sous un shako trop grand. Habitué à porter les cheveux longs, il songeait avec tristesse aux mèches blondes qu'il avait laissées sur le carrelage. N'était-il pas ridicule, ainsi tondu à la française, les tempes dégagées, des pattes sur les joues et des boucles courtes sur le front ? Delphine le détrompa en tombant, ivre d'admiration, sur sa poitrine. Il l'avait écoutée, il était deux fois plus séduisant que naguère, il méritait tous les plaisirs.

A quelque temps de là, il remarqua que certains de ses camarades avaient adopté la même coiffure et en conclut qu'ils s'étaient pliés, eux aussi, à des exigences féminines. Cette nouvelle coupe de cheveux fut bientôt un signe de reconnaissance entre officiers russes nantis d'une maîtresse française. Hippolyte Roznikoff, ayant suivi la mode par amour d'une pâtissière de la rue de Cléry, disait en riant que la plupart des Parisiennes avaient des âmes de Dalila. Tout en s'amusant des bonnes fortunes que lui racontaient ses compagnons d'armes, Nicolas gardait le secret sur sa propre aventure. Il n'y avait d'ailleurs, pensait-il, aucun rapport entre les liaisons banales dont se contentaient les autres et l'exceptionnelle passion qu'il éprouvait lui-même.

Son service à la caserne était devenu si peu astreignant, qu'il pouvait s'échapper chaque jour, au début de l'après-midi, pour rejoindre Delphine dans la chambre aux tentures framboise. Elle l'attendait là, ravissante, ponctuelle et pleine d'appétit. La volupté commençait dès le seuil de la porte. Cette femme avait un tel besoin d'amour, que Nicolas, parfois, craignait de ne pas lui suffire. D'étreinte en étreinte, elle s'exaltait davantage. On avait à peine le loisir de parler. Cela durait deux heures, trois heures, puis Delphine se rhabillait, rose, fraîche, innocente, reposée, baisait Nicolas sur le front et s'envolait vers quelque réception mondaine. Il restait au bord du lit, émerveillé de sa chance et les jambes faibles. Une fois pour toutes, il avait admis que Delphine menait une double vie, que cette chambre était le lieu habituel de ses rendez-vous et qu'il ne devait se montrer jaloux ni de son passé ni de son avenir. Cependant, il regrettait l'époque où, le connaissant à peine, elle dissimulait son désir sous un voile de mystère et de dignité. Du jour où elle s'était donnée à lui, elle n'avait plus jugé utile de cacher sa véritable nature. Pour se consoler d'avoir avec elle tant de satisfaction physique et si peu de conversation, Nicolas se disait que le temps leur manquait de communier dans la tendresse. En rentrant, le soir, à l'hôtel de Lambrefoux, il éprouvait l'impression d'avoir été à la fois comblé et déçu. Son corps n'exigeait plus rien, mais son âme était assoiffée de poésie.

Un jour, il prit les œuvres de Fontanes dans la bibliothèque, les lut, les admira, les rapporta mais sans rencontrer Mme de Champlitte. Après les répliques acerbes échangées pendant le feu d'artifice, elle était redevenue invisible. Nicolas le déplorait, car il eût aimé rabattre, une fois de plus, l'humeur hautaine de cette femme. Il avait d'ailleurs parlé d'elle, incidemment, à Delphine, et celle-ci lui avait dit dans un éclat de rire : « Je ne suis pas étonnée que Sophie te fasse mauvais visage, mon amour ! Elle est incapable du moindre sentiment humain. Une machine à réfléchir, une fanatique de l'intelligence ! Depuis qu'elle est veuve, elle confond la haute philosophie avec le bas ennui, la vertu triomphante avec l'impuissance congénitale. Entre nous, une créature pareille ne devrait pas avoir le droit de porter une robe. Il est vrai qu'il ne se trouverait personne pour lui demander de l'ôter ! » Nicolas avait été frappé, sur le moment, par la perspicacité de cette critique. Devant sa mine réjouie, Delphine avait sollicité son avis d'homme sur la question. Il avait répondu avec un air de sincérité : « Pour moi, même si j'y étais obligé, je ne pourrais pas... » Aussitôt, elle s'était jetée sur lui et l'avait étouffé de baisers en criant : « Veux-tu te taire ? On ne parle pas ainsi d'une femme ! » A dater de ce jour, elle l'avait souvent interrogé sur les péripéties de ses relations avec Sophie et, comme il n'avait jamais rien à lui raconter, elle paraissait déçue.

Un dimanche après-midi, en retrouvant Delphine dans la chambre, il fut surpris de lui voir un visage encore plus animé que d'habitude. Il crut à de l'impatience amoureuse, mais, dès qu'il l'eut saisie dans ses bras, elle se dégagea et dit énigmatiquement :

— Ecoute-moi d'abord, Nicolas : j'ai une grande nouvelle à t'annoncer !

— Laquelle ? chuchota-t-il en lui baisant les mains.

— Tu déménages !

Il se redressa, ébahi :
— Comment cela ?
— Le plus simplement du monde : tu viens habiter chez moi.
— Mais... mais c'est impossible ! bégaya-t-il.
— Pourquoi ?
— Ton mari !...
— Je lui en ai parlé hier : il sera ravi de te recevoir !
D'abord, Nicolas ne sut que répondre. Bien que Delphine l'eût accoutumé à une grande liberté de manières, il était choqué par le cynisme de sa proposition. Toute une part chevaleresque de lui-même s'insurgeait contre la facilité en amour. Il regardait sa maîtresse et relevait sur ses traits une expression avide, presque vulgaire, dont il ne s'était pas avisé plus tôt.
— Même si ton mari est d'accord, dit-il, je ne peux pas accepter... C'est... c'est moralement inconcevable !...
— Nous ne ferons rien de plus ni de moins qu'ici, dit Delphine avec objectivité.
— Oui, mais nous le ferons sous *son* toit !
— La belle affaire ! Crois-tu que mon mari ignore ce que nous sommes l'un pour l'autre ?
— Tu le lui as dit ? s'écria-t-il.
— Il l'a lu dans mes yeux.
— Et alors ?
— J'ai lu dans les siens qu'il n'avait rien contre...
Elle marquait des points. Logiquement, Nicolas n'eût pas été plus coupable en rencontrant Delphine chez elle qu'il ne l'était en la rencontrant ici, puisque, dans les deux cas, le baron était consentant. Cependant, il protesta :
— Non, Delphine. Tout cela est absurde ! Songe à ta réputation ! Que diront vos amis, vos connaissances, si je m'installe chez vous ?

— N'habites-tu pas chez les Lambrefoux, qui ont une fille en âge d'être compromise ? répliqua-t-elle avec vivacité. Nul ne se scandalise de ton séjour dans leur maison !

— Tu ne peux pas comparer : je suis hébergé par les Lambrefoux en qualité d'officier de l'armée russe !

— C'est au même titre que je t'hébergerai moi aussi. Un simple changement d'adresse. Le billet de logement couvrira tout. Tu m'auras été imposé par l'autorité militaire. Pour le reste, il dépendra de nous d'être très discrets : ah ! comme nous serons bien lorsque toutes les heures nous appartiendront, le jour, la nuit !...

Elle se blottit dans ses bras si amoureusement, qu'il perdit un peu de son intransigeance.

— Aimerais-tu mieux continuer à vivre chez ces gens qui ne te sont rien que chez moi qui te suis si profondément attachée ? reprit-elle d'un ton suppliant.

Nicolas reconnut intérieurement que, là encore, elle raisonnait juste. Il devait être possédé par l'esprit de contradiction pour s'incruster dans une maison où on ne voulait plus de lui, alors qu'il y en avait une où sa présence était ardemment souhaitée. En l'invitant chez elle, Delphine lui permettait de quitter l'hôtel de Lambrefoux, tête haute. La possibilité de donner ainsi une leçon de savoir-vivre à Sophie n'était pas le moindre attrait de cette solution. Il envisagea l'explication définitive qu'il aurait avec elle et, tout à coup, n'hésita plus. Penché sur Delphine, il dit :

— C'est entendu. J'irai habiter chez toi !...

Elle se pendit à son cou et le remercia d'un interminable baiser.

Quand elle l'eut quitté, après l'amour, il fut ressaisi par les scrupules. Au fond de lui, demeurait une impression de déshonneur confortable. Il ne s'admirait pas dans cette aventure. Des idées blessantes pour sa vanité l'accompagnèrent jusqu'à la rue de Grenelle. Après le dîner, il songea au meilleur moyen de rencontrer Sophie et, payant d'audace, lui fit porter un billet par son ordonnance : « Madame, je vous serais très obligé si vous pouviez m'accorder dix minutes d'entretien... » Antipe revint avec la réponse : « Je vous attends dans la bibliothèque. »

Il s'y rendit joyeusement, comme à un assaut d'escrime, l'esprit bouillonnant du désir de provoquer, d'esquiver, de piquer vite et bien. Mais, en voyant le visage calme de Sophie, son ardeur s'apaisa.

— Qu'avez-vous à me dire ? demanda-t-elle en lui désignant un fauteuil près de celui qu'elle occupait elle-même.

Il resta debout pour mieux marquer le caractère agressif de sa visite.

— Madame, dit-il, je vais quitter votre maison !

Il y eut un silence. Sophie réfléchissait. Enfin, elle entrouvrit les lèvres et proféra dans un souffle :

— En avez-vous prévenu mon père ?

— Pas encore !

— Je ne comprends pas pourquoi vous m'avertissez en premier d'une décision qui concerne mes parents plus que moi !

Battu sur son propre terrain, il répondit sottement :

— Parce que je sais que vous êtes plus pressée qu'eux de me voir partir !

— En effet, dit-elle avec effort, vous pouvez avoir cette idée. Est-ce pour bientôt ?

— Pour demain, sans doute.

Les sourcils de Sophie se contractèrent, une lumière passa dans ses yeux, puis s'éteignit.

— Vous ne serez pas demeuré longtemps à Paris, marmonna-t-elle. Où va votre régiment ?

— Mais, nulle part. Mon régiment ne bouge pas. C'est moi qui...

Il n'acheva pas. Sophie le considérait avec un reproche douloureux.

— Voulez-vous dire, balbutia-t-elle, que la résolution vient de vous, que vous n'obéissez pas à un ordre supérieur ?...

Nicolas tressaillit, touché par la douceur de cette voix. Subitement, il n'était plus sûr d'agir avec finesse. La conscience de son incorrection le gênait.

— Il vaut mieux que je m'en aille, dit-il. Vous le savez bien !

Elle serra ses mains dans le creux de sa jupe. Son front se pencha, réduisant le visage à n'être qu'un triangle pâle sous deux sourcils noirs nettement dessinés. Repliée sur elle-même, elle semblait en prière.

— C'est à cause de moi, n'est-ce pas ? demanda-t-elle enfin.

Il répondit :

— Oui, Madame !

Alors, elle releva la tête avec fougue, ses yeux étincelèrent :

— Monsieur, je vous prie de rester !

Il fut frappé d'étonnement. Sophie elle-même paraissait surprise de ce qu'elle avait osé dire. Pendant quelques secondes, elle demeura figée dans la lumière de la lampe qui brûlait non loin d'elle, sur le bureau, puis, se ranimant, elle dit encore :

— J'ai des torts envers vous, Monsieur, j'ai été brutale, maladroite... Mais il n'est pas facile de dominer certains sentiments par la raison... Je serais malheureuse si vous me gardiez rancune de l'offense que je vous ai infligée... Mes parents me rendraient responsable de votre départ...

Il se taisait, suffoqué par une émotion dont les causes principales lui échappaient encore.

— Où comptiez-vous aller ? demanda-t-elle.

Nicolas fut sur le point de répondre : « Chez le baron de Charlaz ! », mais la phrase resta en travers de son gosier. Il avait honte.

— Je ne sais pas où j'irai, grommela-t-il évasivement. Ce ne sont pas les chambres qui manquent à Paris...

Et, à partir de cet instant, il comprit qu'il ne croyait plus à la nécessité de son projet. Ce qu'il n'avait pas le courage d'annoncer, pourquoi aurait-il le courage de le faire ?

— Vous ne voulez vraiment pas vous asseoir ? demanda-t-elle avec un sourire triste.

— Si, si, bredouilla-t-il.

Installé au creux d'un fauteuil, il se sentait de moins en moins prêt à plier bagages.

— Vous n'avez aucune raison de nous quitter, dit Sophie. Mes parents se sont attachés à vous. Et moi, voyez, je vous rends les armes. Ne me faites pas regretter d'être si peu fière aujourd'hui après l'avoir été, sans doute, à l'excès !

Ecoutant, regardant Sophie, Nicolas se pénétrait de l'idée qu'à moins d'être un malotru, il ne pouvait refuser à cette femme belle et noble la grâce qu'elle sollicitait. Mais que dirait-il à Delphine pour justifier son revirement ? Avec une joyeuse insolence, il balaya ce souci de sa tête. Chaque chose en son temps : demain, il examinerait la seconde partie du problème.

— Eh bien ? murmura Sophie. Vous ne m'avez pas répondu.

— Madame, s'écria Nicolas, après ce que vous m'avez dit, non seulement je ne veux plus partir, mais je suis confus d'en avoir eu l'intention !

Sophie inclina la tête. Pendant dix minutes, elle avait lutté contre son caractère comme contre un assaut de vagues furieuses. C'était la première fois de sa vie, peut-être, qu'elle triomphait en reconnaissant ses erreurs. Quant à savoir pourquoi il était si important pour elle que Nicolas restât dans la maison, l'explication était toute simple : elle était heureuse d'avoir réparé une injustice. En règle avec sa conscience, elle se sentait mieux. Il la contemplait avec une admiration juvénile : « Deux ans de moins que moi, songea-t-elle. Quel enfant ! » Elle lui demanda s'il continuait de se plaire à Paris et s'il ne regrettait pas trop la Russie. Il répondit avec enthousiasme que Paris avait pour lui un attrait toujours grandissant, mais qu'il n'était pas encore parvenu à se former une idée de la « mentalité française ».

— Chez nous, dit-il, les gens en apparence les plus dissemblables ont en commun des principes qui ne se discutent pas. Quand je pense à mon pays, je vois une seule Russie, nettement dessinée ; quand je pense au vôtre, je vois trente-six France qui se disputent. Je ne sais laquelle est la vraie. Toutes, probablement. Mais, pour un Russe, il est difficile de s'y retrouver. Ainsi vous, Madame, je suis persuadé que vous ne partagez pas les opinions de la plupart de vos compatriotes, alors que, si vous nous interrogiez, moi et mes camarades de régiment, sur les grands problèmes, nous vous répondrions tous de la même façon !

— Qu'appelez-vous les grands problèmes ? demanda-t-elle en souriant de sa naïveté.

— La religion, le bien, le mal, le sens de la vie, la croyance en l'immortalité de l'âme, la meilleure façon de gouverner les peuples...

Tout en parlant, il l'observait avec insistance comme pour voir si, malgré son éducation française, elle était à même de comprendre l'importance de certains mots. Elle devina qu'il était anxieux de la mieux connaître et dit :

— Le propre des grands problèmes n'est-il pas justement de susciter des discussions passionnées ? A partir du moment où tout le monde est d'accord sur une idée, elle perd de sa force, elle s'éteint, elle disparaît.

— Mais pas du tout ! s'écria-t-il. Voyez la religion ! Ne doit-elle pas son extraordinaire rayonnement à la soumission d'un nombre toujours plus élevé de fidèles ?

— Les vrais fidèles ne sont pas ceux qui croient aveuglément, dit-elle, mais ceux qui s'interrogent. La chrétienté périrait d'ennui, s'il n'y avait, à côté du troupeau des ouailles dociles, quelques esprits inquiets, révoltés, qui souffrent en adorant, qui prient mais qui doutent...

— Etes-vous de ceux-là ? demanda-t-il avec tant d'intérêt qu'elle en fut remuée.

— Oh ! non ! dit-elle.

— Vous ne croyez pas en Dieu ?

— Je crois en l'homme.

— Je ne vous comprends pas. Il suffit de réfléchir une seconde pour sentir qu'il existe au-dessus de nous une puissance merveilleuse, qui nous guide, qui nous juge...

— Qui nous guide, peut-être, qui nous juge, cela me paraît bien improbable, dit Sophie.

— Où est la différence ?

— Mais, voyons ! Guider est une activité mécanique, juger est une activité de l'esprit. N'y a-t-il pas quelque absurdité à prétendre d'une part que le monde est dominé par une figure céleste, inaccessible, surnaturelle, et vouloir, d'autre part, donner de ses agissements une explication qui satisfasse nos pauvres intelligences ? N'insultez-vous pas Celui que vous placez au-dessus de tout en lui supposant une logique conforme à la nôtre ? Ne pensez-vous pas que l'Eglise diminue la grande énigme en l'entourant de ses pompes théâtrales, que chacun doit pouvoir prier le Très-Haut à sa manière et que le plus beau temple ne vaut pas un ciel étoilé ?

Ces paroles rappelèrent à Nicolas une page qu'il avait lue dans *Nature, Justice et Conscience.* Mais les ennuyeuses théories de Champlitte prenaient, en passant par la bouche de sa veuve, un charme bouleversant. L'animation du débat colorait les joues de Sophie. Des fossettes se creusaient aux commissures de ses lèvres. Le désir de convaincre éclairait ses yeux et la rendait plus piquante dans sa fougue qu'elle ne l'était au repos. Nicolas la regardait avec curiosité, comme un feu qui s'élance, et ne songait qu'à attiser les flammes pour les voir briller davantage.

— Je constate, dit-il, que vous raisonnez comme certains de vos concitoyens au temps de la Révolution !

— Je ne le nie pas !

— Vous êtes trop jeune pour avoir connu cette époque de folie antireligieuse et meurtrière. Mais vos parents, vos amis ont dû vous raconter...

— Ils ne s'en sont pas privés, dit-elle avec un léger haussement d'épaules.

— Et malgré cela...

— Malgré cela, oui, je crois qu'en 1789 un immense espoir a soulevé la race humaine. Les erreurs, les lâchetés, les crimes auxquels vous pensez ne déshonorent pas l'idéal qui leur a servi de prétexte. Je hais les bourreaux, je plains les victimes, mais n'est-il pas extraordinaire que, depuis ce massacre, le monde ne puisse plus vivre comme jadis ? Un mot, un simple mot, s'est mis à hanter les consciences : liberté !

— Napoléon n'en faisait pas grand cas, dit Nicolas.

— C'est ce qui l'a perdu, répliqua Sophie. De nos jours, il n'est plus permis d'être un despote. Le peuple entier doit concourir par ses députés à la confection des lois. Il ne faut plus que le grand nombre soit immolé à l'ambition d'une minorité privilégiée, que les forts oppriment les faibles, que les chefs de guerre décident sans consulter personne du destin de la nation...

Nicolas fut pris d'inquiétude, soudain, devant cette révolutionnaire intrépide. Elle allait trop loin dans la démolition. Les trônes vacillaient, les églises se vidaient, les routes se couvraient de paysans terribles, armés de fourches et de faux. Il essaya d'apaiser la jeune femme en lui représentant que cette soif de liberté était une maladie occidentale et qu'en Russie, par exemple, les gens étaient très heureux sous la domination absolue et paternelle du tsar.

— Même les paysans serfs ? s'écria-t-elle.

— Même eux. Que feraient-ils de l'indépendance ? Fixés à la terre, ils n'ont aucune responsabilité, et, par conséquent, aucun souci. Dès leur naissance, ils savent qu'ils ne peuvent rien espérer d'autre. Donc, ils ne souffrent pas. Après tout, l'inégalité est une loi de la nature.

— Aux hommes de la corriger !

— Vous l'avez essayé en France : cela a fait un beau gâchis !

Sophie hocha la tête dubitativement. Cet homme était en retard de deux siècles sur elle. Et, pourtant, il avait l'air bon, intelligent, ouvert.

— Nous sommes bien loin l'un de l'autre ! soupira-t-elle.

Cette phrase parut le consterner. Il balbutia :

— Mais non, mais non ! Avez-vous vu mon ordonnance, Antipe ? C'est un serf attaché à ma personne. Vous semble-t-il plus malheureux que votre portier ou votre palefrenier, qui sont, eux, des citoyens libres ? Le bonheur individuel est une question de caractère, de chance, de santé, de religion, mais jamais de politique !

Elle fut sur le point de s'indigner. Il ne lui en laissa pas le temps et reprit d'une voix chaude, persuasive, qui accrochait les « r » imperceptiblement :

— Je suis sûr que si vous connaissiez mieux notre vie, à nous autres Russes, vous conviendriez qu'elle est harmonieuse et sage. Tenez, j'ai une idée ! Vous devriez assister à un office religieux orthodoxe. La cérémonie la plus émouvante est la messe qui est célébrée chaque dimanche dans la chapelle particulière du tsar, à l'Elysée-Bourbon. Des étrangers peuvent y être admis sur invitation...

— Je n'y serais vraiment pas à ma place ! dit Sophie.

— Ne croyez pas cela. Les gens les plus distingués se retrouvent à cette occasion. Tout le monde s'accorde à louer la beauté des chants liturgiques. Et puis, vous verriez notre empereur...

Elle secoua le front avec énergie.

— Vous ne voulez pas ? demanda-t-il tristement.

Comme elle se taisait, il dit encore :

— Je n'insiste pas... Je comprends !...

Le tic-tac de la pendule emplit le silence. Sophie prit conscience qu'elle avait passé près d'une heure en compagnie d'un homme, et l'idée de ce tête-à-tête l'inquiéta. Ses parents devaient se tenir encore dans le petit salon où elle les avait laissés. Qu'allaient-ils penser de sa longue absence ? Décidée à éluder leurs questions, elle se leva.

— Déjà ? s'écria Nicolas.

Il semblait si déçu, qu'elle eut envie de rire :
— Il est tard !
— Mais j'ai encore tant de choses à vous dire, Madame ! Il faut absolument que je vous revoie !...
— Nous avons bien le temps, puisque vous ne partez plus, murmura-t-elle en lui tendant la main.

8

Nicolas eut beau expliquer à Delphine que M. de Lambrefoux mettait un point d'honneur à le retenir, et que, dans ces conditions, il ne pouvait aller habiter ailleurs sans passer pour un ingrat, elle refusa d'entendre ses raisons, se vexa, se fâcha et lui dit qu'elle le préviendrait quand elle serait disposée à le revoir. A ces mots, il afficha une contrition plus grande qu'il ne l'éprouvait réellement, ce qui permit à sa maîtresse de quitter la chambre avec dignité. Sa robe siffla en franchissant la porte. Nicolas se précipita derrière elle : « Delphine ! Delphine ! Ce n'est pas possible !... » Il la rattrapa dans le couloir, essaya encore de la fléchir, mais elle dit : « Non, Monsieur. Vous attendrez que je vous aie pardonné ! » Ce vouvoiement le cloua sur place. Il laissa retomber ses bras avec désespoir. Quand elle se fut éloignée, il rebroussa chemin, s'assit au bord du lit qui n'avait pas été défait, se prépara à être très malheureux et ressentit un profond soulagement. A tout prendre, la discussion avait été moins orageuse qu'il ne l'aurait cru. Deux ou trois jours de séparation suffiraient à calmer la rancœur de Delphine. Il regagna l'hôtel de Lambrefoux, la conscience en paix.

Là, il connut sa seconde émotion de la journée. En son absence, M. de Lambrefoux lui avait fait porter un billet le priant à dîner le soir-même. C'était la première fois qu'il était convié à la table du comte depuis l'arrivée de Sophie. Sans doute était-ce elle qui avait demandé à ses parents de l'inviter, comme elle les avait obligés, jadis, à le fuir. Cette idée le flattait prodigieusement. Son cœur avait besoin de confiance, sa vanité, de succès. En vérifiant sa tenue devant la glace, il s'interrogea sur la nature de ses sentiments et constata qu'il n'éprouvait aucune tendresse envers Sophie, mais qu'il ne pourrait jamais se résigner à lui déplaire. Satisfait de cette mise au point, il attendit dans l'euphorie le moment de se montrer à ses hôtes.

Il pensait rencontrer une grande société dans le salon et fut surpris de n'y voir que Sophie et ses parents. On lui proposait un repas intime. Il en fut bouleversé. Cette table mise simplement, ces quatre couverts lui rappelaient la maison paternelle. Après des mois de guerre, il retrouvait la chaleur d'un foyer. Comme pour accroître son trouble, Mme de Lambrefoux le questionna aimablement sur son existence en Russie. La gorge serrée, il évoqua son père, sa sœur, M. Lesur, des voisins de campagne, le bois de bouleaux, une petite rivière poissonneuse où il allait pêcher lorsqu'il était enfant. Il se rendait compte que cette nostalgie était peu militaire et qu'il risquait de perdre son prestige aux yeux de Sophie en témoignant trop de sensibilité, mais un souvenir entraînait l'autre, les mots se pressaient dans sa bouche. Plus il parlait, plus il était agité par l'envie de convaincre ses interlocuteurs qu'il n'était pas un déraciné, un vagabond en uniforme, que lui aussi avait un toit, un refuge, une famille lointaine mais bien vivante et qui tenait à lui. M. et Mme de Lambrefoux l'écoutaient avec sympathie. Sophie, elle, semblait absente. Assise, roide, sur sa chaise, elle mangeait du bout des dents, ne disait pas deux mots. Nicolas en était à se demander si ce dîner avait été vraiment voulu par elle. Tout à coup, il se sentit incapable de poursuivre ses confidences et se tut, découragé.

Le comte relança la conversation sur un terrain politique : préparation de la Charte, négociations autour du traité de paix, manœuvres haineuses de Metternich, magnifiques ripostes d'Alexandre Ier qui refusait de laisser démembrer et avilir la France, toutes ces nouvelles, vraies ou fausses, bourdonnaient aux oreilles de Nicolas sans parvenir à l'intéresser. Il observait Sophie et tentait d'accrocher son regard. Pendant un changement de plats, leurs yeux se rencontrèrent. Elle rougit légèrement. A ce moment, la voix de la comtesse retentit dans le silence :

— Mon mari et moi avons une grâce à vous demander. Notre fille nous a dit qu'il vous serait possible d'obtenir des invitations pour un office religieux à l'Elysée-Bourbon. J'avoue que nous serions très honorés s'il nous était permis, à cette occasion, d'approcher votre tsar !

Nicolas resta une seconde étourdi. Jamais il n'aurait cru que Sophie rapporterait leur conversation à ses parents ! Devait-il comprendre que c'étaient eux seuls qui désiraient se rendre à l'église russe ou pouvait-il espérer que leur fille, changeant d'avis, les accompagnerait ?

— Mais avec joie, Madame ! balbutia-t-il. Dès demain, je vais m'en occuper. Combien voulez-vous d'invitations ? Deux ?...

— Non, trois, Monsieur, dit la comtesse avec un sourire. Si ce n'est pas abuser...

— Nullement !... Nullement !... Au contraire !...
Il rayonnait, une jubilation trépidante lui montait au cerveau. De nouveau, il essaya de capter les yeux de Sophie pour lui exprimer, dans un regard, toute sa gratitude. Mais jusqu'à la fin du repas, elle parut ignorer ce qu'il voulait lui dire.

★

Le lendemain matin, après l'appel, Nicolas se précipita pour solliciter trois invitations à la prochaine messe dominicale. Selon ses camarades de régiment, c'était le prince Volkonsky, chef d'état-major du tsar, qui dressait la liste des personnalités étrangères admises à la cérémonie et délivrait les billets d'entrée. Nicolas était certes impressionné de déranger un homme de cette importance, mais la pensée de la promesse qu'il avait faite à ses hôtes l'eût déterminé à viser plus haut encore, s'il l'avait fallu. A l'huissier qui, dans le vestibule du palais, lui demandait le motif pour lequel il devait voir Son Excellence, il répondit :
— C'est une affaire personnelle et urgente.
— Son Excellence est très occupée.
— J'ai le temps.
— Votre nom ?
— Nicolas Mikhaïlovitch Ozareff, lieutenant aux gardes de Lithuanie.
L'huissier conduisit Nicolas dans un salon tendu de vieilles tapisseries, où d'autres quémandeurs attendaient leur tour. Tous étaient âgés, décorés, et serraient une serviette de cuir sous leur bras. Nicolas fut accablé par le sentiment de sa jeunesse. Dès qu'une porte s'ouvrait, il se mettait instinctivement au garde-à-vous. Le fait est qu'une fois sur deux c'était un général qui franchissait le seuil. Les audiences se succédaient à un rythme rapide. Une clochette d'argent tintait dans le bu-

reau où travaillait le prince. Aussitôt, un secrétaire traversait l'antichambre d'un pas vif, les bras chargés de paperasses ; ou bien encore, c'étaient des courriers qui apparaissaient et disparaissaient, le temps d'un claquement de talons. A midi, le salon était encore à demi plein de monde. Nicolas craignit qu'on ne l'eût oublié et pria l'huissier de rappeler sa présence au prince Volkonsky.

— Vous ne voulez vraiment pas voir un de ses aides de camp ? demanda l'huissier.

Croyant que ce subalterne cherchait à l'éconduire, Nicolas répliqua vertement :

— Si telle avait été mon intention, je n'aurais pas attendu deux heures pour vous le faire savoir !

Dix minutes plus tard, il était introduit dans une pièce si vaste et si claire, qu'il en fut ébloui. Le prince siégeait derrière un bureau orné de bronzes massifs. Il avait un visage plein et rose, aux épais sourcils noirs, aux prunelles globuleuses et au menton lourd. Des favoris pelucheux encadraient ses joues. Le reflet d'une fenêtre brillait au sommet de son front. Une plume d'oie tremblait dans sa main. Sans s'arrêter d'écrire, il demanda :

— Eh bien ! que voulez-vous ?

Changé en statue, Nicolas eut à peine la force de remuer les lèvres.

— Quoi ? grommela le prince. Parlez plus fort !

Nicolas répéta sa requête et soudain vingt étoiles brillantes montèrent vers lui : le prince Volkonsky se levait de toute sa taille en bombant un torse constellé de décorations. La foudre jaillit de ses yeux. Il glapit :

— Vous vous moquez de moi ?

— Mais non, Excellence. On m'avait dit...

— Savez-vous bien à qui vous avez affaire ?

— Oui, Excellence...

— Je traite ici des problèmes d'Etat, je dirige le mouvement des armées, le tsar m'attend d'une minute à l'autre pour le rapport, et vous m'importunez avec vos histoires d'invitations à la messe ! Adressez-vous à l'officier de service, à l'huissier, au portier, à n'importe qui, mais pas à moi ! C'est de l'insolence, Monsieur, de l'insolence ! Je saurai bien vous le faire comprendre ! Je vais vous mettre aux arrêts ! Immédiatement ! Donnez-moi votre épée !...

Nicolas perdit le souffle dans la bourrasque. Un grand froid tomba sur ses épaules. Avec des mains tremblantes, il détacha son épée et la présenta au prince. En même temps, il pensait à Sophie, au comte, à la comtesse, qui seraient si désappointés ! Il leur apportait sa dégradation en hommage ! Au lieu de prendre l'arme que Nicolas lui tendait à bout de bras, le prince marchait de long en large dans la pièce.

— Posez ça sur le bureau ! hurla-t-il enfin, comme si l'épée de Nicolas eût été un objet malpropre.

Au même instant, quelqu'un frappa à la porte, le prince cria : « Entrez ! » et un aide de camp lui annonça que Sa Majesté était disposée à le recevoir. Le chef d'état-major changea de visage, tira les manches de son uniforme, haussa le menton et saisit une liasse de papiers sur la table. Nicolas continuait à se tenir raide, muet, l'épée à la main, au centre de la pièce. En passant devant lui, le prince gronda :

— Allez-vous-en ! Que je ne vous revoie plus jamais !

Et il sortit à grands pas. Un huissier reconduisit le visiteur malchanceux dans l'antichambre. Echappé par miracle à la peine disciplinaire, Nicolas reprenait lentement ses esprits. Comment faire pour obtenir des invitations ? Il ne pouvait se résigner à rentrer chez lui les mains vides ! Ravalant son orgueil, il demanda conseil à l'huissier.

— Pourquoi ne me l'avez-vous pas dit plus tôt, Votre Noblesse ? s'écria l'homme. Je vais tout de suite vous conduire à l'aide de camp qui est chargé de ça !...

— Mais le prince Volkonsky...

— Vous pensez bien qu'il n'a rien à voir personnellement dans cette affaire !... C'est son secrétaire qui établit les listes et délivre les billets.

Nicolas était partagé entre la joie de toucher au but et la honte de s'être montré si naïf. L'aide de camp, qui le reçut dans une pièce sans tapisseries et derrière un bureau sans dorures, ne fit aucune difficulté pour inscrire les noms du comte, de la comtesse et de leur fille sur un beau carton blanc gravé aux armes impériales.

— Bien entendu, vous me répondez de la parfaite honorabilité de ces personnes, dit-il en remettant l'invitation à Nicolas.

— Sur mon âme, sur ma vie ! balbutia Nicolas avec enthousiasme.

L'aide de camp sourit et leva une main molle, comme pour signifier qu'il n'en demandait pas tant.

★

Une heure avant le début de l'office religieux, Nicolas se trouvait déjà, en tenue de parade, à l'Elysée-Bourbon. L'un des plus beaux salons du palais avait été transformé en chapelle orthodoxe, mais ses portes étaient encore fermées. Une foule d'officiers et de courtisans se pressaient dans la galerie qui conduisait au sanctuaire. Sur un moutonnement d'uniformes verts, bleus, blancs et rouges, brillait la moisson des épaulettes d'or. Chaque col brodé soutenait une tête illustre, chaque poitrine, largement décorée, était un livre de gloire. Quelques femmes très élégantes assemblaient autour d'elles les jeunes lieutenants de la garde. Des diplomates se parlaient à l'oreille dans l'embrasure d'une fenêtre. L'air sentait la pommade et l'encens. Perdu parmi toutes ces Excellences, Nicolas se faufilait entre les groupes, s'effaçait, saluait, et attendait avec impatience l'instant où paraîtraient Sophie et ses parents. Ils lui avaient promis de n'être pas en retard. S'ils arrivaient après l'empereur, on ne les laisserait pas entrer à l'église. Au paroxysme de sa crainte, il éprouva soudain la joie d'être exaucé. Le comte, la comtesse et leur fille s'avançaient dans la galerie et le cherchaient des yeux. Comme Sophie était belle, dans sa robe de demi-deuil, en taffetas violet pâle à fines broderies noires ! Sur son long cou souple, sa petite tête penchait un peu, couronnée de fleurs, de rubans, avec une fumée de mousseline grise sur le tout. Des pendants d'oreille en améthyste tremblaient au bord de ses joues. Elle avait le regard sombre et doux d'une vierge byzantine. Autour d'elle montait un murmure flatteur. Nicolas entendit très distinctement :

— Elle est ravissante !... Merveilleuse !... Une Autrichienne ?... Une Française ?... Savez-vous son nom ?... Qui l'a invitée ?...

Affolé d'orgueil, il se détacha des rangs et, devant tous ces hauts personnages qui n'en croyaient pas leurs yeux, un simple lieutenant des gardes de Lithuanie accueillit par un profond salut la plus jolie femme de l'assistance. Chacun, pensait-il, devait l'envier et supputer jusqu'où allait son pouvoir sur elle. Une promotion dans l'armée ne l'eût pas réjoui davantage. Quand il se redressa, ce fut pour lire sur le visage de Sophie qu'elle était émue de se trouver dans une société si nombreuse. Sans doute, contrairement à Delphine, n'avait-elle pas le goût du monde. Nicolas lui sut gré de cette sauvagerie. Le comte et la comtesse, en revanche, étaient tout à fait dans leur élément. Ils demandèrent à Nicolas de leur nommer les principales figures de l'assemblée. Sans être grand connaisseur, il put leur désigner le maréchal Barclay de Tolly, le général de Sacken, le comte Platoff, *ataman* des cosaques du Don, le prince Lopoukhine, aide de camp du tsar... Subitement, il ravala son souffle. La porte du salon s'ouvrait à deux battants sur le miroitement doré des icônes et les points lumineux de mille cierges allumés. Les conversations se turent, les têtes s'inclinèrent et la foule se mit en mouvement.

— Quel est ce personnage qui se tient sur le seuil ? chuchota le comte.

Nicolas suivit le regard de M. de Lambrefoux et se troubla. Le prince Volkonsky se dressait en personne à l'entrée de la chapelle, pour accueillir les invités. Par ses soins, les dames étaient toutes réunies à gauche d'une allée centrale, les messieurs à droite. Ses manières aimables étaient celles d'un maître de cérémonies. Mais Nicolas savait trop ce que cachait cette politesse. Un cri terrible résonnait encore dans sa tête : « Que je ne vous revoie plus jamais ! » Il pensa : « Si le prince me reconnaît, je suis perdu !... Le scandale, les arrêts, l'épée rendue devant tout le monde... » Il murmura à l'oreille du comte :

— C'est notre chef d'état-major. Il vous indiquera vos places. Moi, je vous laisse, je vous rejoindrai plus tard...

Et, avec une feinte modestie, il s'effaça derrière un groupe de généraux. Ce fut seulement lorsque tous les invités de marque eurent été introduits et installés dans la chapelle, que le prince Volkonsky s'écarta de la porte. Nicolas entra, mêlé avec le menu fretin des lieutenants de la garde, et se glissa au dernier rang de l'assistance. De l'endroit où il se trouvait, il pouvait apercevoir, loin devant lui, sur la gauche, une petite tache violette : le chapeau de Sophie.

★

La messe terminée, le flot des invités se répandit de nouveau dans la galerie. Le tsar était sorti le premier, suivi de son chef d'état-major et de quelques généraux. N'ayant plus rien à craindre du prince Volkonsky, Nicolas rejoignit Sophie et ses parents.

— Comment l'avez-vous trouvé ? chuchota-t-il.

— Qui ? demanda Sophie.

Cette question surprit Nicolas :

— Mais... le tsar !...

Elle savait qu'il espérait une réponse enthousiaste, mais ne pouvait se résoudre à lui donner ce plaisir. Au passage de l'empereur, elle n'avait éprouvé qu'une émotion banale, due au contentement de la curiosité.

— Il est fort bien ! dit-elle.

C'était insuffisant ! Nicolas fronça les sourcils.

— Je constate que vous ne le voyez pas du même regard que nous ! dit-il.

— Ce n'est pourtant pas un surhomme !

— Aux yeux de ses sujets, il est le représentant de Dieu sur la terre.

— Le croyez-vous réellement, Monsieur ?

— Mais oui, répondit Nicolas avec une simplicité tranquille. Je ne serais pas russe si je pensais différemment.

Venant d'un autre, cette affirmation eût paru à Sophie d'une bêtise politique incommensurable, mais, en observant Nicolas, elle était plutôt disposée à s'attendrir sur la naïveté de ses opinions. Tout ce qui aurait pu la heurter en lui bénéficiait de l'excuse qu'il était étranger, et leurs rares rencontres d'idées n'en semblaient que plus exceptionnelles.

— Pour ma part, dit Mme de Lambrefoux, j'ai été subjuguée ! Votre empereur a vraiment une stature, une prestance, une grâce qui ne s'oublient pas !

— Evidemment, mère, soupira Sophie, si vous le comparez à Louis XVIII...

— Allons ! Allons ! dit le comte. Les souverains ne sont pas des acteurs chargés de rallier les suffrages de la foule !...

Portés par le courant des visiteurs, ils se retrouvèrent bientôt dans la cour de l'Elysée-Bourbon. Là, Nicolas eut l'occasion de saluer encore quelques officiers, ce qui lui fut très agréable : il ne se lassait pas d'être vu aux côtés de Sophie. La voiture de M. de Lambrefoux attendait dans la rue. Il offrit à Nicolas de le ramener. Chemin faisant, on parla de l'office religieux qui avait enchanté le comte, la comtesse et même leur fille, bien qu'elle fût plus réservée dans ses appréciations : elle admirait la décoration de l'iconostase, les vêtements somptueux du prêtre et le chant du chœur, mais commentait la cérémonie du même ton qu'elle l'eût fait pour une représentation théâtrale. Nicolas mit cette funeste incroyance sur le compte d'une enfance bouleversée par la Révolution et d'une première jeunesse vouée à un époux vieillissant, libéral et athée. Sophie était la victime d'une époque, d'une éducation, d'un mariage, mais son âme était belle. Il se sentait des envies farouches de la sauver. Doucement secoué dans la boîte de la voiture, il déplorait que la présence du comte et de la comtesse l'empêchât d'avoir avec la jeune femme une conversation à cœur ouvert, comme il les aimait. De retour à l'hôtel de Lambrefoux, il se sépara de ses hôtes avec l'impression d'être leur obligé, alors que c'étaient eux qui le remerciaient de la joie qu'il leur avait procurée.

Son après-midi fut morose. Il se promena, désœuvré, à travers la ville, alla boire une « demi-tasse » dans un café du Palais-Royal avec Roznikoff, et, n'ayant rien à lui dire, l'écouta parler de ses ambitions. Au contact de Paris, Hippolyte Roznikoff, jadis très simple de manières, s'était découvert des prétentions à l'élégance. Il prenait un soin extraordinaire de sa personne, huilait ses courts cheveux noirs pour les rendre plus brillants, se parfumait, se polissait les ongles et posait sur toutes les femmes des regards doux comme le velours. Bien qu'il ne fût pas beau, son assurance était telle que ses camarades l'avaient surnommé « le bel Hippolyte ». Sous son air de légèreté, il avait d'ailleurs un grand souci de sa carrière. Les épaulettes des aides de camp le fascinaient. Il était prêt à tout pour entrer dans l'état-major du prince Volkonsky.

— J'y arriverai, tu verras, disait-il. Par relations ou autrement, peu importe ! Il faut savoir ce qu'on veut dans la vie. Et toi, quel est ton but ?

— Je n'en ai pas, dit Nicolas avec amertume.

Il regagna la rue de Grenelle, sur les huit heures du soir, sans avoir dîné. Antipe lui proposa un en-cas de charcuterie qu'il refusa dédaigneusement : il n'avait pas faim et sa poitrine était oppressée. Par la porte-fenêtre de sa chambre entrait le parfum du jardin obscur. Tout au fond, près de la clôture, une tache blême se dressait entre deux masses de buis noirs : le Cupidon. Nicolas sourit à ce vieux compagnon de sa solitude et s'engagea dans le chemin, en évitant de faire crisser le gravier sous son pas.

Arrivé près de la statue, il s'assit sur un banc de pierre et regarda la maison. Les fenêtres de la salle à manger étaient encore allumées. Puis une lumière brilla derrière les vitres du salon, une autre derrière celles de la bibliothèque. Sophie allait-elle chercher un livre ? Un moment, Nicolas conçut le projet insensé de la rejoindre. Mais, déjà une autre croisée s'éclairait au premier étage : Sophie rentrait dans sa chambre. Une silhouette rapide intercepta les rayons de la lampe. Les rideaux se fermèrent sur leur secret. Nicolas écarquilla les yeux dans les ténèbres. Comme le ciel était étoilé, il ne lui venait à l'esprit que des idées nobles et mélancoliques. Il n'avait pas envie de se coucher, il souhaitait rester là, songeur, en attendant que l'horizon pâlît, que les oiseaux s'éveillassent dans les arbres et que la rosée du matin rafraîchit ses joues.

Un bruit léger le frappa dans sa méditation. Il leva la tête et pensa qu'il rêvait plus profondément encore : Sophie, ou son fantôme, s'avançait dans l'allée. Evidemment, elle se croyait seule dans le jardin ! Il sortit prudemment de l'ombre noire qu'un feuillage maintenait au-dessus du banc. La jeune femme n'eut pas un mouvement de surprise et se dirigea sur lui comme s'ils fussent convenus de ce rendez-vous. Etait-elle descendue exprès pour le rencontrer ? Bouleversé par cette supposition, il dit avec effort :

— Quelle magnifique soirée, n'est-ce pas ?

— Oui, murmura-t-elle. A la belle saison, je viens souvent m'asseoir ici, avant de monter dans ma chambre.

— Je vous ai pris votre place ! Je vous dérange !...

— Mais non, dit-elle. Restez.

Il s'installa à côté d'elle sur le banc.

— Je n'ai cessé de penser à la cérémonie religieuse de ce matin, reprit-elle. Tout y était beau, étrange, captivant. Il n'est pas toujours nécessaire de croire pour être ému. Je me demande si c'est à Dieu ou à la Russie que vous avez voulu me convertir en m'invitant avec mes parents à cette messe orthodoxe !

Elle souriait, à demi sérieuse, à demi amusée.

— Je désirais simplement, dit-il, vous faire comprendre que nous ne sommes pas complètement des barbares !

— Si j'avais besoin d'en être convaincue, ce ne serait pas vers vos prêtres à grande barbe que je me tournerais, mais vers certains de leurs fidèles !

La hardiesse de ce propos les troubla l'un et l'autre au point qu'ils demeurèrent longtemps silencieux. Nicolas entendait battre son cœur avec une violence inaccoutumée. Brusquement, elle se leva :

— Il est tard ! Il faut que je rentre...

Navré de cette décision, Nicolas bredouilla une protestation embarrassée, alors qu'il eût aimé s'exprimer en poète. Elle fut soulagée qu'il ne cherchât pas à la retenir et s'éloigna, fuyant son propre trouble autant que celui dont elle le devinait possédé.

Sur le palier du premier étage, elle se heurta à sa mère. Mme de Lambrefoux était déjà en peignoir, avec une fanchon de dentelle sur la tête et de la crème par tout le visage. Cela ne l'empêchait pas d'avoir un air de grande dignité. Elle tenait un chandelier à la main.

— Mon enfant, j'ai deux mots à vous dire, prononça-t-elle d'une voix ferme.

Elle entra dans la chambre de sa fille, posa son chandelier, refusa de s'asseoir et, serrant ses petites mains en boule à hauteur de son ventre, chargeant ses yeux d'une douce lumière maternelle, poursuivit un ton plus bas :

— Malgré moi, je viens de voir que vous aviez rejoint ce jeune homme dans le jardin ! Etait-ce bien nécessaire, Sophie ?

L'observation était si imprévue, que Sophie s'étonna d'abord, puis s'emporta, le feu aux joues, le souffle entrecoupé :

— Je ne vous comprends pas, mère. Il y a quelques jours encore, vous me reprochiez d'être peu aimable avec M. Ozareff, et maintenant...

— Maintenant, vous avez, me semble-t-il, péché par excès contraire. Je me demande ce qu'a pu penser ce garçon quand vous êtes allée vers lui, tout à l'heure...

— J'ignorais qu'il se trouvait là ! s'écria-t-elle.

La réplique lui était montée si naturellement aux lèvres, que, pendant une seconde, son mensonge eut pour elle force de vérité. Puis elle se revit scrutant le jardin par la fenêtre, découvrant une tache sombre près du banc, dévalant l'escalier, marchant, légère, heureuse, dans l'allée, et une colère la prit, non point contre elle-même, mais contre sa mère qui l'obligeait à la simulation.

— Evidemment, reprit-elle, j'aurais pu, en l'apercevant, revenir en arrière, mais j'avoue que l'idée ne m'en a même pas effleuré l'esprit. Je ne suis plus une enfant ! J'ai le droit d'agir à ma guise !...

— Une femme n'a jamais le droit d'agir à sa guise, dit Mme de Lambrefoux dans un soupir qui témoignait de sa longue expérience. La crainte d'une mauvaise réputation contribue tout ensemble à notre assujettissement et à notre sauvegarde. Loin de moi l'idée de blâmer gravement votre conduite, mais je l'aimerais plus équilibrée. Vous

vous engagez trop vite, trop loin, dans la haine comme dans la bienveillance. Vivez plus prudemment et vous serez plus heureuse...

— Quel pauvre bonheur me promettez-vous là ?

— Celui que j'ai connu avec votre père ! rétorqua la comtesse en dressant le menton.

— Pardonnez-moi, mère, dit Sophie, mais je ne comprends pas l'utilité de notre conversation. Allez-vous me gronder comme une pensionnaire parce que j'ai échangé dix mots avec cet homme dans le jardin ?

— Il faisait déjà noir ! dit la comtesse.

— Est-ce la rencontre ou l'obscurité qui vous gêne ? demanda Sophie.

— C'est la rencontre dans l'obscurité, mon enfant !

Sophie haussa nerveusement les épaules. Habituée à dominer ses parents, sa réaction naturelle était de répondre à toute critique en exagérant le défaut qu'on lui reprochait. Il suffisait que sa mère la priât d'être plus distante avec l'officier russe pour qu'elle eût envie de se montrer doublement affable envers lui.

— Je suis désolée de vous contrarier, dit-elle, mais je vous annonce que j'ai l'intention de sortir, un jour prochain, avec le lieutenant Ozareff, pour lui faire visiter Paris...

Elle avait inventé cela sur le moment et jouissait de la surprise qui arrondissait les yeux, la bouche et le menton de sa mère. Dépassée par les événements, Mme de Lambrefoux ne sut que balbutier :

— Imprudence !... Imprudence et impudence !... Ah ! Sophie, quel plaisir prenez-vous à me torturer ? Ne voulez-vous pas songer sérieusement à votre avenir ? Croyez-moi, il est grand temps de construire...

— Que voulez-vous que je construise, mère ?

— Un foyer, s'écria Mme de Lambrefoux en unissant ses deux mains en forme de nid palpitant. Votre cher époux est mort depuis deux ans, c'est un bon délai de tristesse. Vous n'avez pas d'enfant, c'est une bénédiction dans la circonstance. Vous êtes belle, c'est une qualité qui ne s'améliore pas avec les années...

— Et pourtant, je refuse de convoler ! trancha Sophie dans un éclat de rire. Qu'y a-t-il là d'incompréhensible ? Ne dirait-on pas que les seules raisons d'être de la femme sont le mariage et la procréation ?

Mme de Lambrefoux eut un haut-le-corps devant le mot, sinon devant l'idée.

— Sophie, dit-elle, vos lectures vous montent à la tête. Vous offensez notre sexe !

— Parce que je veux son émancipation ? Je ne suis pas la seule !

Mme de Lambrefoux se démonta : elle se rappelait avoir lu jadis quelque chose de très révolutionnaire à ce sujet dans les écrits de son gendre. En ce cas, évidemment, ses reproches ne tenaient plus. Il était admissible qu'une épouse partageât les opinions, fussent-elles aberrantes, de son mari. Elle-même, d'ailleurs, se plaisait à répéter dans les salons les propos politiques du comte de Lambrefoux avec tant d'aisance, que les gens voyaient de la conviction là où il n'y avait que de la docilité conjugale. Sophie lui prit le bras tendrement, l'accompagna jusqu'à la porte, et dit encore :

— N'ayez pas de souci, mère. Je suis trop contente de mon sort pour encourager vos espoirs, trop sûr de ma raison pour mériter vos inquiétudes. Que M. Ozareff ne vous empêche pas de dormir, puisqu'il ne m'empêche pas de dormir moi-même. Ce devrait être un repos pour des parents de posséder une fille telle que moi !...

Doucement retournée, moquée, cajolée, Mme de Lambrefoux partait dans la confiance. Elle était d'ailleurs ainsi faite que ses angoisses ne duraient jamais plus d'une heure.

9

« On » attendait une réponse. Nicolas reprit la lettre et la relut marchant de long en large dans sa chambre. A chaque pas, il raidissait le mollet. Debout près de la porte, Antipe regardait son maître comme un orage en déplacement. L'écriture perlée dansait devant les yeux de Nicolas :

« Ai-je tort, ai-je raison de lever si tôt une punition si méritée ? Je vous attends demain, vers trois heures, à l'adresse que vous savez. Le porteur de ce message est une personne sûre. Remettez-lui un billet enfermant le seul mot : « Oui ! » et ne me tenez pas rigueur si le présent aveu ne porte pas de signature. Souvent un simple parfum vaut mieux qu'un prénom tracé au bas d'une page... »

Nicolas approcha son nez du papier et respira un champ de vanille. Delphine tout entière venait à lui dans cette bouffée odorante. Cependant, il n'était pas ému. L'insistance de cette femme le contrariait. Il avait l'impression d'être grimpé très haut et qu'on le priait de redescendre. Après avoir tourné dix fois autour de la table, il s'assit, plissa le front et écrivit en balançant chaque mot au bout de sa plume avant de le coucher sur le papier :

« Chère Madame,

« Profondément touché de votre bienveillance, je n'en suis que plus confus à l'idée qu'il me sera impossible d'être demain au rendez-vous que vous me proposez. »

C'était très sec. « Elle comprendra ! », pensa-t-il avec une cruauté virile, et il cacheta le pli. Antipe ouvrit la porte. Dans le couloir, se tenait un domestique de Delphine, vieux, maigre, blafard, en livrée bleue à boutons d'argent.

— Voici, dit Nicolas en lui remettant la lettre.

L'homme fit un œil de confident zélé, plia l'échine et disparut. Soulagé, détendu, Nicolas prit un livre avec l'intention de s'oublier dans la poésie. Une demi-heure plus tard, il comprit qu'il s'était réjoui trop tôt : le serviteur de Delphine revenait avec un nouveau mandement, aussi parfumé que le premier : « Préférez-vous un autre jour ? Je puis me libérer mercredi ou vendredi prochain. » Sans hésiter, Nicolas écrivit : « Nous jouons de malchance : je serai également pris aux deux dates que vous m'indiquez. » Le vieillard en livrée bleue s'éclipsa, porteur de ce deuxième refus. Une heure s'écoula encore et Nicolas le vit reparaître, essoufflé, la paupière triste, une enveloppe entre ses doigts tremblants. « Quand donc, alors ? », demandait Delphine. C'était le cri d'une amoureuse frustrée. Nicolas en conçut de l'ennui et de la vanité. Il n'avait pas le courage de répondre : « Jamais ». La politesse autant que la charité l'inclinèrent vers un euphémisme : « Je ne le sais pas encore, chère Madame. Mon service m'occupe beaucoup. Dès que je serai en mesure de vous revoir, je vous préviendrai. Excusez-moi... » Le domestique avait repris sa respiration derrière la porte. Persuadé que cette course serait la derniére, Nicolas le gratifia d'un pourboire. Mais il semblait que l'homme fût un volant renvoyé entre deux raquettes. Bientôt, il resurgit au seuil de la chambre, son chapeau plaqué contre le ventre, des gouttes de sueur au front, la bouche haletante et le mollet mou. Sans doute lui avait-on recommandé de courir. Il n'eut pas la force de prononcer un mot et tendit à Nicolas un papier plié en quatre et cacheté de cire mauve : « Cruel, quel jeu m'imposez-vous ? Espérez-vous ainsi piquer mon orgueil et assurer votre victoire ? Ou dois-je comprendre que votre cœur, en apparence généreux, est, en fait, tout glacé par les neiges du Nord ? » Nicolas leva son regard sur le valet de Delphine. Les yeux de l'homme répétaient à leur façon ce que disait la lettre. Si ce va-et-vient continuait, il tomberait de fatigue entre les deux maisons. Assez étrangement, c'était le serviteur et non la maîtresse que Nicolas plaignait le plus dans l'affaire. Delphine avait fini de l'intéresser. Mû par un élan de charité chrétienne, il murmura :

— Il n'y a pas de réponse !

Une lueur de gratitude brilla dans les prunelles du vieux domestique. Il tourna les talons et s'en alla. Ce fut la dernière alerte de la journée.

Le lendemain, au lieu de rejoindre Delphine, Nicolas consacra toutes ses heures à la sagesse. En homme détaché des contingences de la chair, il se plut à visiter le musée du Louvre. « Je pourrais être, en ce moment, dans les bras de ma maîtresse, songeait-il, et je regarde des tableaux. Quelle force de caractère ! » On racontait parmi les Russes qu'Alexandre Ier était intervenu en personne pour empêcher ses alliés de reprendre dans la galerie certaines toiles et certaines statues que Napoléon y avait apportées comme butin de guerre. Cette circonstance incitait Nicolas à mêler dans une même admiration son souverain et les œuvres d'art qu'il avait protégées. Marchant dans les salles pleines de monde, lorgnant aux murs des apothéoses guerrières, des nudités mythologiques, des vues champêtres et des portraits de princes méditatifs, il se sentait de plus en plus disposé à n'aimer dans la vie que le pur, le grand et le beau. Quand un tableau le frappait particulièrement, il en notait le titre à l'intention de Sophie : il trouverait bien l'occasion de lui relater sa visite au Louvre !

En sortant du musée, il était comme écœuré de splendeur. Il passa par le jardin des Tuileries pour s'aérer. Dans l'allée des Orangers, il rencontra Hippolyte Roznikoff et quelques officiers de son régiment, assis en cercle sur des chaises. Ils discutaient un projet : louer deux fiacres pour la journée du lendemain et aller visiter en bande la Malmaison où résidait l'ex-impératrice Joséphine. Accusé par Roznikoff d'agir, ces derniers temps, en « solitaire orgueilleux », Nicolas accepta, par camaraderie, de se joindre au groupe. L'heure de fiacre coûtait deux francs. On serait six ou huit à se partager les frais du pèlerinage. Le tsar ne donnait-il pas l'exemple à ses officiers en faisant de fréquentes visites à l'impératrice répudiée et à sa fille, la reine Hortense ? Il était de bon ton, parmi les Russes, de dénigrer Napoléon et d'estimer sa famille. Rendez-vous fut pris pour le jour suivant, à huit heures du matin, sur l'esplanade des Invalides. Le bel Hippolyte s'était chargé d'organiser le transport et le pique-nique.

En arrivant à l'heure dite sur le lieu du rassemblement, Nicolas y trouva deux fiacres vermoulus, entourés d'une dizaine d'officiers en petite tenue. L'ordonnance de Roznikoff portait un énorme panier à provisions, d'où émergaient des goulots de bouteilles. Il faisait beau et chaud. L'armée avait envie de rire. On s'entassa dans les voitures. Les ressorts s'affaissèrent en grinçant. Eveillés en sursaut, les chevaux étiques dressèrent l'oreille, frémirent de la croupe, et, sans attendre l'ordre du cocher, se mirent en marche avec résignation.

Il n'y avait plus de bivouacs sous les arbres des Champs-Elysées. Les cosaques n'étaient restés là que les premiers jours de l'occupation : aussi longtemps qu'une contre-attaque de Napoléon avait été à craindre. Maintenant, ils logeaient à l'étroit dans des casernes. Si les officiers russes se montraient partout, les hommes de troupe sévèrement consignés, demeuraient invisibles. Sage précaution, car, depuis la fin de la guerre, un nombre toujours croissant de soldats français refluait des frontières vers la capitale. Ces revenants n'avaient pas connu les péripéties de la campagne de France, ne s'étaient pas battus aux portes de Paris et ne comprenaient pas que l'empereur eût abdiqué pour céder la place à « un foutu Bourbon ». Il ne se passait pas de jour qu'une bagarre n'éclatât dans les bas quartiers pour des raisons politiques. Tous les occupants de la voiture étaient d'accord pour estimer que le malaise allait s'accroître avec la signature du traité de paix et le retour des premiers prisonniers français dans leur patrie. Le capitaine Maximoff déclarait rondement :

— Quand je regarde ce qui se passe à Paris, j'aime mieux être dans ma peau que dans celle d'un Français. Dès que nous partirons d'ici, ce sera de nouveau la révolution. Ils couperont la tête à leur numéro dix-huit comme ils l'ont fait à leur numéro seize. On ne peut pas leur en vouloir. C'est devenu chez eux une manie !

— Ne parlez pas de départ ! soupira Hippolyte Roznikoff, qui était — ou se voulait croire —

amoureux. Il me semble qu'en quittant la France je dirai adieu à ma jeunesse.

A ces mots, Nicolas eut un serrement de cœur.

— Et ça n'a pas vingt-deux ans ! rugit Maximoff. Mais, bougre de blanc-bec, tu te figures donc qu'on ne cultive pas de jolies filles hors de Paris ? Les beaux yeux, les beaux seins et les belles fesses, il en pousse partout sur la terre ! En Russie aussi, tu trouveras des pâtissières accueillantes ! Surtout bâti et nippé comme te voilà !

Le bel Hippolyte rougit sous sa tignasse noire, huileuse, et éclata d'un rire de corbeau :

— Vous êtes au courant ?

— Toute la caserne ne parle que de ça ! D'ailleurs, là-dessus, je te félicite. Il faut qu'un militaire trousse tant qu'il peut les femmes des vaincus. Mais à une condition : qu'il ne les regrette pas quand son régiment se remet en marche !

Assis à côté du capitaine Maximoff, le capitaine Doubakhine approuva ces propos d'un hochement de tête. C'était un personnage sec, pâle, myope, dont on chuchotait qu'il était franc-maçon.

— Endosser l'uniforme, dit-il, c'est accepter de vivre au jour le jour, sans s'attacher à rien ni à personne, et dans l'unique espoir que de glorieux souvenirs de campagne nous consoleront, plus tard, d'avoir été partout et toujours des passants.

— Tu n'es pas gai ! s'écria Maximoff. Te sentirais-tu déjà une âme de vieillard ? Si c'est ça, je change de voiture !

Nicolas glissa un regard ému à son vis-à-vis. Le capitaine Doubakhine venait d'exprimer en peu de mots le malaise qui le tourmentait lui-même : ce sentiment que le paysage, les gens, le ciel bleu, tout ce qu'il voyait, tout ce qu'il aimait, lui avait été prêté pour un temps très court, que le bonheur qu'il éprouvait depuis son arrivée en France ne reposait sur rien de solide, qu'il vivait un rêve dont la fin était proche.

— Parle-nous de ta pâtissière ! reprit Maximoff. Comment est-elle ?

— Aussi blonde que ses petits pains ! dit Hippolyte Roznikoff.

— Et aussi chaude qu'eux ?

— Au lit, c'est une vraie diablesse !

— Son nom ?

— Vous n'allez pas me croire : Joséphine !

Les deux capitaines pouffèrent de rire. Nicolas se joignit à eux par politesse. Mais cette hilarité lui était pénible. Au fond, il supportait difficilement qu'on manquât de respect devant lui à une femme. C'était une impression nouvelle et encombrante.

Les fiacres, ayant franchi la barrière de l'octroi, roulaient vers la Seine entre deux haies de gros arbres feuillus. Le fleuve apparut, bordé de prés verts et de saules aux mornes chevelures. Dans les bosquets, brillaient de petites maisons entourées de fleurs et coiffées de toits roses. Des barcasses lourdement chargées glissaient au fil de l'eau. Passé le pont de Neuilly, les chevaux prirent le pas pour monter la côte. Dans la voiture, les hommes plaisantaient toujours. Le capitaine Maximoff demanda à Nicolas s'il n'avait pas quelque bonne fortune dont il pût leur conter les péripéties. Il répondit : « Non ! » avec fermeté et tristesse.

A trois reprises, le cocher arrêta l'équipage et fit souffler ses bêtes. Enfin, les deux fiacres se retrouvèrent dans un petit chemin, derrière le château de la Malmaison. Hippolyte Roznikoff, qui s'était préalablement renseigné sur la possibilité d'inspecter les lieux, entraîna toute la compagnie vers une entrée secondaire. Là, se tenait un vieux jardinier sensible à l'uniforme et aux pourboires. Il expliqua que de nombreux officiers alliés étaient déjà venus visiter le parc. Le portail principal était gardé par un détachement de soldats russes.

— Nous voyons souvent votre tsar, dit-il. Sa bonté pour nous est grande. Je vous recommande toutefois de ne pas vous approcher du château, de ne pas faire trop de bruit...

Ils promirent d'être discrets et s'enfoncèrent, avec la légèreté d'une patrouille d'éclaireurs, sous les ombrages d'un chemin qui paraissait contourner le domaine. En fait, sans le savoir, ils se dirigeaient droit vers le centre du parc. Comme ils débouchaient dans l'allée conduisant à la grille d'honneur, un roulement de tambour les figea sur place. Là-bas, devant le portail, des uniformes s'agitaient, se rangeaient en ligne. Nicolas identifia les collets bleu ciel du régiment Sémionovsky. Une calèche, tirée par de magnifiques chevaux gris pommelés, émergea d'un nuage de poussière et passa devant la garde qui présentait les armes.

— Qu'est-ce que c'est ? demanda Hippolyte Roznikoff.

— Tu n'as pas reconnu l'équipage ? grogna le capitaine Maximoff. C'est le tsar, le tsar qui arrive !...

— Mes amis, il ne nous reste plus qu'à décamper ! conclut le capitaine Doubakhine.

Comme surpris à découvert par un orage, ils rebroussèrent chemin en courant. L'empereur entrant par la grande porte, ses sujets ne pouvaient ressortir que par la petite. Le jardinier les escorta jusqu'à leurs fiacres, avec la mine confuse d'un commerçant qui n'a pas su satisfaire sa clientèle :

— Je suis désolé de ce contretemps... Vous devriez revenir, Messieurs...

Une fois remontés en voiture, ils s'amusèrent beaucoup du péril auquel ils avaient échappé. Tout le monde, brusquement, avait faim et soif. Roznikoff enjoignit au cocher de prendre la direction du parc de Saint-Cloud. Là, dans une clairière, les voyageurs s'assirent en cercle et déballèrent leurs victuailles. Le fond du repas était fait de poulet froid, de jambon et de saucisson sec. Faute de pouvoir se procurer de la bonne vodka, Roznikoff avait apporté du vin. Les officiers de l'armée d'occupation étaient tous convertis maintenant à ce breuvage. Mais douze bouteilles pour huit, c'était insuffisant ! On accusa l'organisateur d'avoir sous-estimé la capacité d'absorption de ses camarades. Vautrés dans l'herbe, l'habit ouvert, la ceinture déboutonnée, les convives tranchaient les parts avec leurs couteaux, mangeaient à pleines mains, buvaient au goulot, parlaient et riaient tout ensemble. Parmi eux, Nicolas retrouvait ses habitudes de bivouac. Ils étaient quelque part en Europe, entre deux batailles. Le capitaine Doubakhine avait raison : cette existence rude, vagabonde, virile avait son charme. Au dessert, Roznikoff entonna d'une belle voix de ténor une chanson militaire très leste. Tous en chœur reprirent le refrain. Le capitaine Maximoff demanda aux cochers de chanter aussi. Comme ils avaient bien mangé et bien bu, ils acceptèrent. Nicolas leur apprit les paroles russes : ils les répétèrent en les écorchant ; à chaque faute, c'était un rugissement de rire dans le groupe des officiers.

— Ouf ! que c'est bon ! grognait Roznikoff. Si seulement nous avions quelques petites Françaises avec nous !

— En voilà une idée ! Nous ferions des manières devant elles et ce ne serait plus drôle du tout ! dit Maximoff.

Vers trois heures, le capitaine Doubakhine ordonna le rassemblement : on allait visiter le château de Saint-Cloud. Un valet en livrée accueillit les officiers dans le vestibule. N'ayant plus de maître, il occupait son temps et gagnait sa vie en servant de guide aux étrangers. Cette maison d'où, naguère encore, Napoléon dictait sa volonté au monde, n'était plus à présent qu'un musée froid et silencieux. Dans le cabinet de travail, tous les meubles, tous les bibelots étaient restés à leur place. Sur l'invitation du domestique, Nicolas s'assit dans le fauteuil de l'empereur, toucha son encrier, sa plume, s'approcha d'une fenêtre ouverte sur les rives basses de la Seine : au loin, les pierres, la fumée, le miroitement de Paris...

— Quel panorama ! soupira le capitaine Maximoff. Je me demande ce qu'il est allé chercher en Russie alors qu'il avait ça sous les yeux !

Ce fut le mot de la fin. Roznikoff aurait voulu pousser jusqu'au château de Versailles, mais on n'avait plus le temps, les cochers s'impatientaient, les bêtes étaient lasses. Au retour, la compagnie fut moins gaie qu'à l'aller. Tous pensaient au prodigieux destin de Napoléon, maître de la moitié de l'Europe, puis prisonnier d'une île. Déjà, la foule visitait avec déférence les lieux qu'il avait marqués de son pas. Ses ennemis d'hier construisaient sa légende de demain. « Je vis l'époque la plus passionnante de l'Histoire ! se dit Nicolas. L'humanité ne peut connaître, dans les siècles futurs, de guerre plus étendue, plus violente, plus meurtrière que celle qui vient de se terminer. Peut-être nos enfants, nos petits-enfants, verront-ils en nous les derniers combattants du monde ! » Comme chaque fois qu'il songeait à un avenir trop lointain, ses idées se perdirent dans la brume :

malgré un effort sincère, il ne parvenait pas à s'imaginer en vieillard.

★

En rentrant de promenade, il trouva sur son bureau un billet de Delphine, qui l'invitait cérémonieusement à dîner pour le dernier dimanche du mois. D'un coup d'humeur, il saisit sa plume et écrivit une lettre de refus. L'idée que les troupes alliées seraient, un jour prochain, obligées de quitter Paris le rendait avare de ses loisirs. Il ne voulait gaspiller ni son temps ni ses sentiments. Après avoir dîné en solitaire, sur un coin de table, il envoya Antipe porter la lettre et sortit dans la galerie pour se dégourdir les jambes.

Un poids de tristesse écrasait son cœur. Par la porte entrebâillée du salon, il aperçut Sophie et ses parents qui prenaient le café du soir. On l'appela. Il s'empressa d'entrer. La famille était dans un grand émoi politique : M. de Lambrefoux venait d'apprendre, par un diplomate de ses amis, quelles seraient vraisemblablement les clauses du traité de paix dont la signature était imminente. Privée de toutes ses conquêtes depuis 1792, la France se retrouverait, à peu de chose près, dans les limites de l'ancienne monarchie et n'aurait à verser aucune indemnité de guerre. Pour M. de Lambrefoux, Talleyrand s'en tirait à bon compte. Sophie, elle, était indignée. Tout en exécrant Napoléon, elle revendiquait les territoires qu'il avait envahis. Le prince de Bénévent n'avait pas le droit, disait-elle, d'abandonner sans compensation les places fortes d'Allemagne et de Belgique encore occupées par les troupes françaises. Comme elle s'échauffait à ce propos, Nicolas intervint avec douceur.

— Croyez-vous que le bonheur de la France soit une affaire de superficie ? demanda-t-il.

Cette observation étonna ses interlocuteurs. Même M. de Lambrefoux parut offusqué dans ses sentiments patriotiques. Nicolas eut conscience de s'être mal fait comprendre.

— Je veux dire, reprit-il, qu'à mon avis la France n'a pas besoin de s'étaler, de menacer, de brandir des armes pour être respectée de tous. C'est par la pensée et non par la force qu'elle s'imposera le mieux à ses voisins. Regardez bien sur une carte votre pays d'autrefois, celui que vous allez retrouver. Il est tout petit. Un trèfle à quatre feuilles au bord de l'Europe. Mais l'Europe serait inconcevable sans ce trèfle à quatre feuilles. Elle n'aurait plus de civilisation, plus d'intelligence, plus de tradition, plus de fantaisie, plus de charme, si ce trèfle à quatre feuilles disparaissait tout à coup !...

M. de Lambrefoux sourit et murmura :

— Ce sont des vues de poète, Monsieur. Néanmoins, je vous remercie.

Sophie n'ajouta rien, mais fixa sur Nicolas un regard lumineux. Contenant à grand-peine son émotion, il dit encore :

— Enfin, que ce traité soit bon ou mauvais, il aura pour premier résultat de libérer la France des troupes d'occupation !

— Rien n'a encore été décidé à cet égard, que je sache ! dit M. de Lambrefoux.

— Rien ! soupira Nicolas. Nous sommes dans l'incertitude. L'ordre de route peut aussi bien arriver demain que dans un mois...

Il lui sembla que le visage de Sophie pâlissait. Elle sortit du salon sans donner d'excuse. Nicolas resta quelques minutes encore avec le comte et la comtesse, puis retourna dans sa chambre, inquiet, malheureux, et cependant plein d'un espoir confus. A peine eut-il posé sa lampe sur la table, qu'une voix l'interpella du jardin :

— Monsieur, Monsieur...

Il ouvrit la porte-fenêtre et se trouva devant Sophie. Faiblement éclairée par les rayons qui venaient de l'intérieur, elle était à la fois irréelle et précise, avec l'ombre démesurée qui s'allongeait derrière elle sur le chemin.

— Pensez-vous sincèrement ce que vous avez dit tout à l'heure ? demanda-t-elle.

— A quel sujet ?

— Au sujet de la France, de sa vocation dans le monde...

— Mais oui.

Elle baissa les paupières, comme pour ne plus le voir pendant une seconde, puis les rouvrit et chuchota :

— J'aimerais vous présenter à quelques amis.

— Avec plaisir ! dit-il.

— C'est un petit cercle que mon mari fréquentait jadis et où je me rends moi-même volontiers, car on y rencontre les esprits les plus vifs, les plus généreux, les plus instruits de notre temps. Là, point de contrainte, chacun parle à cœur ouvert. Mais tous ces personnages, si divers de naissance, de fortune, de formation, ont en commun une même idée : l'amour de la liberté !

Nicolas se mit sur ses gardes. On le tirait vers un terrain glissant. Qu'avait-il à faire de la liberté française ?

— Très bien, très bien ! dit-il avec une politesse évasive.

— Evidemment, reprit-elle, mes parents me reprochent les relations que je compte dans ce milieu. Ils sont d'un autre siècle, ils ne peuvent pas comprendre. Mais, pour vous, je suis sûre qu'un entretien avec des hommes de cette qualité sera passionnant !

Ne recevant pas de réponse, elle ajouta d'un ton brusque :

— Vous ne pouvez partir de France sans les avoir connus !

— Je vous fais confiance, dit-il, étonné de la passion qu'elle mettait dans ces paroles.

— Ainsi, je compte sur vous, après-demain ?

— Oui, Madame.

— A cinq heures, chez M. Poitevin, rue Jacob, au-dessus de la librairie du « Berger fidèle ». J'y serai avant vous, Mme Poitevin m'ayant priée de l'aider à recevoir. Oh ! ce sera très simple...

Il eut un dernier scrupule :

— Comment me présenterai-je ? Ne craignez-vous pas que cette tenue militaire ?...

— Elle sera aussi bien accueillie chez mes amis que partout ailleurs.

Cette précision le rassura. Qu'avait-il à redouter de gens qui l'acceptaient en officier russe ? Du reste, il n'était pas éloigné de croire que son uniforme purifiait les milieux où il pénétrait, comme certains cristaux clarifient, dit-on, les eaux troubles.

Les Poitevin habitaient au deuxième étage d'une vieille maison à la façade noire. Ce qui frappait l'œil, dès les premiers pas dans l'appartement, c'était l'absence de tout couloir, de toute galerie. Les pièces, petites et basses de plafond, étaient disposées en enfilade. Dans ces compartiments, ouverts l'un sur l'autre, se pressait une compagnie si nombreuse que Nicolas en fut intimidé. Pas une épaulette, pas une aiguillette, pas une épée. Les hommes étaient voués au tissu bourgeois et au collet de velours. Deux valets ahuris proposaient des verres de boissons sur des plateaux. Malgré les fenêtres béantes, la chaleur était encore plus forte que dans la rue. Les femmes avaient des pommettes roses, parlaient avec des voix aiguës et agitaient des éventails devant leur corsage.

Comme il ne s'était trouvé personne pour annoncer Nicolas à l'entrée, il naviguait au jugé, dans la cohue, cherchant Sophie et s'inquiétant de ne pas la voir. L'ameublement modeste des lieux, la livrée terne des domestiques, le ton passé des tentures, tout témoignait que les Poitevin étaient d'un niveau social très inférieur à celui des Lambrefoux ou des Charlaz. Il y avait des livres dans les coins, sur le plancher, sur des rayons, sur des guéridons, sur des chaises. Sans doute, le maître de maison n'avait-il guère l'habitude de recevoir des militaires étrangers, car les regards des invités convergeaient sur Nicolas avec une surprise peu aimable. Des visages se renfrognaient, des conversations s'arrêtaient à son passage. Il se sentit un objet de scandale et s'emporta, comme si Sophie l'eût attiré dans un guet-apens. Au plus fort des reproches qu'il lui adressait en pensée, elle se dressa devant lui, souriante.

— Venez ! lui dit-elle.

Fondu de tendresse, il se laissa conduire jusqu'à un grand vieillard, à la figure parcheminée, qui était M. Poitevin. De longs cheveux gris tombaient sur ses épaules. Ses prunelles étaient d'un bleu puéril. Une dizaine de personnes l'entouraient avec déférence. Les présentations terminées, la conversation reprit avec autant d'ardeur que si Nicolas n'eût pas existé. Bien que les journaux fussent encore muets sur la future constitution de la France, M. Poitevin croyait savoir qu'elle s'inspirerait des généreux principes de Montesquieu et garantirait notamment la liberté individuelle, la liberté de la presse et la liberté des cultes. Ces vues optimistes exaspéraient un jeune homme maigre, étincelant, au visage secoué de tics.

— Ne vous réjouissez pas trop tôt ! s'écria-t-il. Quiconque veut gouverner les Français doit connaître son Histoire de France. Louis XVIII est un revenant, un réchappé de l'ancien régime. Il n'a rien appris en exil. Quoi qu'il dise, quoi qu'il proclame, pour lui, il n'y a de salut que dans un retour en arrière !

— Qui est ce monsieur ? demanda Nicolas en se penchant vers Sophie.

— Un garçon remarquable mais un peu fou, chuchota-t-elle. Il s'appelle Augustin Vavasseur et tient la librairie du « Berger fidèle » que vous avez vue en bas.

— Je n'aime pas sa violence, dit Nicolas. On a l'impression qu'il voudrait tout casser, mais ne saurait rien reconstruire !

Sophie acquiesça de la tête :

— Vous l'avez dépeint en trois mots !

Cette remarque rendit à Nicolas toute son assurance. Soudain, il eut envie de se lancer dans des subtilités républicaines. Toisant Augustin Vavasseur avec ironie, il dit :

— En somme, même si la constitution est exactement telle que vous la souhaitez, vous la jugerez mauvaise parce qu'elle est l'œuvre d'un roi ?

Augustin Vavasseur eut un haut-le-corps et répliqua :

— Certes oui, Monsieur ! Car tout ce qu'il y a d'excellent dans un document de ce genre peut rester lettre morte si le gouvernement fausse l'esprit des textes en les appliquant. A quoi sert la Déclaration des Droits de l'Homme et du Citoyen quand la Convention l'ignore dans ses actes ? De quelle utilité est la Constitution de l'An VIII lorsque Napoléon n'en tient pas compte ? Pourquoi se réjouir de la nouvelle Loi qui nous est promise, puisque nous ne savons pas encore à quelle sauce on nous la servira ? Si, en littérature, pour apprécier une œuvre il faut oublier la personnalité de l'écrivain, en politique la valeur d'une proclamation est dans la confiance qu'inspire son auteur !

— Et, décidément, vous n'avez pas confiance en Louis XVIII ?

— Nous ne sommes pas les seuls ! répondit Augustin Vavasseur avec un rire métallique. Le tsar, en particulier, nous donne l'exemple d'une sage circonspection. Lui et ses alliés doutent à un tel point des bonnes intentions de notre monarque, qu'ils refusent de s'en aller avant de savoir le sort qu'il nous réserve !

— Que craignent-ils donc, d'après vous ?

— Eh ! parbleu ! que notre vieux Bourbon ne perde la tête et ne rallume la révolution en se montrant trop conservateur ! Ils lui prêchent le libéralisme. Avouez qu'il y a là une situation piquante !

— Je ne vois pas pourquoi ? balbutia Nicolas.

— Tant pis pour vous, Monsieur ! En ce qui me concerne, j'admire ces grands princes, si jaloux de leur autocratie en Russie, en Autriche, en Prusse, et pressant Louis XVIII de doter son pays d'institutions parlementaires sérieuses. La liberté, l'égalité, la représentation nationale, dont ils se font les champions en France, ne croyez-vous pas qu'ils les pousuivraient comme crimes de lèse-majesté dans leurs propres Etats ?

— Il est normal, dit Nicolas, que chaque pays ait une organisation conforme à son histoire, à sa situation géographique, à son climat, au génie particulier de sa race...

— Vous ne me soutiendrez pas, tout de même, que le génie particulier de la race russe justifie le servage où vivent tant de vos compatriotes !...

Etourdi par le choc, Nicolas se demanda s'il existait une autre réponse que le soufflet à un pareil affront. Il serrait les poings et cherchait ses mots, tandis qu'augmentait sa colère. Des regards amusés se fixaient sur lui. Il allait éclater, quand une voix douce dit, à sa gauche :

— M. Vavasseur, il me semble que vous oubliez la date à laquelle les derniers serfs ont été libérés chez nous !

Nicolas tressaillit de bonheur : Sophie prenait fait et cause pour lui, sans qu'il l'en eût priée. Avec un calme souriant, elle poursuivit :

— Le 4 août 1789 ! Vingt-cinq ans à peine ! Pour une nation éclairée, il n'y a pas de quoi être fière ! Quant à l'esclavage des Noirs, malgré tous nos philosophes, il subsiste encore ! Et vous voulez donner des leçons de libéralisme à la patrie de Pierre le Grand, qui n'est sortie de la nuit du Moyen Age que depuis un siècle ? Laissez à la Russie le temps de nous rattraper dans la voie du progrès ! Je suis sûre que, bientôt, nos idées passeront les frontières du nord. Là-bas comme ici, des esprits férus de justice, d'égalité, d'indépendance, soutiendront la cause de l'individu en face de l'Etat !

Elle quêtait du regard l'approbation de Nicolas. Bien qu'il fût loin de partager ces opinions subversives, il ne put faire moins que de marmonner :

— Mais certainement !... Il est impossible de penser que la Russie restera à l'écart de... du grand mouvement humanitaire auquel vous faites allusion !...

Cette déclaration, assez inattendue pour lui-même, fut accueillie par un murmure de satisfaction. Sophie rayonnait, comme exaucée dans ses prières. Augustin Vavasseur, déconcerté, se mordait les lèvres. M. Poitevin dit :

— Voilà, Monsieur, des paroles qui vous font honneur. Etes-vous militaire de carrière ?

— Non, dit Nicolas, je me suis engagé.

Et il eut l'impression que, par un fatal concours de circonstances, il devenait le premier officier révolutionnaire de l'armée russe. Tout à coup, on l'entourait de soins et de sourires. Il vivait sur un malentendu gênant. M. Poitevin lui demanda, avec un air de triste complicité, quelle était la situation actuelle du paysan russe. Devant un auditoire assoiffé d'équité sociale, Nicolas se devait de plaindre les moujiks. Il le fit avec un brin de mauvaise conscience. Sophie l'encourageait par une attention extraordinaire. Il la contemplait et, pour elle, acceptait la honte de dire :

— La plupart d'entre eux sont en effet très misérables... Oui, le seigneur peut leur infliger des peines corporelles, les envoyer à l'armée pour vingt-cinq ans... On achète un serf en Russie avec la terre ou sans la terre... Les prix ?... Oh ! je crois me rappeler qu'un homme vaut trois à quatre cents roubles à Saint-Pétesbourg... A la campagne, les tarifs sont moins élevés...

Autour de lui, on s'étonnait, on s'indignait :

— Entendez-vous ? Quelle horreur ! Ah ! les pauvres gens !

— Mais vous-même, Monsieur, avez-vous des serfs ? demanda quelqu'un.

— Pas moi, dit Nicolas. Mon père...

— Combien ?

— Deux mille âmes environ.

Ce mot d'âme parut, inexplicablement, bouleverser toute la compagnie. Nicolas était de plus en plus tiraillé entre le plaisir de produire tant d'effet par ses révélations et le remords de desservir sa patrie dans l'opinion française.

— Tout cela est navrant ! dit-il. Mais c'est la coutume... Une coutume solidement établie...

— Et personne ne se révolte ? demanda M. Poitevin.

— Si, dit Nicolas, de temps à autre éclate une émeute de paysans. Elle est vite réprimée !

— Je vois ce que c'est, dit Augustin Vavasseur. Ils manquent d'instruction, de direction...

Nicolas secoua la tête :

— Seraient-ils instruits, dirigés, qu'ils ne voudraient pas renverser l'ordre qui les opprime. Les plus téméraires combattent parfois le mauvais seigneur. Mais ils ne vont jamais plus haut...

— Ils ont peur du tsar ?

— Non, Monsieur, ils l'aiment, ils le respectent. Ils ne lui reprochent pas davantage leur misère qu'ils ne reprochent à Dieu de les avoir créés. C'est, chez eux, une question de foi.

M. Poitevin fronça les sourcils et grommela :

— Il faut espérer, cependant, que, peu à peu, ils prendront conscience de leurs droits, et que les pouvoirs publics, de leur côté...

— Oui, dit Nicolas précipitamment, il faut l'espérer...

Mme Poitevin interrompit la conversation en se mettant au clavecin. Elle avait une rondeur et un luisant de pomme. Tout le monde fit cercle autour d'elle. Cet intermède musical devait être de tradition. Une jeune fille se campa près d'une plante verte et chanta langoureusement :

Bel oiseau, si tu viens
Du pays où l'on aime...

Debout derrière le fauteuil de Sophie, Nicolas recouvrait ses forces après un combat épuisant. De temps à autre, elle tournait la tête, levait les yeux sur lui et son regard semblait à la fois le remercier et lui réclamer quelque chose. Il ne fut plus question de politique jusqu'à la fin de la réception. Au moment où Sophie et Nicolas s'apprêtaient à prendre congé des Poitevin, ceux-ci les prièrent de revenir le dimanche suivant, après le dîner :

— Benjamin Constant et Mme de Staël seront peut-être des nôtres...

Malgré cette prévision alléchante, Sophie s'excusa : ce jour-là, elle était invitée ailleurs : quant à Nicolas, il n'avait aucune envie de retourner sans elle dans un salon, dont, pensait-il, elle constituait le principal attrait. Dans la voiture qui les ramenait ensemble à l'hôtel de Lambrefoux elle lui reprocha son manque de sociabilité :

— Vous avez eu tort de refuser. Songez donc : Mme de Staël, Benjamin Constant !... Vous ne trouverez pas une autre occasion de les voir...

— Les voir sans vous ne m'intéresse pas, dit-il.

Cette phrase était partie si vite qu'il en fut étonné, comme par l'intervention d'un tiers dans le débat. Une tendresse bouillonnante montait en lui et submergeait ses derniers îlots de raison. Il se sentit parvenu à ce point d'émotion où, généralement, il commettait une sottise.

— Ne pouvez-vous vraiment vous libérer ? reprit-il.

— Non, répondit-elle, j'ai promis depuis longtemps à mon amie, Mme de Charlaz, d'assister avec mes parents au dîner qu'elle donne dimanche...

Il perdit le souffle. Un seau d'eau froide sur la tête ne l'eût pas dégrisé davantage. Sophie chez Delphine ! Et lui qui avait refusé d'y aller ! Sans doute était-ce préférable. Mais le charme était rompu. Muré dans un silence déloyal, il évitait de regarder la jeune femme.

— Je crois d'ailleurs que vous les connaissez, dit-elle encore.

— Qui ? marmonna-t-il.

— Les Charlaz. Mon père m'a raconté que vous leur aviez rendu visite, ensemble, pendant que ma mère et moi nous trouvions à Limoges.

— En effet...

— Autrefois, je voyais souvent Delphine. Mais depuis son mariage, nos destins ont pris des voies si différentes...

La phrase resta en suspens. Nicolas pria intérieurement les chevaux d'aller plus vite. Ils semblèrent lui obéir. Le porche de l'hôtel de Lambrefoux s'ouvrit devant eux et ils s'y engouffrèrent avec fracas.

★

Aussitôt après avoir dîné avec ses parents, Sophie monta dans sa chambre. Elle avait besoin d'être seule pour repasser en mémoire les détails de sa visite aux Poitevin. En vérité, de tout ce qu'elle avait vu et entendu chez eux, elle ne se rappelait que le visage, les gestes, les propos de Nicolas Ozareff. Elle songeait à lui, à son air de candeur et de force, au timbre grave de sa voix, à ses cheveux blonds, à la couleur marine de ses yeux quand il regardait du côté de la lumière, et chaque souvenir qu'elle évoquait ainsi augmentait son désarroi devant elle-même. De sa vie elle n'avait éprouvé une pareille confusion. Son bonheur ressemblait à une gêne respiratoire. « Je l'aime ! », se dit-elle avec autant de crainte que si elle eût constaté une maladie mortelle. Et, en effet, c'était bien la pire aventure qui pût lui arriver ! Un étranger ! Un officier en occupation à Paris ! Tôt ou tard, il allait partir !... La sagesse était de résister à cet entraînement. Plus elle saurait garder ses distances, moins la séparation serait déchirante. A ce moment, elle s'aperçut qu'elle raisonnait comme si les sentiments de Nicolas lui étaient aussi connus que les siens propres. Il ne lui avait jamais avoué qu'il était épris d'elle, mais elle le lisait, à chaque rencontre, dans ses yeux. Que de fois l'avait-il serrée dans ses bras, sans que leurs corps se fussent rapprochés ! On frappa à la porte. Elle sursauta, pensant à un homme jeune et fier, en uniforme ennemi. C'était la femme de chambre.

— Non, dit Sophie, je me déshabillerai moimême.

Des pas s'éloignèrent. Sophie n'avait que son reflet dans la glace pour toute compagnie. Mais elle évitait de le regarder : elle avait peur de se trouver trop belle pour la solitude. A aucun prix, elle ne devait s'attendrir sur le couple qu'elle eût pu former avec Nicolas. Elle se félicita d'avoir tenu bon lorsqu'il l'avait priée de renoncer au dîner de Delphine. « Oui, c'est mieux ainsi. Bien mieux ! » Machinalement, elle s'approcha de la fenêtre ouverte. Le jardin était déjà obscur. Soudain, elle discerna une silhouette noire, près du banc de pierre. Debout dans l'ombre, Nicolas, immobile, attendait. Frappée d'une joie fulgurante, Sophie voulut bondir, courir vers lui, se jeter contre sa poitrine, mais elle se ravisa. Une grande concentration d'énergie s'opérait en elle, ses idées devenaient de fer. Avec décision, elle ferma la croisée. Le choc de l'espagnolette rabattue se communiqua douloureusement à son cerveau.

10

A onze heures, les invités commencèrent à se disperser. Delphine aurait aimé garder Sophie et ses parents quelque temps encore, avec les intimes. Mais si M. de Lambrefoux eût volontiers prolongé la soirée, sa femme et sa fille étaient pressées de rentrer à la maison. Un long dîner et des bavardages insipides les avaient toutes deux fatiguées. Sophie, du reste, paraissait encore plus lasse que sa mère.

— Vous faites partie d'une génération triste, mon enfant, lui dit le comte dans la voiture. Autrefois, les personnes de votre âge avaient du vif argent dans les veines. Une nuit blanche ne les effrayait pas !

— Vos souvenirs embellissent tout, mon ami ! soupira sa femme.

— En tout cas, reprit M. de Lambrefoux, j'ai trouvé Delphine plus attirante que jamais. Je la crois du dernier bien avec ce jeune colonel de la maison militaire du roi qui était son vis-à-vis à table. Le jour où elle n'aura plus le cœur occupé, elle vieillira de dix ans ! Heureusement, le baron l'aime assez pour ne point lui souhaiter une pareille déchéance !...

— Ne dites donc pas de sornettes ! trancha Mme de Lambrefoux.

Elle ne tolérait pas que son mari débitât des discours libertins après un bon repas. Les mêmes propos, qui, tenus à jeun, avaient quelque piquant, prenaient, lui semblait-il, un caractère grossier à l'heure de la digestion. Le comte, connaissant cette faiblesse de son épouse, insistait, par taquinerie :

— Je suis on ne peut plus sérieux, ma chère ! La complaisance de notre hôte est tout à son honneur...

Sophie les entendait discuter avec la même indifférence que si elle eût écouté tomber la pluie. A mesure que la voiture se rapprochait de la maison, ses propres réflexions devenaient plus obsédantes. Depuis deux jours, elle avait évité de rencontrer Nicolas. Ce soir, elle était partie avec ses parents pour le dîner des Charlaz avant qu'il ne fût rentré de la caserne. Allait-elle se coucher sans l'avoir revu, ou le trouverait-elle dressé au coin de la galerie, devant la bibliothèque, dans le jardin, sous sa fenêtre ? Son cœur tournait, courait avec les roues.

Un valet s'éveilla pour accueillir la famille dans le vestibule. Sophie remarqua une lampe allumée au débouché du couloir qui menait à la chambre de Nicolas. Des pas retentirent. Elle se raidit. Son pressentiment ne l'avait pas trompée. Une haute silhouette se détacha de l'ombre.

— Tiens ! s'écria le comte. Vous ne dormez pas encore ?

— Non, dit Nicolas. Avez-vous passé une bonne soirée ?

— Excellente ! Manger sans avoir faim, boire

quand on n'a plus soif, parler pour ne rien dire et faire la cour à des femmes que l'on n'aime point, n'est-ce pas, à notre époque, le comble du raffinement ? Mais vous-même, mon cher, que devenez-vous ? Il me semble que, depuis un certain temps, l'armée vous accapare !...

Nicolas fit un sourire sans joie et ses yeux se posèrent sur Sophie. Il lui criait quelque chose en silence, et elle ne le comprenait pas. Jamais elle ne l'avait vu si désemparé. Elle eut peur qu'il ne trahît son secret devant tout le monde.

— Je viens d'apprendre une nouvelle très importante pour moi, dit-il.

— Ah ? dit le comte. Venez donc... Ne restons pas ici, dans le courant d'air...

On passa dans le salon. Le valet de chambre alluma deux lampes. Des ombres grandirent et se cassèrent la tête au plafond. Mme de Lambrefoux attira sa fille près d'elle sur un canapé.

— Cet après-midi, murmura Nicolas, mon régiment a reçu son ordre de route. Nous quitterons Paris dans quatre jours, le 3 juin, à l'aube.

Il semblait à Sophie que sa tête se vidait. Un bruissement de source emplissait l'air et noyait tous les autres sons autour d'elle. Sa seule volonté, dans ce désordre, était de garder un visage calme.

— C'était à prévoir, grommela M. de Lambrefoux. J'ai entendu dire que l'empereur Alexandre était lui-même sur le départ...

— Oui, dit Nicolas. Demain, tous les régiments de la garde défileront pour la dernière fois à Paris devant Sa Majesté. Nous irons ensuite, par petites étapes, jusqu'à Cherbourg. Des navires russes nous attendront là pour nous transporter à Cronstadt...

En parlant, il observait Sophie avec une attention suppliante. Il aurait voulu qu'elle exprimât dans un regard sa réponse au chagrin qui le bouleversait ! Mais elle demeurait impassible, lointaine, comme si ce qu'il disait ne l'intéressait pas. Il fut ulcéré de cette indifférence. « Ah ! je me suis trompé ! songeait-il. Elle n'a pour moi aucun sentiment profond. Ma présence l'amusait naguère, mais, maintenant que je vais partir, elle se détourne, elle m'ignore... » Sa robe, d'un blanc d'ivoire, était semée de nœuds en velours mauve. Une lumière montait de ses épaules nues à son visage. Tant de grâce, tant de beauté pouvaient donc couvrir une âme cruelle ? M. de Lambrefoux se montra plus humain que sa fille.

— Je suis égoïstement désolé d'apprendre que vous nous quittez déjà ! dit-il. Cependant, j'imagine qu'après de longs mois de dépaysement vous êtes heureux de retourner dans votre patrie.

— Votre père, votre sœur doivent vous attendre avec impatience ! renchérit la comtesse.

— Certainement, dit Nicolas, et c'est même leur pensée qui me soutiendra au moment où j'abandonnerai votre maison...

Sa voix s'étranglait.

— Vous m'avez bien dit que c'était pour le 3 juin ? reprit le comte.

— Oui, Monsieur.

— Faites-nous donc le plaisir de souper ici, le 2 juin, de la façon la plus simple.

Nicolas, trop ému pour parler, accepta d'un signe de tête, puis recouvrant ses esprits, il souhaita une bonne nuit au comte, à la comtesse, lança un regard tragique à Sophie et sortit à grands pas. Peu après, Sophie laissa ses parents pour monter dans sa chambre. Restée seule avec son mari dans le salon, Mme de Lambrefoux murmura :

— Avez-vous remarqué ?

— Quoi ? demanda le comte.

— Sophie...
— Oui, dit-il, elle aurait pu se montrer un peu plus aimable avec ce pauvre garçon...
— Vraiment ? s'écria la comtesse. Eh bien ! ce n'est pas mon avis ! Ou je me trompe fort, ou il est grand temps que votre Russe s'en aille !

★

Massées depuis neuf heures du matin sur la route de Neuilly, les troupes ne commencèrent à défiler qu'à midi juste. Le tsar, le grand-duc Constantin, l'empereur d'Autriche et le roi de Prusse recevaient le salut, place de l'Etoile. Quarante mille hommes en mouvement. Marchant à la tête de sa section, Nicolas avait la nuque raide, l'œil fixe et des ressorts dans les mollets. Arrivé à la hauteur du tsar, le régiment hurla en chœur :
— Bonne santé à Votre Majesté Impériale ! Hourra ! Hourra ! Hourra !
Ce tonnerre de voix russes ébranla les pierres de Paris. Puis les tambours retentirent de nouveau pour marquer la cadence.
En rentrant, assoiffé, poussiéreux, fourbu, à la caserne, Nicolas apprit du capitaine Doubakhine une nouvelle qui l'étonna : l'impératrice Joséphine venait de mourir des suites d'un refroidissement. C'était imprimé en toutes lettres dans le *Journal des Débats.* Mais, pour éviter de souligner les rapports de la défunte avec Napoléon, le chroniqueur ne la désignait pas autrement que « la mère du prince Eugène ». Nicolas relut l'information avec mélancolie. Il se rappelait sa visite récente au parc de la Malmaison. Comme il était heureux, insouciant, à ce moment-là, comme il riait avec ses camarades ! En quelques jours, tout s'était assombri dans le monde ! Les gazettes parlaient encore de la fin des discussions diplomati-

ques, du prochain voyage de l'empereur Alexandre en Angleterre, des adieux du général de Sacken à la ville de Paris, et Nicolas devinait, derrière ces renseignements laconiques, la joie qu'éprouvait la France à voir partir l'armée d'occupation.

Le lendemain, 31 mai, à cinq heures de l'après-midi, des salves d'artillerie annoncèrent la signature du traité de paix. Nicolas et deux de ses camarades sortirent de la caserne et coururent jusqu'à la place du Palais-Bourbon, où, leur avait-on dit, une proclamation serait lue au peuple par un héraut. Ils tombèrent en pleine cohue, aperçurent au loin des bicornes, des plumets, des drapeaux à fleurs de lys et entendirent par-dessus un rempart de têtes, une voix forte qui disait :

— « Habitants de Paris, la paix vient d'être conclue entre la France, l'Autriche, la Russie, l'Angleterre et la Prusse. Le traité qui la cimente a été signé le 30 mai. Laissez éclater votre allégresse à la nouvelle de ce bienfait qui réalise déjà une partie du bonheur qui vous attend sous le gouvernement paternel du prince que la Providence nous a rendu. »

Ayant eu son content de vivats, de chapeaux en l'air et de gesticulation frénétique, le cortège officiel se dirigea vers le boulevard Saint-Germain. Dans la foule, nul ne prêtait attention aux officiers russes. A croire qu'ils étaient déjà partis !

Nicolas et ses compagnons rentrèrent au quartier. La cour était encombrée de malles, de paniers et de portemanteaux. Des sentinelles montaient la garde devant une file de chariots pleins de bagages. Toutes fenêtres béantes, les soldats récuraient leurs chambrées, battaient leurs habits, astiquaient leurs armes en chantant. Eux, du moins, étaient satisfaits de retourner au pays. De Paris, ils n'avaient connu que les murs de la caserne et quelques larges rues où, les jours de fête, ils défilaient au pas cadencé, l'air superbe et le cerveau vide. Nicolas envia leur simplicité. Si seulement il avait pu oublier Sophie ! Plus elle se dérobait à lui, plus il se persuadait qu'il n'aimerait qu'elle jusqu'à la fin de ses jours.

Le 2 juin, pour le souper d'adieu, il endossa son uniforme de parade et se promit d'étonner ses hôtes par l'aisance de son maintien. Mais en revoyant Sophie à table, en face de lui, l'énergie nerveuse qui l'avait soutenu jusqu'à cette minute l'abandonna. Il devait se forcer pour faire honneur aux plats et à la conversation. Quand son regard croisait celui de la jeune femme, il en recevait comme un coup de poignard. La froideur qu'elle lui avait témoignée naguère semblait maintenant une hostilité ouverte. Il se rappelait lui avoir vu ce visage dur lorsqu'il l'avait rencontrée pour la première fois dans la bibliothèque. On eût dit qu'elle lui reprochait aujourd'hui son départ comme elle lui avait reproché jadis son arrivée. L'instant le plus pénible fut celui du dessert. Un verre de champagne à la main, M. de Lambrefoux crut nécessaire de prononcer quelques mots sur l'entente des gens de bien par-dessus les frontières. Pour sanglante qu'eût été cette guerre, elle avait, disait-il, servi au rapprochement des peuples. Il termina son discours en rendant hommage à l'armée russe et particulièrement à l'officier qu'il avait eu le privilège d'héberger sous son toit. Nicolas le remercia de tout ce qu'il avait fait pour lui.

— Grâce à vous, murmura-t-il, durant mon séjour à Paris je me suis constamment senti en famille. J'admirais la France avant de vous connaître, maintenant, je l'aime...

Ce disant, il rougit jusqu'à la racine des cheveux car, dans son esprit, la France et Sophie ne faisaient qu'un. Mais la jeune femme se montra indifférente à cette déclaration, dont le sens lui échappait peut-être. Belle et silencieuse, elle attendait la fin du repas avec un ennui évident. Si extraordinaire que cela pût paraître, sa mère était plus émue qu'elle. Ennemi des effusions prolongées, le comte, lui, s'évertuait à mettre un peu de gaieté dans les adieux :

— Eh ! que diable ! Vous ne partez pas pour la lune, mon jeune ami ! Un jour ou l'autre, vous aurez bien l'occasion de revenir en France !

— Non, Monsieur, balbutia Nicolas. Je ne reviendrai plus... plus jamais !...

Un spasme contracta sa gorge. Ses yeux se voilèrent. Il saisit son verre, le vida d'un trait et regretta de ne pouvoir le briser contre le mur, ainsi qu'il était d'usage dans les beuveries d'officiers.

★

Paris dormait encore dans le brouillard du petit matin. Les rues désertes paraissaient anormalement larges. Entre deux rangées de façades aux fenêtres closes, les gardes de Lithuanie marchaient par cinq hommes de front. Nicolas et Rosnikoff chevauchaient en tête d'une section de grenadiers. Loin devant eux, le drapeau du régiment oscillait dans son étui de cuir noir. Fifres et tambours jouaient un air guilleret, plein de pépiements d'oiseaux et de roulements d'avalanche. Parfois, comme lors de l'entrée des troupes alliées dans la capitale, une croisée s'ouvrait, un visage d'homme sortait du sommeil et se penchait au-dessus du vide. Mais les temps avaient changé, l'espoir avait remplacé la crainte. Tirés de leur lit, les braves gens soupiraient d'aise : « Fini !... Les Russes s'en vont !... Bon voyage !... » Nicolas croyait entendre ce chuchotement unanime. Parce que Sophie n'avait pas su trouver un mot tendre à l'heure de la séparation, il était convaincu que tout Paris le détestait et le chassait.

Passé le pont, le régiment tourna sur la place Louis-XV et remonta les Champs-Elysées vers l'Etoile. La première étape devait être Saint-Germain. Le ciel bleuissait. Au-dessus des piliers de l'Arc de Triomphe, un long nuage blanc, ouvert en forme d'aile, perdait ses plumes dans le soleil. Le bel Hippolyte humait béatement la fraîcheur du jour. Pendant une pause de la musique militaire, il se mit à fredonner, avec un terrible accent russe, la chanson d'Henri IV, chère aux royalistes français :

Charmante Gabrielle,
Percé de mille dards,
Quand la gloire m'appelle
A la suite de Mars...

Comment cet homme pouvait-il être heureux, alors que, de son aveu même, il laissait à Paris une maîtresse ? Ou il ne l'avait pas aimée, ou il avait le don de se ressaisir très vite. Nicolas avait un tel besoin de parler de sentiments, qu'il demanda :

— Tu l'as vue hier ?

— Qui ?

-- Cette jeune pâtissière... Joséphine..

Cruelle départie,
Malheureux jour !
Que ne suis-je sans vie
Ou sans amour...

Hippolyte Roznikoff s'arrêta de chanter et dit :

— Oh ! non, la pauvre ! Il y a trois jours que j'ai pris congé d'elle dans les larmes et les serments. Moi, tu sais, dès qu'une femme soupire, je m'enfuis... Devine à quoi j'ai employé mes dernières heures parisiennes ?

— A faire d'autres conquêtes ! dit Nicolas.

— Tu n'y es pas du tout ! s'écria Roznikoff. Je vais te confier un secret. Mais promets-moi de garder ta langue !

— Je te le jure !

Hippolyte Roznikoff plissa un œil de conspirateur et chuchota :

— Hier, j'ai assisté à la séance d'une loge maçonnique française !

— Tu es franc-maçon ?

— Je ne l'étais pas, mais le capitaine Doubakhine m'a entraîné. C'est intéressant !...

— Pour quoi ?

— Pour réussir. Il paraît que le grand-duc Constantin est franc-maçon, et de nombreux généraux, et des aides de camp du tsar. Comme j'ai l'intention de faire ma carrière dans l'armée... Ah ! j'aurais voulu que tu entendes en quels termes élogieux les frères français parlaient de notre souverain dans l'atelier où nous étions reçus !...

Nicolas écouta la suite d'une oreille distraite. Les préoccupations d'Hippolyte Roznikoff lui semblaient mesquines. Au moment de franchir la barrière de l'Etoile, il fut accablé par la notion de l'irrémédiable.

— Adieu, Paris ! dit Roznikoff.

Nicolas serra les dents comme pour dominer une douleur physique. A l'idée qu'il ne reverrait jamais plus Sophie, le désespoir, longtemps contenu, s'engouffrait dans sa tête. Que faisait-il sur cette route, parmi tous ces hommes en uniforme, alors que chaque pas l'éloignait de sa raison de vivre ? Il regarda en arrière. L'armée coulait à ras bords avec une lenteur disciplinée. Les baïonnettes brillaient, les toits fumaient, la journée s'annonçait radieuse. Sophie !... Dormait-elle encore ? L'avait-elle entendu partir ? Pensait-elle à lui seulement ? Malgré le flegme qu'elle avait affecté la veille, il refusait de croire qu'elle se fût déprise de lui. « Je ne peux m'être trompé à ce point ! Il s'agit d'un malentendu affreux ! Et je m'en vais sans m'être expliqué avec elle, sans savoir si elle m'aime encore ou pourquoi elle ne m'aime plus !... »

Le régiment aborda le village de Neuilly, au pas de route. Sur l'ordre de leur chef, les choristes entonnèrent une chanson de marche, composée au début de la guerre :

Chantons comment Koutouzoff
Attira les Français chez nous
Pour qu'ils dansent à Moscou...

Bonaparte n'aim' pas la danse,
Il a perdu ses jar'tières,
Et voilà qu'il crie : Pardon !...

Un soldat passa son fusil à un voisin et, sans sortir du rang, se mit à danser, les genoux pliés, les bras croisés sur la poitrine. Ses camarades l'encourageaient par des coups de sifflet, des rires et des cris stridents. Attirés par le bruit, des Français soupçonneux se hasardaient sur le pas de leur porte. De temps à autre, Hippolyte Roznikoff prétendait découvrir une jolie fille à sa fenêtre :

— Et cette blonde, tu l'as vue ? Regarde ! Mais regarde donc !

Agacé par les propos joyeux de son camarade, Nicolas finit par le prier de se taire. Celui-ci s'étonna d'abord, puis se vexa. Pendant le reste du trajet, ils n'échangèrent plus une parole.

Saint-Germain, où le régiment pénétra, musique en tête, à deux heures de l'après-midi, était submergé par des troupes russes de toutes armes, venant de Paris et des environs. Les rues étaient si encombrées d'équipages militaires, qu'au premier carrefour il fallut s'arrêter. Après vingt minutes d'attente, les gardes de Lithuanie reçurent l'ordre de rebrousser chemin et d'aller établir leur cantonnement dans la campagne. Des hangars, des granges, des étables, avaient été réquisitionnés à leur intention. Les hommes s'enfonçaient dans la paille et le foin en maugréant : où étaient-elles les belles casernes qu'on leur avait promises ? Sûrement, une fois de plus, les Préobrajensky et les Sémionovsky seraient mieux servis qu'eux. Nicolas et Roznikoff munis d'un billet de logement illisible, visitèrent trois fermes avant de découvrir, dans l'une d'elles, la resserre à outils qui leur était destinée. Jetant dehors les pelles et les pioches, Antipe eut tôt fait de dresser dans le réduit deux lits de planches, recouverts de toiles de sac.

— Vous y dormirez aussi bien que rue de Grenelle, barine ! s'écria-t-il.

Le cœur de Nicolas défaillit de tristesse. Sa première nuit loin de Sophie ! Pour s'étourdir, il rejoignit les autres officiers devant la tente régimentaire, plantée au bord de la route. Là, il apprit qu'à la suite d'un contrordre seule la première division de la garde irait s'embarquer à Cherbourg ; la deuxième division, dont dépendaient les gardes de Lithuanie, rentrerait en Russie par voie de terre. Roznikoff et ses camarades étaient ravis de la nouvelle, car tous les régiments acheminés suivant cet itinéraire seraient, disait-on, réunis d'abord à Berlin pour y participer à des fêtes organisées par le roi de Prusse.

— Je serai personnellement très heureux de

comparer les Berlinoises aux Parisiennes ! disait le bel Hippolyte.

Nicolas tourna les talons et s'éloigna. Il ne pouvait plus supporter la moindre plaisanterie. Son ordonnance le rattrapa pour lui annoncer qu'un dîner serait servi aux officiers dans la cour de la ferme. Nicolas refusa de s'y rendre. Il n'avait pas faim. Jusqu'au crépuscule, il rôda dans la campagne où brillaient les feux de bivouac. Un détachement rompait les faisceaux pour aller relever les sentinelles, des officiers jouaient aux cartes sur un tambour, une estafette revenait à travers champs au pas de son cheval fourbu, le coiffeur du régiment rasait un crâne, et ces images, que Nicolas avait vues cent fois pendant la guerre, lui semblaient aujourd'hui illustrer la vie d'un autre. Les sonneries habituelles retentirent aux quatre coins du camp : la soupe, l'appel, le couvre-feu... Après le rapport, Nicolas inspecta la grange où logeaient les hommes de sa section, puis, comme saisi de fièvre, il se dépêcha de regagner sa cabane. Hippolyte Roznikoff, qui fumait un cigare, debout devant la porte, accueillit son ami par une exclamation ironique :

— Tu rentres déjà te coucher ?

— Non, dit Nicolas, je pars.

Roznikoff grandit de deux pouces et ouvrit des yeux ronds :

— Comment ça, tu pars ?

— Il faut absolument que je retourne ce soir à Paris, répondit Nicolas avec flamme.

— Tu as une permission ?

— Non.

— Tu comptes en demander une ?

— Certainement pas : on me la refuserait. Je vais seller mon cheval et prendre la route sans avertir personne.

— C'est de la folie ! s'écria Roznikoff.

— Tranquillise-toi, dit Nicolas, je serai revenu demain à l'aube pour le rassemblement.

— Et si tu te fais pincer ?

— Je m'en moque !

— Tu oublies ce que tu risques : une escapade de ce genre peut être considérée comme un cas de désertion !

— N'emploie donc pas de grands mots ! Tout se passera bien !

Roznikoff jeta son cigare et demanda :

— As-tu seulement calculé combien de temps il te faudrait pour l'aller et le retour ?

— Sept heures.

— Avec une monture fraîche ! La tienne est fatiguée !

— Kitty s'est bien reposée cet après-midi. Menée par moi, je sais de quoi elle est capable.

— Dieu t'entende ! grommela Roznikoff. Et tout ça, je parie, à cause d'une femme !

— Oui.

— Je ne te croyais pas si amoureux !

— Moi non plus ! dit Nicolas.

Et, soudain, il sauta de l'abattement dans une jubilation extrême. La décision qu'il avait prise contentait en lui un besoin de dépassement. Il se sentait fou de grandeur. Sans laisser à Roznikoff le temps de protester davantage, il plongea dans la cabane, en ressortit avec des sacoches et courut vers l'enclos, où deux gardes d'écuries dormaient par terre, devant une rangée de chevaux à l'attache.

★

Sophie dénouait ses cheveux avant de se mettre au lit, quand Emilienne, sa femme de chambre, gratta à la porte, passa un museau de fouine par l'entrebâillement et se faufila dans la pièce :

— Madame ! Madame ! Il y a quelqu'un qui vous demande !

— Qui ? balbutia Sophie, pendant qu'un brusque pressentiment lui coupait les jambes.

— Ce monsieur russe... le lieutenant...

Sophie appuya les deux mains sur son cœur et dit :

— Es-tu sûre de ne pas te tromper ?

— Certaine, Madame ! Je l'ai vu arriver. Dois-je prévenir vos parents ?

— Surtout pas ! s'écria Sophie. Où sont-ils ?

— Dans leur chambre.

— Il est en bas. Il vous attend. Je le fais entrer au salon ?

— Oui... ou plutôt, non... Dans la bibliothèque... Va vite !

Emilienne s'enfuit et Sophie rajusta en hâte ses vêtements. Tandis qu'elle se recoiffait devant la glace, elle se vit si pâle, si exaltée, que son air radieux l'effraya. « D'où est-il revenu ? Par quel moyen ? Pour combien de temps ? Comment pourrais-je douter encore de son amour pour moi ? » En reparaissant à l'improviste, il la contrariait dans ses projets, il compliquait tout, et, cependant, elle débordait de gratitude pour la folie qu'il avait commise. Sans réfléchir plus avant, elle se jeta hors de la chambre et courut jusqu'à la bibliothèque. Il y était déjà, grand, les bottes poudreuses, le visage en feu. Une lampe, posée sur un guéridon, éclairait par en bas son menton carré et ses yeux verts. N'osant prononcer un mot, il considérait Sophie avec l'intensité suppliante qu'un muet peut mettre dans son regard. Elle murmura :

— Que se passe-t-il, Monsieur ? Je vous croyais à Saint-Germain...

— J'y étais encore, il y a quatre heures.

Elle eut un espoir :

— On vous a renvoyé ici en service commandé ?

Il secoua la tête :

— Non, Madame. Je vais même repartir bientôt. Mon cheval boite un peu. La route est longue...

Elle ne savait plus si c'était de joie ou de peine que son cœur se serrait ainsi.

— Alors... pourquoi ? marmonna-t-elle.

C'était ce qu'elle n'aurait pas dû dire : une invitation à la réponse qu'elle redoutait le plus.

— J'avais besoin de vous revoir ! répliqua-t-il.

Ayant provoqué cet aveu, elle feignit d'en être étonnée.

— Oui, reprit-il, nous nous étions quittés si étrangement, si froidement...

— Pas du tout !

— Oh ! si, Madame. Vous avez changé à mon égard, depuis quelques jours, ne le niez pas. Vous aurais-je offensée sans le vouloir ?

Avant qu'elle n'eût trouvé que répondre, la porte de la bibliothèque s'ouvrit dans son dos. Elle se retourna avec colère : ses parents ! Qui les avait prévenus ? Ils paraissaient confus et alarmés.

— Quelle surprise ! dit M. de Lambrefoux. Puis-je savoir ce qui nous vaut le plaisir d'un si prompt retour ?

En deux pas, Sophie fut devant son père.

— Je vous l'expliquerai plus tard, dit-elle d'une voix entrecoupée. Maintenant, je vous supplie de me laisser seule avec monsieur...

— Mais, Sophie, mon enfant, ce n'est pas possible ! bredouilla Mme de Lambrefoux. Ce que vous nous demandez là...

— Laissez-moi seule ! répéta Sophie.

Et ses yeux se chargèrent d'une telle autorité, que la comtesse fondit sur place. Le comte lui-même, comprenant la gravité de l'événement, préféra une retraite digne aux risques d'une altercation devant un étranger. Sa fille lui en imposait. Il ne trouvait en elle aucune des qualités d'indulgence, de scepticisme et de civilité dont il se flattait d'être pourvu, mais une fermeté d'âme, qui, personnellement, lui avait toujours fait défaut.

— Eh bien ! c'est entendu, dit-il avec une fausse bonhomie. Venez donc nous rejoindre au salon, tout à l'heure...

Il sortit, donnant le bras à sa femme, qui penchait une tête triste et pliait les genoux. Sophie attendit que leur pas se fût éloigné, puis, faisant face à Nicolas, elle dit avec fougue :

— Parlez, à présent ! Vous en étiez à me reprocher mon indifférence !...

— Oui, il m'avait semblé...

Elle ne lui laissa pas achever sa phrase :

— Et, parce qu'il vous « avait semblé », vous êtes revenu en pleine nuit me demander une explication ? De quel droit, Monsieur, me dérangez-vous ainsi ? Qu'attendez-vous que je vous dise ?

Sa voix se brisait de fureur. Plus elle avait envie de se jeter dans les bras de cet homme, plus elle s'acharnait à le repousser en paroles. Les reproches qu'elle lui adressait la protégeaient contre sa propre faiblesse. Jusqu'à quand faudrait-il qu'elle lui fît mal et se fît mal à elle-même, pour que, vaincu, il acceptât de partir ? Lorsqu'il serait loin, elle retrouverait la paix dans le désespoir, elle en était sûre. Mais maintenant, devant ce visage étonné, malheureux, elle ne pouvait que frapper et souffrir.

— Vous êtes fâchée et je vous demande pardon ! dit Nicolas avec un regard si loyal et si tendre qu'elle en fut bouleversée. Mais, quand je me suis vu sur la route, ce matin, j'ai compris que je ne pouvais m'en aller ainsi pour toujours, sans m'être assuré des sentiments que vous aviez pour moi...

— Vraiment ? s'écria Sophie.

Elle perdit le fil de sa pensée et resta une seconde la bouche ouverte, sans voix : « Qu'il lâche prise, qu'il renonce, qu'il disparaisse, sinon c'est moi qui céderai ! Je n'en peux plus ! Vite ! Vite ! »

— Vous avez donc rebroussé chemin avec l'espoir de me retrouver éplorée ? dit-elle enfin. Sans doute ne vous aurait-il pas déplu d'emporter ce souvenir de votre temps d'occupation à Paris. Je regrette, Monsieur, de ne pouvoir satisfaire votre vanité sur ce point...

— Je ne suis pas venu pour vous demander si vous m'aimiez, Madame, murmura-t-il, mais pour vous dire que je vous aime !

La douceur de ces mots était intolérable. Elle savait déjà que, pendant des mois, des années, ils empoisonneraient sa solitude. Un mauvais sourire aux lèvres, elle demanda :

— Est-ce la certitude que vous ne me reverrez pas demain qui vous encourage à me faire cette déclaration aujourd'hui ? Croyez-vous généreux, amusant, de jeter le trouble et de disparaître ? Que me répondriez-vous, qu'entreprendriez-vous, si, d'aventure, je me montrais émue ?

— Mais, Madame...

— Resteriez-vous en France ? Non, n'est-ce pas ? Votre vie, c'est l'armée, votre patrie, la Russie. Vous ne pouvez faire autrement que retourner là-bas. Alors, que signifie ce jeu ? Où voulez-vous en venir ? Je vous le dis tout net, Monsieur : j'ai eu pour vous quelque sympathie, je garderai un bon souvenir de vous, ne me forcez pas à reviser mon jugement !...

Nicolas inclinait la tête et laissait pendre les bras. Sophie eût aimé voler à son secours, mais demeurait sur place, prisonnière de son rôle. Plus blessée que lui, elle n'avait même pas la licence de montrer sa douleur. Soudain, elle dit d'une voix forte :

— Il est tard, Monsieur... Il faut que vous partiez...

Il sursauta, comme si, jusqu'à ce dernier mot, il eût encore espéré la convaincre. Subitement, il comprenait son erreur ! Tous les risques d'une chevauchée nocturne pour en arriver là ! En le rabrouant, Sophie lui rendait service. Dès qu'on touchait à son honneur, il voyait rouge. Il sortit de la bibliothèque, rabattit la porte et dévala l'escalier.

En atteignant la dernière marche, il aperçut deux personnes qui semblaient l'attendre. Les parents de Sophie. Une angoisse muette les tendait vers Nicolas. Il les balaya d'un regard aveugle. Tout à la colère, il regrettait déjà d'avoir quitté la jeune femme sans lui avoir dit son fait. Des phrases vengeresses le secouaient : « Madame, ou vous m'avez joué la comédie jadis, ou vous me la jouez maintenant ! Dans les deux cas, votre attitude est indigne ! » Voilà ce qu'il aurait dû lui lancer à la face.

— Eh bien ! Monsieur, demanda timidement M. de Lambrefoux, nous ferez-vous le plaisir de nous accorder un instant d'entretien ?

Sans l'écouter, Nicolas tourna sur lui-même, empoigna la rampe et remonta l'escalier en courant. Un ouragan le poussait dans le dos. En quatre pas, il franchit le palier. Elle allait l'entendre ! Chacun son tour ! Brutalement, il ouvrit la porte de la bibliothèque. La stupeur le cloua sur le seuil. Devant lui, cette forme écroulée dans un fauteuil, c'était Sophie. Elle leva un visage baigné de larmes. Il vit ces traits crispés, ces joues humides, ces yeux flambant de crainte et de haine, et, tout à coup, il se sentit démesurément heureux.

— Madame, chuchota-t-il, vous pleurez...

Elle se dressa d'une seule détente. Ses prunelles s'élargirent encore, ses narines se pincèrent. Comme elle le détestait de l'avoir surprise ! C'était une ennemie qui s'avançait vers lui, les mains vides, mais avec un éclat meurtrier dans le regard. Tendrement, pour la première fois, il prononça son prénom :

— Sophie ! Sophie !...

Elle secoua la tête. Un râle s'échappa de ses lèvres :

— Allez-vous-en !

Il restait immobile, enchanté.

— Allez-vous-en ! cria-t-elle plus fort. Dois-je appeler mes gens pour qu'ils vous jettent à la porte ?

— Sophie, dit-il, je partirai... Je partirai à l'instant, je vous le jure !... Mais il faut que vous sachiez...

Un éclair blanc et noir lui fouetta les yeux. Sophie s'était ruée hors de la pièce. Le temps de reprendre ses esprits, et Nicolas se lançait à sa poursuite. Une porte claqua. Une clef tourna dans une serrure. Sophie s'était enfermée dans sa chambre. Devant le battant de bois plein, il dit encore :

— Sophie ! Sophie ! Je vous aime ! Je ne vous oublierai jamais !

Il parlait à un tombeau. Enfin, ce silence le chassa. En redescendant l'escalier, il s'étonna d'être si léger, malgré l'idée que tout était fini entre lui et Sophie. L'avait-il à ce point sublimée qu'il n'eût pas besoin de sa présence réelle pour être heureux ? Dans son exaltation, il fut près de le croire. Déjà, il l'associait en imagination à tous les devoirs, à toutes les joies, à toutes les vicissitudes d'un avenir auquel pourtant elle resterait étrangère. Comme à travers un brouillard, il vit deux silhouettes dressées en contre bas, dans un halo de lumière. De nouveau, M. et Mme de Lambrefoux eurent un mouvement vers le somnambule qui passait devant eux. Ce déplacement d'ombres l'éveilla à demi. Ralentissant le pas, il les salua d'une inclination du buste :

— Adieu, Monsieur... Adieu, Madame...

On n'osa pas le retenir. Dans la cour, il trouva son cheval attaché à un anneau. La jument paraissait dispose. Nicolas l'enfourcha, lui flatta l'encolure de sa main gantée et se fit ouvrir le portail par un concierge en bonnet de coton.

Paris continuait à dormir. Les ombres de la nuit, le vaste silence où résonnait le pas du cheval, donnaient aux réflexions de Nicolas une tournure plus solennelle encore. Sa souffrance était si haute, si désintéressée, qu'il l'éprouvait avec un plaisir respectueux. La fatigue physique contribua bientôt à transformer son délire en un sentiment tranquille. Des larmes tremblaient dans ses yeux. Après la barrière de l'Etoile, il poussa son cheval au trot. Les étoiles dansèrent au-dessus de sa tête. La route s'allongea, grise entre les champs noirs.

Balancé sur sa selle, la bouche ouverte, les paupières à demi closes, Nicolas n'avait plus qu'une notion confuse du monde. Pour ne point s'assoupir tout à fait, il se mit à parler en russe à Sophie.

DEUXIÈME PARTIE

1

A force de tourner dans la chambre, Nicolas prenait en horreur le papier jaune des murs, les meubles de gros bois ciré, le lit garni d'un édredon rouge, le crucifix catholique en ivoire et la lampe à huile, dont un abat-jour de carton vert atténuait l'éclat. Cette fois, son billet de logement l'avait conduit chez un notaire. C'était assurément l'un des meilleurs gîtes qui lui eût été assigné depuis la reprise de la guerre au mois de mai 1815, mais il était trop anxieux pour en apprécier le confort. Toutes les cinq minutes, il s'approchait de la fenêtre et jetait un regard dans la rue. Neuf heures du soir et toujours pas de Roznikoff ! Que faisait-il si longtemps au quartier général ? « S'il avait réussi dans sa mission, il serait déjà de retour, décida Nicolas. Mais il est trop optimiste. Il va irriter le prince Volkonsky en insistant. J'aurais dû l'empêcher d'aller là-bas ! » Il avait beau se répéter que la partie était déjà perdue, son espoir demeurait vivace. Penché à la croisée, il humait, il écoutait, il implorait la nuit.

La ville de Saint-Dizier n'était que ténèbres et silence. Dans toutes les maisons, des civils craintifs se serraient pour laisser la place aux militaires. Avec quelle rapidité les Français étaient passés de l'enthousiasme le plus fou à l'abattement le plus misérable ! Le débarquement de Napoléon, évadé de l'île d'Elbe, avait surpris les armées alliées au repos dans leurs garnisons et les diplomates alliés en discussion au congrès de Vienne. Avant d'avoir compris ce qui lui arrivait, le gros Louis XVIII, trahi par un peuple volage, fuyait les Tuileries, où le tyran d'hier se réinstallait avec arrogance. Aussitôt, les souverains coalisés mettaient Bonaparte hors la loi et ordonnaient la reprise des hostilités. Evacuées de France l'année précédente, les troupes russes se dirigeaient à marche forcée vers le Rhin. Mais elles venaient de si loin que les unités anglaises, autrichiennes, prussiennes les devançaient dans leur mouvement et entraient les premières en contact avec l'ennemi. Après quelques rencontres secondaires, l'écrasante victoire de Waterloo semblait avoir réglé le sort de la campagne. L'orgueil militaire de Nicolas s'accommodait mal du fait que ses compatriotes n'eussent pas gagné leur part de gloire à cette occasion.

Sans avoir eu la chance de combattre, le IVe corps d'armée du général Raïevsky passait le Rhin et progressait par Haguenau, Phalsbourg et Nancy vers le cœur de la France. Avec ces régiments d'élite, habillés et armés comme pour la parade, voyageaient le tsar, l'empereur d'Autriche, le roi de Prusse, leurs états-majors, leurs ministres, tous les officiers de leur suite et une nuée de secrétaires et de courtisans. Hippolyte Roznikoff faisait partie, depuis peu, de cette brillante cohorte. Devait-il cette brusque ascension à ses qualités militaires, à son caractère aimable ou à ses relations dans les milieux de la franc-maçonnerie ? Quelques mois d'intrigues lui avaient suffi pour être nommé officier d'ordonnance auprès du prince Volkonsky. Pourtant, ce succès ne lui avait pas tourné la tête. Peu après, il avait obtenu que Nicolas, alors en garnison à Varsovie, fût tiré de son régiment et affecté, lui aussi, à l'état-major. Les attributions du nouveau venu étaient encore mal définies. Placé sous les ordres d'un vieux colonel, chef du département topographique, Nicolas avait l'impression que nul n'avait besoin de lui et que, s'il disparaissait, son absence ne serait même pas remarquée. En d'autres circonstances, il eût souffert de sa situation inutile, mais, aujourd'hui, il osait en espérer un extraordinaire avantage. Avant d'arriver à Saint-Dizier, l'empereur Alexandre avait appris sur la route, par un courrier spécial, que les troupes prussiennes occupaient Paris. D'après le général Tchernycheff, qui avait rejoint Blücher et Wellington, la population se montrait hostile au retour de Louis XVIII et seul le tsar était capable d'apaiser l'agitation politique par son auguste présence. Mais il y avait deux cents verstes entre Paris et Saint-Dizier. L'armée ne pouvait couvrir cette distance en moins de huit jours. Or, à présent, chaque minute était précieuse. Sans doute le tsar allait-il charger quelques officiers d'ordonnance de se rendre en éclaireurs dans la capitale. Si le bel Hippolyte savait se montrer persuasif, Nicolas pourrait être du nombre. Depuis un an qu'il avait quitté Paris, il ne cessait de rêver à l'instant où il lui serait donné d'y revenir. Certes, les trois lettres qu'il avait écrites à Sophie étaient demeurées sans réponse, mais il refusait d'en conclure qu'elle l'avait oublié. N'y avait-il pas quelque chose de providentiel dans cette nouvelle guerre, qui, à travers la fumée et le sang des combats, lui offrait une chance de la rejoindre ? Facilement superstitieux, Nicolas n'était pas éloigné de croire que Dieu avait pris son cas particulier en considération pour décider le choc énorme des peuples sur la terre. C'était vers Dieu encore qu'il se tournait pour le supplier d'aider Hippolyte Roznikoff à obtenir gain de cause. Mais l'icône familiale était restée dans les bagages. Pouvait-on prier convenablement devant un crucifix catholique ? Il se posait la question, quand un pas viril retentit dans la rue. Sans attendre que son ami fût entré dans la maison, Nicolas cria par la fenêtre :

— Alors ?

Roznikoff renversa la tête, sa figure apparut sous la visière du shako, mais il ne répondit rien. « Mauvais signe », pensa Nicolas. Et il se dépêcha d'ouvrir la porte.

— Alors ? répéta-t-il, comme Roznikoff pénétrait dans la chambre.

— Alors, dit Roznikoff, c'est de la démence ! Sais-tu ce qu'a décidé le tsar ? Il abandonne l'armée et se rend à Paris, en voiture, avec l'empereur d'Autriche et le roi de Prusse. Notre état-major général et le IVe corps suivront l'itinéraire prévu, par Sézanne et Coulommiers, tandis que les souverains passeront à toute vitesse par Châlons, Epernay, Château-Thierry et Meaux.

— Qui les protégera ?

— Une escorte de cinquante cosaques, en tout et pour tout ! Ils ne veulent pas s'encombrer de troupes qui retarderaient leur mouvement !

— Et s'ils sont attaqués en cours de route ? Le pays est loin d'être pacifié !...

— Le prince Volkonsky a présenté toutes ces objections à l'empereur, mais Sa Majesté n'a pas daigné en tenir compte, soupira Roznikoff. C'est plus que du courage, c'est de la témérité !

Déçu dans ses espérances, Nicolas s'assit au bord du lit et regarda Roznikoff, qui posait son épée et déboutonnait son habit vert à retroussis écarlates.

— Tu ne me demandes pas si j'ai parlé de toi au prince ? reprit Roznikoff.

Nicolas haussa les épaules :

— A quoi bon, maintenant !...

Sa conviction était faite. Il suivrait le lent mouvement de l'armée. Peut-être, le département topographique ne serait-il même pas installé à Paris !

— L'empereur sera accompagné de Volkonsky, de Nesselrode et de Capo d'Istria, dit encore Roznikoff dans un bâillement. Plus, évidemment, des aides de camp, des secrétaires... et six officiers d'ordonnance, choisis parmi ceux qui parlent le mieux le français ! Voilà qui devrait te faire dresser l'oreille !

— Pourquoi ?

— Tu ne comprends pas ?

Nicolas bondit sur ses jambes :

— Tu ne veux pas dire que ?...

— Si, mon cher. Comme tu es de nous tous celui qui s'exprime le plus aisément dans la langue de Voltaire, je n'ai pas eu de mal à soutenir ta candidature.

— Et Volkonsky a accepté ? balbutia Nicolas.

— Oui.

Dans sa joie, Nicolas courut sur Roznikoff, le secoua par les épaules et le bourra de coups de poing en riant aux éclats :

— Tu es extraordinaire, Hippolyte !... Ah ! comme je suis heureux !... Ah ! comme je te remercie !... Mon cher ami, mon grand ami !... Si Volkonsky se doutait que je suis ce même lieutenant qu'il a voulu mettre aux arrêts pour insolence, à Paris...

— Il le sait fort bien, dit Roznikoff. C'est même, en partie, ce qui l'a décidé !

— Comment ça ?

— Il m'a dit : « Votre ami Ozareff et moi sommes de vieilles connaissances. Un garçon qui ose demander des cartes d'invitation au chef d'état-major est certainement capable d'initiative dans des circonstances plus importantes ! » Bref, il a signé ton ordre de route. Nous partons demain matin, à huit heures.

Nicolas ne l'écoutait plus et hurlait :

— Antipe ! Antipe ! Viens vite !

Antipe surgit de la pièce voisine, un tablier sale sur le ventre et une brosse noire à la main.

— Sers-nous immédiatement du thé et du rhum ! dit Nicolas.

Roznikoff protesta qu'il n'avait pas soif et qu'il voulait se coucher tôt : il habitait dans la maison d'en face. Mais Nicolas se fâcha :

— Non, non, tu vas rester, ou je m'offense ! Après ce que tu as fait pour moi, il faut que nous buvions !

Antipe apporta la bouteille de rhum et se mit à ranimer les charbons du petit samovar de voyage. Pour réussir cette opération, la méthode la plus simple consistait à coiffer le tuyau avec une botte et à manœuvrer la tige de cuir, de haut en bas, à la manière d'un accordéon. La botte soufflait sur les braises. Un bourdonnement de bulles emplissait la panse de cuivre jaune. Bientôt, une eau bouillante coula du robinet dans les verres à demi pleins d'alcool. Une goutte de thé concentré, un morceau de sucre pour adoucir le breuvage, et les deux amis, debout l'un devant l'autre, trinquèrent, la tête haute et le bras tendu. A Varsovie encore, poussé par l'ennui de la vie de caserne, Nicolas avait raconté à Roznikoff son amour pour Sophie et les circonstances étranges de leur séparation. Les confidences qu'il avait faites hier à son ami le dispensaient de lui expliquer aujourd'hui les motifs de son allégresse. Roznikoff buvait, riait, clignait de l'œil, disait :

— Sacré cochon ! Si tu te voyais ! On jurerait que tu viens d'être promu général ! Tout ça parce que tu espères revoir une femme qui ne pense peut-être plus à toi !

— N'espères-tu pas revoir ta pâtissière ?

— Joséphine ? s'écria Roznikoff. J'avoue qu'elle m'est complètement sortie de la tête.

— Je comprends, dit Nicolas avec ironie. Un officier d'ordonnance du prince Volkonsky se doit de viser plus haut.

— Sans doute, concéda Roznikoff. « Noblesse oblige », comme disent les Français... Encore un verre, et je pars !

Il resta au-delà de minuit. Comme la consigne était de ne pas s'encombrer de bagages, Antipe prépara une seule cantine à vivres pour son maître et pour Roznikoff. C'était un coffre long d'une aune, recouvert de peau de cerf, ferré aux angles et pourvu d'une serrure. Là-dedans, sur les indications de Nicolas, l'ordonnance rangea une casserole, quatre tasses, quatre verres, quatre assiettes, des serviettes, des plumes d'oie, du papier, un rasoir, un savon, des brosses à reluire, trois bouteilles de vin, une bouteille de rhum et un poulet froid. Tout en serrant ces objets, Antipe reniflait de désolation. Il ne pouvait être question de l'emmener dans un voyage de ce genre. Comment retrouverait-il son maître à Paris ? Pour le tranquilliser, Nicolas lui signa une attestation de service. Antipe, qui ne savait pas lire, baisa le papier, le roula en tuyau et le suspendit à la chaînette de sa croix de baptême, entre la peau et la chemise.

Des rires et des bruits de bottes venaient de la rue. Quelques officiers éméchés rôdaient dans la ville à la recherche de leur logement. Dans un élan de camaraderie, Nicolas les invita à monter chez lui. Ils lui étaient tous inconnus et tous sympathiques. L'un d'eux s'était procuré des bouteilles de kummel. De quoi boire dignement à la santé du tsar, de l'armée et des jolies femmes. A deux heures du matin, ils chantaient encore. De temps à autre, Nicolas entendait grincer une porte. C'étaient le notaire et son épouse qui s'aventuraient dans le couloir, écoutaient le vacarme et, terrifiés, se dépêchaient de regagner leur chambre.

★

Au premier relais après Saint-Dizier, Nicolas, laissant ses compagnons dans la voiture, était grimpé sur le siège, à côté du cocher, pour respirer l'air pur et regarder le paysage. La lourde berline du tsar, tirée par six chevaux, menait le mouvement. Derrière, attelées de quatre chevaux, venaient les berlines des généraux, des aides de camp, des officiers d'ordonnance, et, en queue, le fourgon du service des archives. Cela formait en tout un cortège de neuf véhicules énormes, à caisses jaunes et noires, écrasés de bagages et nimbés de poussière. Le fracas des roues était assourdissant. De chaque côté de l'équipage impérial galopaient de grands cosaques en tunique rouge, la lance au poing. C'était le comte Orloff-Dénissoff en personne qui commandait le détachement. Les souverains de Prusse et d'Autriche s'étaient laissés distancer par les Russes et se traînaient très loin, au milieu d'une lente caravane de carrosses, de coupés, de malles-poste et de chariots. Depuis midi, on les avait perdus de vue. Mais nul ne s'inquiétait de cette disparition. La consigne était d'aller vite. Heureusement, la route se prêtait à une course rapide, car elle était pavée en son milieu, ce qui offrait un bon passage pour les roues.

Cramponné de la main gauche à la rambarde du siège, Nicolas serrait dans sa main droite la crosse courbe de son pistolet. La folie de cette expédition lui était apparue pour la première fois en fin de matinée, devant Vitry-le-François. Une garnison française tenait encore la place. A l'approche des voitures, trois escadrons étaient sortis de la ville, comme pour couper la route aux voyageurs. Inférieurs en nombre, les cosaques n'auraient pu opposer qu'une courte résistance. Quelle chance pour Napoléon si le tsar, son chef d'état-major et ses principaux ministres avaient été faits prisonniers avant l'ouverture des négociations de paix ! Mais les Français, arrivés en vue du convoi, s'étaient arrêtés, puis avaient tourné bride, refusant un combat dont ils ne supposaient pas que l'enjeu fût si important. Nicolas percevait la volonté divine dans cette sauvegarde accordée à un prince audacieux. Mais un pareil miracle se renouvellerait-il en toute occasion ? Les éclaireurs cosaques avaient signalé des rassemblements suspects aux abords de certains villages : déserteurs, partisans, brigands de grands chemins ? Nicolas scrutait l'horizon. Tout était calme. La chaussée suivait le cours de la Marne. Entre les rives vertes, l'eau jouait avec les reflets du soleil et les ombres des arbres. Cela donnait envie de se mettre nu et de plonger dans le courant. Plus il pensait à la baignade, plus Nicolas avait chaud sous son uniforme boutonné jusqu'au col. A côté de lui, le cocher, barbu, pansu, transpirait à pleines joues et tirait la langue. Parfois, il faisait claquer son long fouet dans l'air, moins pour exciter les bêtes que pour se dégourdir lui-même. Les deux chevaux de devant galopaient tête baissée, avec application (un postillon était assis sur celui de gauche) ; les deux timoniers, en revanche, tendaient l'encolure, secouaient la crinière et hennissaient de joie. Leurs croupes solides et soyeuses étaient déjà couvertes d'écume. Nicolas se laissait fasciner par la puissante régularité de leur travail. Une odeur âcre venait à lui de leur pelage humide et de leur harnais de cuir chaud. Le bruit des sabots et des roues bandées de fer lui martelait le crâne.

La route devenant mauvaise, le cortège ralentit son allure. Là-bas, en tête du défilé, la berline impériale dansait entre ses ressorts. Derrière elle, les voitures de la suite imitaient ses moindres soubresauts avec un empressement comique. Les maisons blanches d'un village s'écartèrent devant les cosaques qui passaient au trot, la lance basse. Des poules se perchèrent en caquetant sur un tas de fumier juteux. Un troupeau d'oies indignées se rangea contre le mur, avec, parmi toutes ces plumes blanches, une fillette en haillons gris. Une charrette de foin, barrant à demi la route, faillit être accrochée par la troisième voiture, celle des aides de camp. Deux paysans affolés sortirent de la forge. Ils criaient :

— Heu-là ! Heu-là !

Dans l'atelier ouvert, le maréchal-ferrant continuait son travail : le feu ronflait, le marteau tapait le fer sur l'enclume. Une mère cacha la tête de son petit garçon dans son tablier, pour l'empêcher de voir les barbares. Le cocher enveloppa ses chevaux d'un souple coup de fouet. Des toits s'envolèrent. La campagne verte et jaune recouvrit tout comme une lame de fond.

Une verste encore et ce fut le relais. Des chevaux tout harnachés attendaient les voyageurs devant une auberge, sous la garde d'une cinquantaine de cosaques destinés à la relève des convoyeurs. Nicolas descendit de son siège, juste à temps pour voir le tsar et quatre généraux s'engouffrer dans la maison. Les officiers d'ordonnance n'osèrent y entrer à leur tour et se massèrent dans la courette, à l'ombre d'une tonnelle. Ils pliaient les genoux, remuaient les épaules, pour défatiguer leurs membres moulus. Hippolyte Roznikoff commanda du vin blanc pour tout le monde. Mais aurait-on le loisir de le boire ? La fille de l'aubergiste, rose comme une cerise, apporta deux pichets et des verres.

— Que vous êtes jolie, Mademoiselle ! dit le bel Hippolyte en frisant son brin de moustache. Comment vous appelez-vous ?

Elle parut s'offusquer d'être interpellée en français par un officier russe. Ce fut seulement lorsqu'il lui eut pincé la taille qu'elle se rassura. Enfin, elle se retrouvait en pays de connaissance.

— Je m'appelle Germaine, dit-elle.

Et elle s'enfuit.

Charmante Germaine,
Percé de mille dards...

fredonna Roznikoff.

Cependant, les postillons s'affairaient autour des bêtes fraîches et les poussaient vers les brancards. Soudain, comme apporté par la bourrasque, un cavalier passa sous le porche, sauta de sa selle, jeta la bride à un valet d'écurie et se précipita vers le bâtiment central. Sans doute était-ce une estafette, expédiée de Paris à la rencontre du tsar. N'y avait-il pas des combats de rues dans la capitale entre bonapartistes et royalistes ? Les Prussiens, dont la haine contre la France était bien connue, pouvaient prendre prétexte des moindres désordres pour mettre la ville à feu et à sang. Les craintes de Nicolas à ce sujet étaient si vives, qu'il s'en ouvrit à ses compagnons. Chacun donnait son opinion sur l'affaire, lorsque le prince Volkonsky sortit de l'auberge, appela Roznikoff et lui tendit une liasse de journaux.

— Les dernières gazettes de Paris, dit-il d'une voix brève. Lisez-les en cours de route. Je veux, pour ce soir, un rapport sur l'ensemble, avec traduction en russe des passages les plus importants.

Les six officiers d'ordonnance s'étaient figés au garde-à-vous pour écouter les instructions du prince. Quand il fut parti, Roznikoff étala les feuilles imprimées sur la table, entre les verres, et tous se penchèrent dessus. La gazette la plus récente datait de la veille, 8 juillet. Le *Moniteur*, composé en caractères plus gros que de coutume, proclamait : « La commission de gouvernement a fait connaître au roi, par l'organe de son président, qu'elle venait de se dissoudre... Le roi entrera à Paris vers trois heures après-midi. » Dans un autre numéro, on lisait que « tout gouvernement qui serait imposé par la force, n'adopterait pas les couleurs nationales et ne garantirait pas les libertés constitutionnelles, n'aurait qu'une existence éphémère » ; ailleurs encore, c'était l'annonce de l'abdication de Napoléon en faveur de son fils, puis de fumeuses déclarations de Fouché, de Lafayette, une grisaille de discours patriotiques et de mandements contradictoires qui dissimulaient mal le désarroi d'un peuple vaincu pour la seconde fois en un an. Hippolyte Roznikoff dit avec force :

— La France est vraiment un pays d'écervelés. Leur vanité n'a d'égale que leur fourberie. Qu'ils trahissent Napoléon pour se rallier à Louis XVIII, ou Louis XVIII pour se rallier à Napoléon, ils croient utile de se draper dans leur dignité nationale !

Nicolas aurait voulu défendre les compatriotes de Sophie, mais était obligé de convenir qu'ils s'étaient placés dans un mauvais cas. Si, l'année précédente, il était possible de trouver des excuses aux Français conduits à leur ruine par un tyran, comment justifier qu'ils lui eussent rendu leur confiance au point de reprendre la guerre sous ses ordres ? A présent, les Alliés étaient en droit de regretter la façon magnanime dont ils avaient traité ces adversaires impénitents. L'empereur Alexandre ne pourrait plus dire qu'il n'avait d'autre ennemi en France que Bonaparte !

— Comme toujours, nous avons eu tort d'être trop généreux ! grommela Hippolyte Roznikoff en vidant son verre. C'est un défaut chez les Russes. Ils ont l'âme large, ils donnent leur amitié sans garantie...

Depuis un moment, l'aubergiste rôdait dans la cour et regardait avec envie les journaux venus tout droit de la capitale. Enfin, n'y tenant plus, il s'approcha des officiers et leur demanda s'il y avait « du nouveau dans la politique ». On lui assura que tout allait mal à Paris, mais que le tsar saurait, une fois de plus, rétablir l'ordre dans les affaires de la France.

— Ah ! qu'il se dépêche, grogna l'homme, car pour nous, ici, entre les royalistes qui menacent d'égorger les bonapartistes, les bonapartistes qui menacent d'égorger les royalistes et les jacobins qui préparent une nouvelle révolution, comment voulez-vous que ça marche ? Avant-hier, j'ai été pillé par des soldats français en maraude qui criaient : « Vive l'Empereur ! » en vidant mes bouteilles et en saignant mes poulets... Hier, ce sont des ultras qui sont venus de Pogny pour me rançonner : ils me reprochaient d'avoir nourri la veille une troupe de déserteurs. Ces mêmes déserteurs ont mis le feu, ce matin, paraît-il, à un château, dans les deux lieues d'ici, parce que le monsieur avait hissé un drapeau à fleurs de lys au mât de sa tourelle...

L'aubergiste avait un front trop bas, des joues trop sanguines et des avant-bras trop velus pour être soupçonné de poltronnerie. A l'entendre parler de la sorte, Nicolas se sentait plus pressé encore de retrouver Sophie et de la prendre sous sa protection. L'ordre de route prévoyait que le tsar et sa suite passeraient la nuit à Châlons et en repartiraient le lendemain, 10 juillet, à l'aube, pour être à Paris dans la soirée. Encore fallait-il ne pas s'attarder inutilement aux relais ! Que faisait-on dans cette cour, alors que les chevaux étaient attelés depuis un quart d'heure ? Rongé d'impatience, Nicolas n'entendait plus ses voisins de table et se tapotait nerveusement la cuisse avec une paire de gants. Bien que l'auberge fût loin du village, des paysans, venus d'on ne savait où, se massaient sous le porche. Comme tous ceux qui travaillent la terre, ils avaient des visages las, durs et inexpressifs. Ils reluquaient les cosaques et échangeaient des observations en patois.

Enfin, le tsar reparut, la taille un peu voûtée, le regard soucieux, et se dirigea d'un pas leste vers sa voiture. Chaque fois que Nicolas voyait passer l'empereur, il éprouvait dans la poitrine une crispation de respect. Au moment d'escalader le marchepied, Sa Majesté se tourna vers l'aubergiste et lui parla en souriant. Nicolas ne put saisir les propos du monarque, mais devina qu'il faisait un mot historique. En toute occasion. Alexandre Ier soignait sa réputation de charmeur. Un aide de camp tira un carnet de sa poche et y nota ce qu'il avait entendu. L'aubergiste s'était plié jusqu'à terre, sous le poids de la reconnaissance. Nul doute que, demain, il clouerait une plaque commémorative au mur de sa maison. Le temps d'un clin d'œil, et tous les cosaques furent à cheval, tous les officiers de la suite dans leurs voitures. Nicolas retrouva avec plaisir son siège haut perché. Les portières claquèrent, un postillon sonna dans une corne et le convoi repartit.

La voiture de l'empereur menait toujours le train entre deux haies de cosaques rouges, la barbe au vent. Après Pogny, où on changea encore de chevaux, Nicolas eut une émotion en apercevant, loin devant lui, au bord de la route, les taches bleues de quelques uniformes. En arrivant sur eux, il reconnut une dizaine de soldats français, l'habit poudreux, la joue creuse et velue, l'œil hagard. L'un avait un bandage sanglant autour du crâne, un autre marchait pieds nus et boitait à chaque pas. La plupart portaient un fusil en bandoulière. Mais ils ne songeaient pas à s'en servir. Etaient-ce les mêmes qui avaient incendié le château ? Nicolas fut déchiré par leurs regards comme par un buisson d'épines. Quelle haine impuissante sur le visage de ces hommes, dont certains étaient peut-être entrés victorieux à Moscou ! Qui pourrait leur donner une paix acceptable après les rêves de gloire qu'ils avaient faits avec Napoléon ?

Tourné sur son siège, Nicolas vit la petite troupe diminuer et disparaître dans la poussière. Les chevaux galopaient rondement et, cependant, il avait l'impression que la voiture se traînait sur la route. Il se demanda si Sophie n'avait pas une vague prescience de son retour. En apprenant que les armées russes pénétraient en France, elle avait pu se dire qu'il marchait sur Paris avec son régiment. Elle l'attendait sans véritablement espérer sa venue !... A moins qu'elle ne se fût encore une fois réfugiée en province !... Comment osait-il se réjouir de leur prochaine rencontre, alors qu'il ne savait rien d'elle depuis un an ? Il se traita d'imbécile et tomba de l'exaltation dans la détresse la plus profonde.

Tard dans la journée, de fortes secousses l'arrachèrent à ses méditations. Le convoi entrait dans une ville aux pavés inégaux. Châlons avait été occupé par la cavalerie du général Tchernycheff. Il y avait beaucoup de monde dans les rues. Assis près du cocher, Nicolas passait à la hauteur des enseignes en tôle peinte des magasins : une botte énorme, un grand chapeau rouge, un superbe pain jaune à nervures. Des jouets pour mains de géants. Et, au-dessous, la foule menue et silencieuse. Un mélange de paysans et de citadins. Les derniers rayons du soleil embrasaient les vitres des maisons et doraient le visage des femmes. Çà et là, se voyaient une fleur de lys, une cocarde blanche. On se bousculait autour des chevaux, qui marchaient au pas. Les cosaques avaient du mal à empêcher les Châlonnais de jeter des regards indiscrets dans les voitures. Parmi ceux qui avaient aperçu le tsar, certains retiraient leur chapeau. Mais personne ne criait plus comme autrefois : « Vivent les Alliés ! Vive l'empereur Alexandre ! »

2

« Et si elle s'était mariée ? » Cette idée arrêta Nicolas dans la rue de Grenelle. Il avait tout envisagé, sauf l'éventualité la plus simple et la plus tragique. Maintenant, vidé de ses forces, il n'osait plus avancer, et les passants s'écartaient de lui comme l'eau contourne un récif. Certains le regardaient avec une curiosité ironique, ce qui lui donnait encore plus l'impression de s'être fourvoyé. Que de temps perdu ! En arrivant à Paris, la veille au soir, il avait espéré pouvoir se précipiter chez Sophie, mais les obligations de service l'avaient retenu très tard à l'Élysée-Bourbon. L'empereur Alexandre se réinstallait dans les meubles de l'an dernier et accueillait Louis XVIII, qui, en gage de gratitude, le décorait, séance tenante, du grand cordon de l'ordre du Saint-Esprit. Après cette réception, Nicolas avait gagné la chambre, réquisitionnée pour lui dans un appartement du faubourg Saint-Honoré, et avait passé toute la nuit à rêver d'heureuses retrouvailles. Le soleil s'était levé pour lui sur cette promesse. Et voici qu'au moment d'atteindre le but il doutait encore.

Mais non, Sophie ne pouvait s'être mariée alors qu'il continuait à être amoureux d'elle. Si un pareil malheur était survenu, il en eût été averti par quelque signe mystérieux, par quelque indéfinissable transmission de pensée. Ce matin clair, cette ville bruyante donnaient raison à son espoir. Un vitrier passa devant lui en criant, et il fut aveuglé par le reflet du ciel dans les glaces. « Tout ira bien ! se dit-il. Courage ! » Il se remit en marche. Son excitation ne l'empêchait pas d'ailleurs de réfléchir en stratège au meilleur moyen de se présenter. Surtout, ne pas renouveler les erreurs de l'année précédente. Cette arrivée à cheval, en pleine nuit, cette scène violente dans la bibliothèque, ce passage en trombe devant les parents confus ! Quel enfant il avait été !...

Malgré son désir de maîtrise, il tressaillit d'émotion en apercevant la lanterne de l'hôtel de Lambrefoux. Trop de souvenirs l'envahissaient ensemble. Une mollesse lui vint dans les jarrets. Il se dit : « Si j'atteins le portail en huit pas, c'est que Sophie m'aime et qu'elle est libre ! » Pour gagner son pari, il dut allonger démesurément la dernière enjambée.

Le portier n'avait pas changé. Il fut si étonné en reconnaissant le visiteur, que Nicolas lui fourra trois francs dans la main pour l'aider à se remettre. Instantanément, l'homme cessa de croire aux fantômes. Acheté jusqu'au fond de l'âme, il ne demandait qu'à rendre service. Nicolas apprit de lui que le comte et la comtesse étaient à la maison, mais que Mme de Champlitte avait fui la chaleur et les encombrements de Paris, et se trouvait, depuis quinze jours, chez une amie, à la campagne. Cette nouvelle déçut Nicolas au point qu'il faillit s'emporter. Il lui semblait que Sophie avait manqué un rendez-vous fixé de longue date. Mais tout en maudissant ce contretemps absurde, il était soulagé de sa principale inquiétude : Sophie ne s'était pas mariée. Cela ressortait nettement des confidences du portier.

— Cette campagne où se trouve Mme de Champlitte, pouvez-vous me dire si elle est loin de Paris ? demanda-t-il.

— Je ne sais pas du tout, grommela l'homme en plissant des yeux minces et bêtes comme des boutonnières.

Il mentait. Nicolas, très amer et très digne, se fit annoncer au comte. Un valet qu'il ne connaissait pas l'introduisit dans le salon et le pria d'attendre. « C'est peut-être plus correct ainsi, songeait Nicolas. Revoir ses parents avant de la revoir. Ne rien brusquer, ne rien précipiter... » Il se recommandait le flegme et bouillait sur place. Les portraits de famille le considéraient sans bienveillance.

Tout à coup, une porte s'ouvrit et M. de Lambrefoux apparut parmi ses ancêtres. Il s'avança vers Nicolas avec vivacité, lui serra la main, mais ne l'invita pas à s'asseoir. Après un échange de paroles banales sur les vicissitudes de la politique et les horreurs de la guerre, Nicolas exprima le désir de présenter ses hommages à la comtesse et à sa fille. M. de Lambrefoux lui répondit d'un ton sec que sa femme était occupée et que Sophie était absente de Paris.

— Pense-t-elle revenir bientôt ? demanda Nicolas en rougissant de son audace.

— Je l'ignore, Monsieur, dit le comte.

Un silence suivit. Nicolas ne savait par quel biais reprendre l'entretien. Il sentait que sa visite irritait le comte et, cependant, il n'acceptait pas de se retirer sur cette déconvenue. Avec un branlebas d'angoisse dans la poitrine, il dit encore :

— Pourriez-vous au moins me communiquer son adresse ?

La réplique partit comme une flèche :

— Non, Monsieur.

Le comte avait cambré sa petite taille corsetée. Son port de tête était celui d'un serpent tourné vers l'adversaire. Nicolas ne l'avait jamais vu aussi peu aimable. « Pourtant, je n'ai rien à me reprocher ! », se dit-il. Cette pensée le raffermit.

— Je ne sais ce qui me vaut un refus si abrupt, Monsieur, murmura-t-il. Mais quels que soient vos griefs contre moi, je puis vous assurer qu'ils sont vains. Si vous me trouvez indiscret dans mes questions, n'en accusez que le merveilleux souvenir que j'ai gardé de mon passage dans votre famille.

A ces mots, les traits du comte se détendirent. Il avait toujours été sensible à la musique des phrases.

— Moi aussi, dit-il, j'ai gardé un agréable souvenir de votre séjour sous mon toit. Si j'avais été seul, je vous aurais même prié, sans doute, de revenir vous installer ici, puisqu'une juste guerre vous ramène dans nos parages. Mais je suis père, Monsieur, et, dans ces conditions, vous comprendrez que je vous demande instamment de ne plus reparaître.

— Mais non... Mais non, je ne comprends pas ! bredouilla Nicolas en écartant ses bras comme des ailes.

Ce manque de perspicacité parut irriter le comte. Le langage par allusion était pour lui la plus haute forme de la courtoisie. Il dit à contrecœur :

— L'année dernière, ma femme et moi n'avons pas été sans remarquer vos assiduités auprès de notre fille. Je vous concède que, de son côté, elle a éprouvé quelque sympathie à votre égard. Le départ de l'armée russe a tranché net ces relations qui, en se prolongeant, auraient pu devenir équivoques. Vous n'avez pas le droit, maintenant, de revenir troubler notre quiétude à tous...

Il haussait le ton par degré. Nicolas l'interrompit d'un cri rauque :

— Mais je l'aime, Monsieur !

M. de Lambrefoux fit la moue d'un grammairien heurté par un pléonasme :

— Oui, oui, bien sûr !... On aime facilement à votre âge... La jeunesse, la gloire des armes, le dépaysement, l'attrait de la nouveauté... Mais vous n'allez pas me faire croire que...

— Si, Monsieur ! dit Nicolas avec un élan qui lui fit éclater le cœur. Je l'aime, je l'aime tellement que je ne peux plus me passer d'elle ! Un an de séparation n'a servi qu'à augmenter ma souffrance de l'avoir perdue et mon désir de la revoir...

Tout en parlant, il s'étonnait de son impudeur. Comment pouvait-il déballer sa passion devant un étranger, livrer le plus chaud, le plus rouge de ses secrets à un homme incapable de le comprendre ? Si le comte osait sourire de ses aveux, il ne le supporterait pas, il le tuerait, il se tuerait lui-même. Le comte ne sourit pas, mais demanda d'un air intéressé.

— Avez-vous écrit à ma fille ce que vous me dites là ?

— Oui, répliqua Nicolas. A trois reprises.

— Vous a-t-elle répondu ?

— Non.

— Alors ? soupira le comte avec une satisfaction diabolique.

Et il tapota son jabot de dentelle pour en faire tomber quelques brins de tabac.

— Je ne sais même pas si elle a reçu mes lettres ! dit Nicolas.

— Je puis vous affirmer que si. Je les lui ai remises moi-même.

Profitant du désordre où ces paroles plongeaient

son interlocuteur, M. de Lambrefoux poursuivit :

— La vérité, Monsieur, est que ma fille jouit d'une volonté et d'une droiture peu communes. Après l'extravagante visite nocturne que vous lui avez faite l'année précédente, j'ai eu avec elle une grande conversation. Elle n'a pas tardé à se rendre compte que rien de durable, rien de solide, ne pouvait sortir de ses sentiments pour vous. Ayant passé l'âge des idylles et des chimères, elle ne veut pas compromettre sa réputation dans des amusements sans lendemain...

— Mais il ne s'agit pas d'amusements sans lendemain ! dit Nicolas avec désespoir.

— Allons donc, Monsieur ! Vous êtes un étranger pour nous. Vous venez en France et vous en repartez selon le mouvement des armées. Et vous voudriez que j'attache du crédit à vos déclarations ?

Ces paroles étaient un écho de celles que Sophie avait prononcées elle-même devant Nicolas, lors de leur dernière rencontre. Il sentit qu'il était en train de la perdre. Tout devint froid et noir au dedans de lui. En plein désarroi, il se rappela un projet qu'il avait envisagé à plusieurs reprises, sans jamais le formuler nettement.

— Monsieur, dit-il, me feriez-vous l'honneur de m'accorder la main de votre fille ?

M. de Lambrefoux sursauta et ses joues s'empourprèrent. Se fût-il étranglé avec une arête de poisson que son regard n'eût pas été plus furieux. Enfin, reprenant sa respiration, il prononça d'une voix où sifflait la salive :

— Vous n'y pensez pas, Monsieur !

— Mais si, Monsieur ! rétorqua Nicolas avec superbe.

Et il éprouva une légère frayeur devant la brusquerie et l'énormité de sa résolution.

— Voyons ! Voyons ! dit le comte dans un petit

rire. C'est un enfantillage ! Ma fille n'acceptera jamais... Et, à supposer même qu'elle accepte, songez qu'il vous faudrait quitter votre pays, venir vous installer en France...

— Ce n'est pas mon intention, dit Nicolas. Si j'ai le bonheur d'épouser votre fille, je l'emmènerai en Russie, nous habiterons là-bas...

Cette fois, le comte perdit tout à fait contenance. Il se trouvait devant un fou dangereux. Levant les yeux sur Nicolas, il protesta faiblement :

— Mais, mais... c'est impossible !

— Pourquoi ?

— La Russie est au bout du monde ! Nous ne reverrions jamais notre enfant ! Nous ne saurions plus rien d'elle ! Soyez raisonnable, Monsieur ! Je ne reviendrai pas sur ma décision !

— J'aimerais connaître celle de votre fille, dit Nicolas sans broncher.

— Elle sera identique à la mienne !

— Dans ce cas, bien sûr, je m'inclinerai. Mais, quelle que soit votre opinion, vous n'avez pas le droit de laisser ignorer ma demande à Mme de Champlitte !

— Comptez-vous sur moi pour la lui transmettre ? demanda le comte en avançant la lèvre dans une grimace de dédain.

— Oui, Monsieur, je vous en prie, dit Nicolas avec un abandon sincère. Voyez, je me fie entièrement à votre sens de l'honneur. Je sais que vous ne me desservirez pas comme vous en auriez le pouvoir !

Le comte salua ce compliment d'une petite inclination de la tête. Son adversaire le touchait à un point sensible.

— Soit, Monsieur, dit-il. La commission sera faite. Où pourrai-je vous envoyer un message ?

Nicolas lui donna son adresse. N'ayant plus rien à se dire, ils se toisèrent encore avec la froide dignité de deux escrimeurs après l'assaut. Puis M. de Lambrefoux se dirigea vers la porte. Il était redevenu très calme.

— Adieu, Monsieur, dit-il sur le seuil. Je vous ai prévenu : vous ne pourrez vous en prendre qu'à vous de la réponse que vous recevrez.

— Quelle que soit cette réponse, elle sera sacrée à mes yeux puisqu'elle émanera d'une femme que j'aime et que je vénère plus que tout au monde ! s'écria Nicolas.

Il eut conscience d'avoir mis trop d'emphase dans son discours, bomba le torse, coiffa son shako et sortit avec une raideur militaire.

★

Ce fut en se retrouvant seul, le soir, dans sa chambre, qu'il mesura les graves conséquences de son initiative. Il ne pourrait se marier sans la bénédiction paternelle et l'approbation des autorités militaires. Certes, du côté de ses supérieurs hiérarchiques, il ne pensait pas qu'il eût à redouter une opposition insurmontable, mais, du côté de son père, il prévoyait les pires difficultés. Pour un Russe non amoureux, Sophie avait trois défauts : elle était veuve, française et catholique. Nul doute qu'en sa qualité de chef de famille, Michel Borissovitch Ozareff condamnerait le projet de son fils. Si encore Nicolas lui avait parlé de Sophie, lors des trois semaines de permission qu'il avait passées, au mois de février, à Kachtanovka, s'il lui avait raconté de vive voix sa passion, s'il l'avait préparé à la perspective de ses fiançailles ! Mais il n'avait fait de confidences qu'à sa sœur, Marie, qui était la discrétion même. Qu'adviendrait-il si Sophie acceptait de l'épouser et qu'il ne reçût pas le consentement de son père ? Comment expliquerait-il à cette femme imbue d'idées républicaines qu'à vingt et un ans il ne fût pas encore libre de choisir sa voie ?

Au moment d'écrire à l'homme terrible dont dépendait son destin, Nicolas était paralysé de crainte. Pour ses soldats, il était « Votre Noblesse », pour son père, il n'était qu'un gamin. La page blanche attendait, devant lui, sous la lampe. Impossible de différer l'épreuve. Mais par où commencer ? En quelle langue même exprimer sa requête ? Parmi la haute société, l'usage était de rédiger en français les lettres les plus importantes et en russe les billets d'un tour plus familier. Dans le cas présent, il semblait donc que le français fût indiqué par-dessus tout. Cependant, pour prouver à son père qu'il n'avait pas perdu le sens national en s'éprenant d'une Française, Nicolas opta pour le russe.

Cette première décision lui parut déjà épuisante. Privé des services d'Antipe qui n'était pas encore arrivé à Paris, il avait disposé lui-même son samovar et sa bouteille de rhum sur un guéridon. Ayant bu un verre de thé brûlant additionné de sucre et d'alcool, il se mit en manches de chemise, tailla sa plume, vit son père en imagination et s'embrouilla dans ses idées. Une deuxième rasade n'eut d'autre effet que de lui donner chaud. Une troisième rasade, enfin, le détermina :

« Mon père profondément aimé et respecté,

« Sur le point de franchir un pas dont dépendra le bonheur de mon existence, je vous supplie d'approuver et de bénir le projet que je vais avoir l'honneur de vous exposer ci-dessous. L'année précédente, lors de mon séjour à Paris, j'ai eu la chance de rencontrer une jeune Française... »

L'embarras commençait précisément à cet endroit-là. Après s'être enlisé dans plusieurs circonlocutions, Nicolas eut un sursaut de bravoure et parla un langage simple. Il dit à son père que Sophie appartenait à une grande famille, qu'elle alliait la beauté la plus éclatante à l'esprit le plus fin, qu'elle avait perdu son mari, philosophe âgé et célèbre, et que, depuis ce deuil, elle menait une existence recluse, dont lui, Nicolas, entendait la faire sortir en la prenant pour épouse.

« Je ne l'aurais certes pas remarquée si elle avait été indigne d'entrer dans notre maison, écrivit-il encore. Mais la perfection de ses vertus est telle, que vous serez fier de lui voir porter notre nom. Ah ! père, dites-moi oui et je serai le plus heureux des hommes ! »

Nicolas en était aux formules de politesse filiale, quand Hippolyte Roznikoff frappa du poing à la porte. Il habitait la chambre voisine. Leur hôte à tous deux était un vieil ébéniste, qui vivait seul, dans un appartement trop grand pour lui, encombré de fauteuils rompus, d'armoires démantelées et de commodes bancales, qu'il n'avait ni le goût ni le temps de réparer. Avant même que Nicolas eût crié : « Entre ! » Hippolyte Roznikoff avait franchi le seuil et se penchait, pommadé, parfumé et rieur, sur son épaule :

— Une lettre pour papa ?

— Oui, dit Nicolas.

— Tu lui racontes les exploits de notre armée invincible ? Tu lui annonces ton affectation à la chancellerie du prince Volkonsky ? Tu lui demandes de l'argent ?

— Rien de tout cela, répondit Nicolas. Je lui dis que je voudrais me marier.

Le sourire mourut sur les lèvres de Roznikoff. Ses yeux s'arrondirent, contemplant un abîme. L'espace d'un instant, il ressembla à M. de Lambrefoux dans la surprise.

— Tu ne parles pas sérieusement ? chuchota-t-il.

— Si, dit Nicolas.

Roznikoff se laissa tomber dans un fauteuil, se releva aussitôt comme s'il se fût piqué et appliqua sur son front une claque retentissante :

— Tu es complètement fou ! Tu mérites qu'on t'enferme ! A ton âge, avec l'avenir brillant qui s'ouvre devant toi, tu vas t'encombrer d'une femme ?

Nicolas courbait le dos sous cette pluie de pierres. Il s'attendait aux remontrances de Roznikoff et n'en souffrait pas.

— Mais quand as-tu décidé ça ? reprit Roznikoff.

— Ce matin.

— Tu n'aurais pas pu m'en parler avant ?

— Tes conseils n'auraient rien changé.

— Je ne te demande pas de qui il s'agit ! Toujours Sophie, la belle, la cruelle Sophie ?

Comme s'il eût prononcé une formule magique, propre à calmer les tempêtes, Nicolas dit avec douceur :

— Toujours elle !

— Tu as de la suite dans les idées, toi !

— Je n'y ai aucun mérite. Elle est... elle est...

— Exceptionnelle ! Tu me l'as répété cent fois ! Mais tu devrais attendre un peu pour écrire à ton père !

— Non, Hippolyte, dit Nicolas. Il n'y a pas de temps à perdre. Même si j'envoie ma lettre par courrier officiel rapide, elle mettra trois semaines pour parvenir à Kachtanovka. Compte trois semaines pour la réponse. Cela fera un mois et demi, tout un mois et demi d'incertitude !

— Et s'il refuse ? demanda Roznikoff.

— Je crois que je lui désobéirai, dit Nicolas en baissant le front.

Son ami lui lança un regard oblique et grommela :

— Ne dis pas de bêtises. Tu ne te rends pas compte des suites que cela pourrait avoir...

— Je renoncerai à tout, dit Nicolas, je donnerai ma démission d'officier, je resterai en France avec elle...

— Et tu feras ton malheur et le sien ! s'écria Roznikoff. Il faut à tout prix empêcher cette folie. Veux-tu me montrer ce que tu as écrit ?

Nicolas lui tendit la feuille de papier.

— Ah ! dit Roznikoff, c'est en russe... Tu as préféré ?...

Il lut la lettre avec une attention extrême et reconnut qu'elle était déférente et persuasive.

— Quand me présentes-tu à ta fiancée ? reprit-il en jetant la missive sur la table.

— Plus tard, dit Nicolas : elle n'est pas à Paris pour le moment.

— Tu ne l'as pas revue ?

— Non.

— Alors comment as-tu pu la demander en mariage ?

— J'ai eu un entretien avec son père.

— Et il est d'accord ?

— Pas précisément. Mais il m'a promis d'avertir sa fille de mes intentions.

— Comment ? Elle n'est encore au courant de rien ?

— Non ! dit Nicolas.

Roznikoff leva les mains au plafond et les laissa retomber sur ses cuisses. L'étonnement arrondissait sa bouche sous une petite moustache noire, frisée au fer.

— Attends ! Attends, que je débrouille ton cas ! dit-il. Si je comprends bien, pour l'instant, personne, à part toi, ne désire le mariage : les deux pères sont très vraisemblablement hostiles à l'affaire et la fille n'a pas encore été consultée. Tu mets tout en branle sans même savoir si elle partage tes sentiments ! Ne crains-tu pas en partant trop tôt de te retrouver seul, en rase campagne ?

— Je dois prendre ce risque, dit Nicolas. Si tu aimais, tu me comprendrais sans doute...

Un éclat de rire l'interrompit. Roznikoff se tenait les côtes :

— Tu es idiot ! Tu es merveilleusement et incurablement idiot ! Déchire ta lettre, ou mets-la de côté jusqu'au jour où tu connaîtras les réactions de la principale intéressée !

— Cette lettre partira demain matin, dit Nicolas avec colère.

Plus il sentait que Roznikoff avait raison de le blâmer pour son inconséquence, plus il avait hâte d'accomplir un geste après lequel il ne pourrait plus revenir en arrière. Il cacheta la missive devant son ami et traça l'adresse. Roznikoff lui demanda si, malgré son amour, il était homme à sortir ce soir.

— Mais bien sûr ! s'écria Nicolas. Rien n'est changé !

En vérité, il se forçait pour trouver du plaisir ailleurs que dans le souvenir de Sophie.

3

Chaque matin, Nicolas s'éveillait en espérant une réponse de Sophie, et, chaque soir, il se couchait déçu. Il en venait à soupçonner le comte de n'avoir pas transmis la demande en mariage à sa fille. Peut-être était-elle déjà rentrée de la campagne ? A cette idée, une rage le prenait, il voulait revoir M. de Lambrefoux, l'accuser de trahison et ameuter toute la maisonnée par ses cris. Seule son éducation l'empêchait d'aller insulter un vieillard qui, la chance aidant, pouvait devenir son beau-père.

A peine débarqué à Paris, Antipe avait reçu l'ordre de surveiller discrètement le passage des voitures dans la rue de Grenelle. Dès la première apparition de Mme de Champitte, il devait avertir son maître. Mais, jour après jour, l'ordonnance revenait à la maison avec la même mine confuse : il avait vu défiler tout Paris, sauf la personne qui intéressait son barine.

En une semaine d'attente, Nicolas perdit le goût de la nourriture. Son service au quartier général était si peu absorbant, qu'après avoir lu et annoté les journaux français, il n'avait rien d'autre à faire que de ruminer son angoisse. Roznikoff et d'autres officiers essayaient bien de le distraire en l'entraînant dans les cafés, dans les théâtres, mais cette agitation futile n'était plus de son goût depuis qu'il était amoureux et sur le point de prendre femme. Le Paris de 1815 était d'ailleurs moins agréable que le Paris de 1814. Le gros de l'armée russe cantonnait en Ile-de-France, en Champagne, en Lorraine, tandis que la capitale était occupée par les troupes de Blücher et de Wellington. Les Prussiens, arrogants et brutaux, campaient aux Tuileries, au Luxembourg, sur le parvis de Notre-Dame. La nuit, ils maraudaient, le sabre à la main, aux barrières de l'octroi. Dans la banlieue, les Brunswickois, les Hanovriens pillaient les maisons abandonnées. La cavalerie anglaise s'installait dans des champs de blé mûr. Poussé par sa haine de la France, Blücher décidait de faire sauter les ponts d'Iéna et d'Austerlitz, dont le nom rappelait des victoires napoléoniennes, et il fallait les efforts conjugués de Talleyrand, de Louis XVIII, de Wellington, du tsar et du roi de Prusse pour empêcher le vieux maréchal de mettre ce projet à exécution. Aux désordres provoqués par la soldatesque, s'ajoutaient ceux que suscitaient partout les royalistes-ultras. Ennemis jurés des bonapartistes, ils étendaient leur désir de vengeance aux libéraux, aux constitutionnels, aux hésitants, à tous ceux qui ne partageaient pas leurs opinions exaltées. On parlait d'acteurs sifflés dans un théâtre pour leur attachement au régime disparu, de promeneurs houspillés par la garde du roi parce qu'ils portaient un œillet — emblème siditieux — à la boutonnière, de rixes dans les cabarets entre gardes nationaux et mousquetaires de Louis XVIII.

En lisant les journaux, en regardant vivre la

ville, Nicolas était pris d'une grande pitié pour cette France déchirée, rançonnée, avec, à sa tête, un souverain qu'elle ne respectait plus. Souvent, il pensait à M. Poitevin et souhaitait connaître son avis sur la situation actuelle. Le souvenir de cet homme intègre était lié dans son esprit à celui de Sophie. N'était-ce pas dans le petit salon de la rue Jacob qu'il s'était senti, pour la première fois, estimé et soutenu par elle ? Un dimanche matin, cédant à la nostalgie, il retourna dans le quartier de Saint-Germain-des-Prés et ses pas le portèrent naturellement vers la librairie du « Berger fidèle ».

La porte vitrée était ouverte. A l'intérieur de la boutique, Augustin Vavasseur, hirsute, maigre et débraillé, rangeait des livres dans des caisses. En apercevant ce personnage qui lui avait été si antipathique jadis, Nicolas éprouva l'impression paradoxale de retrouver un ami. Sans le savoir, le libraire bénéficiait, lui aussi, du charme qui émanait de Sophie. Nicolas se voyait reflété en uniforme dans la glace du magasin et n'osait entrer. Il était peu probable qu'Augustin Vavasseur se souvînt de lui. Du reste, ils n'avaient rien à se dire. Cette dernière idée le détermina soudain, et il franchit le seuil. Pendant trois secondes, Augustin Vavasseur considéra froidement cet officier russe sans le connaître, puis un sourire sarcastique lui élargit la bouche et il dit :

— Par exemple ! De nouveau dans nos murs ? Quel bon vent vous amène ?

— Je ne fais que passer, murmura Nicolas, intimidé.

— C'est ce que disent tous les occupants ! ricana Augustin Vavasseur.

Et, comme Nicolas ne relevait pas l'ironie de ce propos, il ajouta d'un ton détaché :

— Avez-vous eu du plaisir à retrouver Paris ?

— Moins que je ne l'aurais cru, confessa Nicolas.

— Pourquoi ? L'atmosphère est à la gaieté, notre bon roi s'est rassis sur son trône, les Alliés occupent le pays jusqu'à la Loire et au Calvados, toute l'Europe se nourrit de nous ! Ce doit être un spectacle bien amusant pour un Russe de voir des Français se chamailler parmi les ruines de leur grandeur !

— Pour un Prussien peut-être, pour un Russe certainement pas ! répondit Nicolas.

— Vous jugez par vous-même, Monsieur, et je vous soupçonne d'être fortement contaminé par les idées françaises.

— Je ne fais, en cela, que suivre l'exemple de mon souverain. Cette année, comme l'année précédente, il saura modérer les exigences de ses amis !

— Je regrette qu'il ne les laisse pas faire ! dit Vavasseur avec hargne.

Et il développa cette pensée que les exactions des troupes étrangères étaient souhaitables, car, grâce à elles, le peuple opprimé, humilié, volé, s'unissait dans la haine de l'envahisseur et des pouvoirs publics. Il fallait des injustices pour qu'une révolution fût possible, et il fallait une révolution pour apporter le bonheur à tous. Des phénomènes comme l'avènement de Napoléon ou la restauration de Louis XVIII n'étaient que des étapes, des coups d'arrêt, dans la marche des nations vers une ère d'indépendance républicaine. A l'appui de ses prophéties, Augustin Vavasseur montra à Nicolas des brochures qu'il conservait dans un tiroir et qui, toutes, traitaient des méfaits du despotisme.

— Si vous voulez emporter un de ces livres... dit-il.

— Non ! Non ! marmonna Nicolas précipitamment. Je vous remercie...

Le seul fait de toucher ces ouvrages subversifs lui procurait une sensation de malaise. Il en feuilleta un, cependant, par curiosité. Son regard accrocha au passage des phrases terribles : « Tant qu'il y aura sur terre un seul homme poursuivi à cause de sa naissance, de sa race ou de ses opinions, l'humanité entière sera condamnable... » « ... Si un monarque prétend gouverner le pays au nom de Dieu, c'est un crime contre la religion chrétienne, car il ne peut y avoir de second messie sur la terre ; s'il prétend le gouverner au nom du peuple, c'est un mensonge, car le peuple ne l'a pas choisi... » « On ne peut à la fois être monarchiste et aimer ses semblables... » La prose politique de Champlitte n'était que ruisseau de miel auprès de celle-ci. Nicolas revint à la page de titre : *Propos d'un libre Citoyen ami de la Vertu.* Il n'y avait pas de nom d'auteur. Le volume avait été imprimé à La Haye.

— Avez-vous le droit de vendre ces libellés ? demanda Nicolas.

— Certainement pas ! répondit Augustin Vavasseur avec un sourire dédaigneux.

— Mais alors, si on les découvre chez vous ?

— Je dirai qu'ils font partie de ma bibliothèque privée !

— Et on vous croira ?

— Peut-être.

— Vous avez pris un risque en me les montrant !

— Cela vous prouve que j'ai confiance en vous, malgré votre uniforme.

Nicolas fut envahi de plaisir, mais se ressaisit aussitôt : allait-il se réjouir d'être compté pour un libéral ?

— Vous me connaissez à peine, dit-il.

— N'avez-vous pas été amené chez les Poitevin par Sophie de Champlitte ? Il ne peut y avoir pour moi de meilleure recommandation. Du reste, je vais vous faire un aveu : il me serait bien égal d'être arrêté, jeté en prison... Je considérerais même cela comme un honneur dans l'univers abominable qui nous entoure... Il faut savoir souffrir pour ses convictions les plus hautes...

Nicolas observa que cet homme, qui paraissait normal au début de leur entretien, perdait maintenant le contrôle de sa raison. Des tiraillements nerveux secouaient ses joues, ses narines, ses paupières...

— Je vis seul, poursuivit Augustin Vavasseur d'une voix haletante. Pas de femme, pas d'enfants. Ma passion, c'est le bien des autres...

Il discourait d'une manière de plus en plus exaltée, quand Nicolas, poussé par un espoir, l'interrompit brusquement :

— Vous avez parlé tout à l'heure de Mme de Champlitte. Sauriez-vous, par hasard, où je pourrais la trouver ?

Instantanément, la figure d'Augustin Vavasseur se glaça.

— Non, dit-il.

— Mais elle a bien quitté Paris, n'est-ce pas ?

— Je le suppose.

— Elle n'est pas encore revenue ?

— Pas à ma connaissance, grogna Augustin Vavasseur.

Son embarras était si visible, que Nicolas fut pris de méfiance. A tort ou à raison, il lui semblait qu'Augustin Vavasseur en savait plus long qu'il ne voulait le dire. Faisant un pas vers le libraire et le regardant avec force dans les yeux il chuchota :

— Ne lui est-il pas arrivé quelque malheur, au moins ?

A peine formulée, cette crainte se changea en épouvante dans son esprit. Mais, déjà, Augustin Vavasseur le rassurait :

— Non, Monsieur. Soyez sans inquiétude. Mme de Champlitte se porte à merveille !

Il s'était vendu : il connaissait la retraite de Sophie !

— Ah ! Monsieur, je vous en supplie, s'écria Nicolas, aidez-moi à la rejoindre !

— Mais puisque je vous répète...

— Me le répéteriez-vous cent fois, que je ne vous croirais pas !

Augustin Vavasseur se gratta la nuque avec ses ongles, qui étaient longs et sales. Une lumière rêveuse joua dans ses prunelles. Evidemment, le romanesque de la situation l'amusait. Il ferma la porte de sa boutique et dit :

— Je vous parlerai franchement : Mme de Champlitte s'est quelque peu compromise après le départ de Louis XVIII !

— Compromise ? balbutia Nicolas qui pensait à tout sauf à la politique. Et de quelle façon, s'il vous plaît ?

— Cela vous étonne ? Eh ! oui, elle était hostile à Napoléon pendant toute la durée de son règne, mais, quand il est revenu de l'île d'Elbe, elle a été subjuguée par l'espoir d'un renouveau français. A la suite de Benjamin Constant et de tant d'autres, elle a pensé qu'il ne fallait plus combattre l'empereur, mais l'inciter à de grandes réformes. Et, en effet, pour faire accepter au peuple la guerre longue qu'il prévoyait, Napoléon s'est d'abord déclaré prêt à des concessions libérales. Benjamin Constant a bâti en hâte une constitution où il y a à boire et à manger...

— Oui, oui ! s'écria Nicolas impatienté, mais Mme de Champlitte dans tout cela ?

— Je vous l'ai dit, elle soutenait l'action des libéraux passés au service de la cause impériale. On la voyait partout se répandre en propos acerbes contre les Bourbons, leur imputant les malheurs de la France, assurant que Napoléon seul pouvait encore sauver la démocratie... Sa prise de position l'a rendue suspecte dans son propre milieu. Dès que les troupes alliées se sont rapprochées de Paris, ses parents l'ont suppliée de fuir...

— Elle aurait été inquiétée ?

— Je le crains.

Les royalistes français parurent aussi détestables à Nicolas que les révolutionnaires. Il fallait avoir une âme de tigre pour s'attaquer à Sophie.

— Où est-elle maintenant ? demanda-t-il.

— Dans une agréable maison que les Poitevin ont à Versailles. Je pense d'ailleurs qu'elle pourra revenir vers la fin du mois. L'essentiel était de laisser passer la première vague de dénonciations, de perquisitions, d'arrestations arbitraires...

Encore ému par les dangers qu'avait courus Sophie, Nicolas murmura :

— Il ne faudrait pas qu'elle commît d'imprudence en sortant trop tôt de sa cachette !

Et, subitement, un flot de joie noya ses inquiétudes. Il comprenait enfin pourquoi M. de Lambrefoux l'avait si mal reçu et pourquoi Sophie n'avait pas encore répondu à sa demande en mariage.

— J'irai là-bas, je la verrai ! dit-il comme se parlant à lui-même.

— J'espère qu'elle ne m'en voudra pas de vous avoir révélé son secret !

— Sûrement pas, Monsieur ! Nous serons deux, demain, qui penserons à vous avec gratitude.

— Je crois que vous n'aurez pas beaucoup le loisir de vous occuper de moi ! dit Augustin Vavasseur en clignant de l'œil.

Nicolas s'émerveilla de ce talent divinatoire : comment le libraire avait-il pu déceler la nature des sentiments qui le liaient à Sophie ?

— Puisque vous comptez vous rendre demain à Versailles, je vais vous charger d'une lettre pour Mme de Champlitte, reprit Augustin Vavasseur.

— Après ce que vous avez fait pour moi, je ne saurais rien vous refuser, dit Nicolas chaleureusement.

Augustin Vavasseur le pria de s'asseoir et s'installa lui-même derrière son comptoir pour écrire. De temps à autre, il cherchait des renseignements dans un gros calepin. Ayant noirci une première page, il s'attaqua à la seconde en allant fréquemment à la ligne. On eût dit qu'il dressait une liste de noms. Parfois, sa plume traçait un signe cabalistique dans la marge. N'était-ce pas un message secret, de caractère politique ? Nicolas se sentit dans la conspiration jusqu'au cou. Lui, un officier du tsar ! Ses scrupules étaient tempérés par le désir de se dévouer éperdument à Sophie. Lorsque la missive fut achevée, signée et cachetée, il prit un air entendu et dit :

— Voici, je gage, de quoi renseigner Mme de Champlitte sur tout ce qui touche aux affaires de l'Etat !

— Oh ! non, dit Augustin Vavasseur. Avant de partir, elle m'avait prié de lui procurer quelques livres. Je lui indique ceux que j'ai pu trouver, avec les prix en regard. Son adresse est sur l'enveloppe...

Cette réponse déçut Nicolas, comme si on l'eût privé d'un risque auquel il tenait beaucoup. Puis il pensa qu'Augustin Vavasseur mentait pour le tranquilliser. Ressemblait-il à un novice ? Un sourire supérieur aux lèvres, il murmura :

— Donnez-moi cette lettre, Monsieur. Quel que soit son contenu, elle sera remise à sa destinataire.

4

Le « coucou » s'arrêta sur la place du château de Versailles, l'unique cheval, exténué, souffla à s'en rompre les côtes, recula dans ses brancards et la caisse verte pencha en arrière. Nicolas, qui avait voyagé « en lapin » sur la banquette du tablier, sauta lestement à terre, pendant que quatre autres voyageurs s'extirpaient en geignant de la guimbarde. Il avait obtenu deux jours de permission et se sentait en congé pour la vie.

Devant l'architecture majestueuse, aérienne et rose du château, s'alignaient des diligences, des « carabas », des cabriolets de toutes sortes ; les cochers appelaient à grands cris une clientèle hésitante : « Pour Paris ! Allons, pour Paris ! On part tout de suite ! Encore deux personnes et c'est complet ! » Un postillon, debout dans ses bottes, surveillait une montagne de bagages. Nicolas lui demanda son chemin. « C'est à deux pas ! » Pourtant, il dut marcher une bonne demi-heure, sous le soleil, avant d'arriver devant la maison des Poitevin, qui se détachait, blanche, coiffée d'ardoises, sur le fond vert d'un boqueteau. Une palissade de pieux entourait le jardin. Le portillon était surmonté d'une clochette rouillée. Au moment de tirer la chaîne, Nicolas perdit tout contact avec la réalité et ce fut dans un silence d'au-delà que résonna le tintement annonciateur de sa venue. Un chien aboya, des portes claquèrent et, dans une allée de paradis, bordée de plants de tomates et de rames de haricots, surgit un vieux jardinier en sabots et tablier, qui n'était autre que M. Poitevin. D'abord effrayé par l'uniforme, il s'approcha de Nicolas et le regarda sous le nez en fronçant les sourcils. Puis un rire silencieux remonta les mille rides de son visage. Il tourna la tête et cria :

— Sophie !

Personne ne répondit et M. Poitevin, prenant le jeune homme par le bras, le guida vers la maison. Nicolas avançait dans un état de béatitude. Soudain, il eut un choc. Sophie était devant lui. Une Sophie qu'il reconnut à peine sur le moment, car elle était habillée comme une villageoise, avec une large jupe en percale, rayée de bleu et de blanc, un corsage bleu décolleté en rectangle et un chapeau de paille d'où descendait sur son épaule un flot de rubans multicolores. Etait-ce parce qu'elle avait la taille libre et portait des souliers plats qu'il la trouva plus gracile et plus désirable encore que dans son souvenir ? Les yeux fixés sur elle, il assistait à l'étonnement qui éclairait ce beau visage. Mais était-elle contente ou non de le revoir ?

— Je ne m'attendais pas à cette visite, Monsieur, dit-elle d'une voix atone. D'où avez-vous su que j'étais ici ?

Il lui raconta en peu de mots son entrevue avec Augustin Vavasseur et lui remit la lettre.

— Eh bien ! ma chère Sophie, dit M. Poitevin, moi qui croyais vous avoir offert un asile sûr !...

Mme Poitevin arriva sur ces entrefaites et la

conversation prit un tour anodin. Que se passait-il à Paris ? Etait-ce vrai que Fouché dressait des listes de suspects ? Avait-on des nouvelles de la terreur royaliste qui ravageait le Midi de la France ? Tandis que Nicolas répondait à ces questions, Sophie l'observait avec une attention émerveillée et douloureuse. Elle se rappelait chaque mot de la lettre que son père lui avait adressée : « Ce jeune homme, dont nous ne connaissons ni la famille, ni la fortune, ni la situation exacte dans son pays, ne peut être un parti pour vous... Le mariage exige une trop grande communion de pensées et de traditions pour que le fait d'épouser un étranger ne soit pas d'ordinaire un désastre... Vous voyez-vous abandonnant vos parents, vos amis, votre patrie, vos biens, toute la douceur, tout le brillant de la vie française, pour suivre, au fond des steppes, parmi des populations incultes, un officier du tsar qui vous aurait séduite en passant ?... Ayant promis à M. Ozareff de vous transmettre son invraisemblable requête, je le fais d'autant plus volontiers que je ne doute pas un seul instant de votre refus... » Si certains de ces arguments avaient touché Sophie en l'absence de Nicolas, elle les jugeait absurdes maintenant qu'il était devant elle. A toutes les critiques de son père, ce visage bronzé, ces larges épaules, étaient la meilleure réponse. Il suffisait qu'elle regardât cet homme pour se sentir justifiée dans ses rêves les plus fous. Comment avait-elle pu l'éconduire jadis, lorsqu'il lui avait avoué son amour ? Comment avait-elle pu vivre toute une année sans lui, refusant même de répondre à ses lettres ? Comment avait-elle pu croire qu'elle l'oublierait à la longue ? « Il m'aime, se disait-elle. Il va me le jurer dès que nous serons seuls. Il me demandera si je consens à être sa femme !... » A cette idée, ses forces tombaient, elle n'était que faiblesse et attente. Pourquoi les Poitevin étaient-ils si bavards ? Elle ne les avait pas avertis des intentions de Nicolas. Pourtant, ils devaient bien se douter que le jeune officier venait de Paris pour un motif grave et que, vraisemblablement, c'était elle et non eux qu'il désirait voir. Conduit par M. Poitevin, le petit groupe marchait en devisant dans l'allée. Maintenant, Nicolas racontait son affectation à l'état-major, le périlleux voyage du tsar à travers la France non encore pacifiée, l'installation à l'Elysée-Bourbon, l'aspect de Paris occupé par les troupes prussiennes. Ils arrivèrent jusqu'à la tonnelle, dont l'ombre clairsemée recouvrait une table et des chaises rustiques. Sophie eut peur que M. Poitevin ne les invitât tous à s'asseoir. Une politesse de ce genre, et l'entretien capital qu'elle voulait avoir avec Nicolas eût encore été retardé. Par bonheur, Mme Poitevin prit les jeunes gens en pitié, et, sous un prétexte que Sophie n'entendit même pas, entraîna son mari vers la maison.

Après avoir souhaité le départ de ces témoins gênants, Sophie éprouva de l'appréhension à se retrouver seule avec Nicolas. Ce qu'ils avaient à se dire était si important, que ni l'un ni l'autre n'osait ouvrir la bouche. Une servante passa, portant un baquet plein de linge. Un coq chanta d'une voix éraillée pour trois poules qui picoraient dans le chemin. L'horloge d'une église sonna quatre heures. Sophie vit trembler, sur le cou de Nicolas, une pomme d'Adam proéminente. Il avalait sa salive. Puis son visage s'immobilisa, ses yeux se figèrent. Il dit d'une voix de cadavre :

— Votre père vous a-t-il informée de ma demande, Madame ?

Elle subit le coup exactement comme elle le prévoyait, perdit un peu la respiration, mais répondit avec aisance :

— Oui, Monsieur, voici deux jours que j'ai reçu sa lettre.
— Deux jours seulement ? s'écria Nicolas.
— Il a pris le temps de la réflexion ! dit Sophie.
— Allez-vous le prendre, vous aussi ?
Les yeux de Nicolas paraissaient d'un vert doré, presque végétal, à cause des reflets du feuillage. Il s'était coupé le menton en se rasant. Ces détails prenaient une valeur énorme dans l'esprit de Sophie. Tout allait se décider maintenant. Ou, plutôt, tout était déjà décidé en elle, à son insu.
— Je comptais vous répondre aujourd'hui même, dit-elle.
— Me répondre... me répondre quoi, Madame ? balbutia-t-il.
Sans dire un mot, elle lui tendit les deux mains. Un éclair de joie sauvage passa dans les prunelles de Nicolas. Il se courba en deux et appliqua ses lèvres sur les doigts de Sophie. Elle voyait ces cheveux blonds bouclés, cette nuque inclinée devant elle, sous le col arqué de l'uniforme, et un bonheur tumultueux la soulevait de terre. Des mots parvenaient à ses oreilles à travers le murmure de son sang, qui courait vite, qui cognait fort :
— Je vous aime !... L'existence sans vous n'a pas de sens !... Je vous jure de vous rendre heureuse !... Est-il possible que vous m'aimiez aussi ?... Vous serez ma femme, ma femme !... Je serai fier de vous !... Nous partirons pour la Russie !...
Il releva la tête, comme pour vérifier si ce dernier projet ne la contrariait pas. Mais elle continuait à sourire, enchantée, engourdie.
— Vous verrez, reprit-il, la Russie est un pays magnifique. Tout y est vaste : les horizons et les âmes...
— Avez-vous prévenu votre père ? demanda-t-elle dans un sursaut de raison.

— Bien sûr ! s'écria Nicolas. Je lui ai envoyé une lettre par courrier exprès. Je pense avoir sa réponse dans trois semaines au plus tard.

— Et que sera cette réponse ?

— Vous en doutez ? Elle sera : oui, oui, oui !

Il l'éclaboussait de sa gaieté, de sa confiance, de sa jeunesse. N'y avait-il pas quelque chose de slave dans cette démesure ? Elle se mit à rire, tant elle le trouvait enfantin, malgré son habit vert foncé à boutons d'or, ses culottes blanches et son écharpe d'officier. Puis elle songea : « Il sera mon mari », et redevint sérieuse.

— Comptez sur moi, reprit-il, je hâterai les formalités. Si vous le voulez bien, les choses pourront même marcher très vite. J'espère simplement que vos parents changeront à mon égard. Il me serait pénible d'aller contre leur volonté...

— Leur réprobation ne modifierait en rien ma conduite, répliqua Sophie. Mais, rassurez-vous, je saurai les convaincre. Vous repartez ce soir pour Paris ?

— Non, demain, en fin d'après-midi.

Il lui tenait toujours les mains et elle éprouvait du plaisir à cet emprisonnement prolongé.

— Je partirai avec vous, dit-elle.

Il tressaillit :

— Ce n'est pas possible !

— Pourquoi ?

— M. Vavasseur m'a laissé entendre que vous pourriez être arrêtée pour vos opinions, dit-il.

Sophie fut émue de constater qu'elle lui inspirait de si vives inquiétudes. Devant cet homme amoureux, angoissé, elle se sentait féminine, précieuse, nécessaire, comme elle ne l'avait été pour personne. Instantanément, elle cessa de penser à la politique. Allait-elle longtemps encore s'adresser à Nicolas en l'appelant : monsieur ? L'envie de prononcer le prénom de son futur mari lui tourmentait la bouche comme une soif. Elle n'osait se risquer. Enfin, elle employa toute sa violence à dire faiblement :

— Je vous remercie de votre sollicitude, Nicolas.

Il ne bougea pas, mais ses yeux s'illuminèrent de gratitude.

— N'ayez nul souci pour moi, poursuivit-elle en feignant de ne pas remarquer son trouble. De toute façon, ce n'est pas en restant à Versailles que j'échapperai aux recherches. Si je dois être prise, je le serai n'importe où. Et puis, réfléchissez : comment pourrais-je continuer à vivre ici, loin de vous, après l'aveu que vous venez de me faire ?

— C'est vrai ! murmura-t-il. Ce serait... ce serait cruel et injuste ! Dès aujourd'hui, vous êtes sous ma protection, Madame ! Si quelqu'un s'avise de vous importuner, il me trouvera sur sa route ! J'en appellerai au tsar lui-même, s'il le faut...

Il s'échauffait, il s'emballait, mais hésitait encore à remplacer « madame » par « Sophie ».

— Cher Nicolas ! dit-elle.

Il défaillit de tendresse. Un silence suivit. Penché sur la jeune femme, Nicolas se baignait dans ses yeux. Puis son attention descendit vers les épaules de Sophie. La naissance de sa gorge était visible par l'échancrure du corsage. Pour la première fois, il eut l'audace d'évoquer un corps tiède sous l'étoffe. L'inconvenance de cette représentation l'effraya. Après avoir imaginé cela, il ne saurait plus, pensait-il, lui adresser un mot. Ce fut le contraire qui se produisit. Subitement, il se remit à parler très vite de son amour. De temps à autre, il glissait même un timide « Sophie » entre deux bouts de phrase. Comme elle ne protestait pas, il s'inclina encore plus vers elle et respira son parfum. Mais elle le repoussa avec douceur : le ménage Poitevin revenait à petits pas dans l'allée. Qu'avaient-ils vu ? Qu'avaient-ils deviné ? Nicolas s'enferma dans une hargneuse pudeur masculine. Sophie, en revanche, semblait très à l'aise dans son nouveau bonheur. Saisissant Nicolas par la main, elle l'amena devant ses amis et annonça d'une voix claire :

— Vous serez les premiers à entendre une grande nouvelle : nous allons nous marier.

Mme Poitevin poussa un cri de joie qui ressemblait à une plainte. M. Poitevin ouvrit les bras avec une noblesse très paternelle, secoua son vieux visage de théâtre et dit :

— Rien ne pouvait me procurer un plus vif plaisir !

Sincère ou non, cette exclamation bouleversa Nicolas. Depuis quelques minutes, il était enclin à croire que la bonté régnait sur le monde. Quand les Poitevin apprirent qu'il avait une permission de quarante-huit heures, ils voulurent qu'il dînât avec eux et passât la nuit sous leur toit : une chambre d'ami était toute préparée au premier étage. Encouragé par les regards de Sophie, Nicolas accepta.

Comme le ciel était très clair, le repas du soir fut servi à six heures, sous la tonnelle. A table, il fut encore question du départ de Sophie, que les Poitevin jugeaient imprudent. Pour les tranquilliser, elle leur lut, au dessert, un passage de la mystérieuse lettre de Vavasseur. Il lui envoyait les noms de quelques fonctionnaires civils et militaires qui seraient probablement arrêtés, mais affirmait qu'à sa connaissance aucune poursuite ne serait ordonnée contre les particuliers pour délit d'opinion.

— Il y a les poursuites qu'on ordonne et celles qu'on laisse faire, soupira M. Poitevin. En période troublée, les policiers de métier sont moins à craindre que les policiers d'occasion, les délateurs, les haineux de toutes sortes...

— Hier encore, je vous aurais peut-être écouté ! dit Sophie. A présent, je ne crains rien. Je ne suis plus seule !

Et elle jeta vers Nicolas un long regard d'alliance. Elle était si émouvante dans son admiration, qu'il eût suscité des embarras pour le plaisir de la défendre. Le temps qui s'était écoulé entre les deux guerres ne comptait pas pour lui. Avait-il été séparé de Sophie autrement qu'en imagination ? Etait-il seulement retourné en Russie ? Deux servantes s'affairaient autour de la table. Le ciel s'éteignait lentement derrière des feuillages noirs. Un vin jaune et gai brillait dans les verres. M. Poitevin proposa de boire à la santé des futurs époux. Une petite conversation politique conduisit les deux couples jusqu'à la fin du crépuscule. Lorsque les premières étoiles s'allumèrent, Mme Poitevin se prétendit lasse et son mari confessa que lui aussi avait envie de dormir. Nicolas craignit que Sophie ne suivît leur mouvement. Mais elle leur souhaita une bonne nuit et resta avec Nicolas dans le jardin.

Ils s'engagèrent dans une allée bordée de rosiers. Marchant à côté de Sophie, Nicolas avait l'impression de parcourir la terre, alors qu'il faisait pour la dixième fois le tour de la maison. L'ombre, le silence, le parfum d'une pelouse fraîchement arrosée, un bruissement d'ailes dans les branchages, tout l'exaltait, tout lui prouvait qu'il était d'accord avec Dieu dans le choix de son destin. A respirer cet air pur chargé de senteurs végétales, il pouvait se croire en Russie, dans les sous-bois de Kachtanovka. Qu'un petit jardin français lui rappelât les vastes espaces de son pays était encore un miracle dont il attribuait le mérite à Sophie.

— Parlez-moi de vous, dit-il. Qu'êtes-vous devenue depuis un an ?

Elle lui raconta ce qu'avait été sa vie. Le départ de Nicolas, au mois de juin 1814, l'avait, disait-elle, comme paralysée. Elle avait perdu le goût des êtres et des choses. Sa désaffection pour le monde était si parfaite, qu'elle ne s'indignait même plus de la politique du gouvernement. Et, brusquement, dans cette eau stagnante, un pavé s'était abattu, brouillant les reflets, soulevant des vagues.

— Le retour de Napoléon m'a tirée de ma torpeur, murmura-t-elle. Je me suis sentie régénérée par l'enthousiasme de tout un peuple accueillant son empereur. J'ai cru, comme beaucoup, qu'il pourrait être à la fois le champion de la grandeur française et celui des libertés républicaines. Pendant plus de trois mois, j'ai vécu avec mes amis dans cette illusion fiévreuse. Et, soudain, il m'a fallu me rendre à l'évidence : l'armée était vaincue à Waterloo... Alors, mon rêve écroulé m'est apparu si puéril, si absurde !...

— Comme je vous plains ! soupira-t-il.

Et il s'avisa qu'il était prêt à déplorer la victoire des Alliés parce que Sophie en avait de la peine !

— Un dégoût m'a saisie de toute action publique, reprit-elle. Je me suis réfugiée ici dans le plus complet désarroi...

— N'avez-vous pas pensé que j'allais revenir ? demanda Nicolas.

— Oh ! si. Mais chaque fois que cette idée m'effleurait, je la chassais de mon esprit par crainte de m'y complaire. Pouvais-je souhaiter votre arrivée parmi nous, alors qu'elle signifiait la défaite de la France ? Pouvais-je placer mon plaisir égoïste au-dessus de la douleur où je voyais toute une nation ? En ce moment encore, Nicolas, je souffre de devoir mon bonheur à un événement qui accable tant de mes compatriotes. Je me sens fautive de vous aimer dans le deuil de mon pays. Comprenez-vous cela ?

— Oui, dit-il, mais ce n'est qu'une impression passagère. La paix rétablie, tout rentrera dans l'ordre. Le fait d'être russe ne sera plus choquant à vos yeux !

— Il ne l'a jamais été, Nicolas, dit-elle en souriant. Et c'est bien là ce qui me trouble !

Ils continuèrent à marcher en silence. A chaque pas, il la frôlait timidement de la hanche, du bras, comme par mégarde. Et il se demandait si elle remarquait ce contact, si elle n'en était pas désagréablement surprise... Depuis longtemps, ni elle ni lui n'avaient prononcé un mot. Il s'arrêta. Et elle s'arrêta aussi. Ils se regardèrent. Elle avait un visage argenté, dans la pénombre. De nouveau, Nicolas pensa aux secrets de ce corps féminin sous une robe légère, et une bouffée de chaleur lui envahit le cerveau. Il était en train de se dire qu'il respectait trop Sophie pour tenter un geste décisif, quand elle se haussa sur la pointe des pieds et lui tendit les lèvres.

5

En entendant le pas de son mari dans le vestibule, Mme de Lambrefoux porta les deux mains à son cœur. Qu'allait-on encore lui apprendre ? La veille déjà, elle avait cru s'évanouir lorsque sa fille était revenue à l'improviste de Versailles, avec des bagages poudreux, une arrogance amoureuse dans le regard et un officier russe sur les talons. Nicolas Ozareff s'était, du reste, rapidement éclipsé pour permettre à Sophie d'avoir avec ses parents une conversation définitive. De quel air triomphant elle leur avait annoncé qu'avec ou sans leur consentement elle se marierait dans un mois ! Depuis ce matin, le comte, affolé, courait tout Paris pour tâcher d'obtenir des renseignements sur l'étranger qui allait devenir son gendre.

— Ah ! vous voici enfin ! s'écria la comtesse en voyant son mari entrer d'un pas vif dans le salon.

Le visage important du comte prouvait qu'il ne s'était pas dépensé en vain. Ses amis les plus haut juchés avaient dû être mis à contribution. Il se laissa tomber dans un fauteuil, passa une main tremblante sur son front et dit :

— J'ai été reçu d'une manière parfaite.

— Peut-on savoir par qui ?

— Par M. de Talleyrand d'abord, qui m'a adressé à M. Fouché, lequel m'a recommandé à M. Capo d'Istria, lequel à son tour...

— Avez-vous eu satisfaction, du moins ?

— Au-delà de mes espérances. C'est le secrétaire particulier de M. Capo d'Istria qui m'a le mieux éclairé.

— Eh bien ?

Le comte aspira une pincée de tabac sur son pouce, faillit éternuer, battit des paupières et s'éventa les narines avec un mouchoir.

— Les choses ne se présentent pas si mal ! dit-il. De l'avis unanime, les Ozareff sont une grande famille russe, de noblesse non titrée...

— Comment cela, non titrée ? s'écria Mme de Lambrefoux d'un ton où perçait l'indignation.

— Eh ! oui, c'est une particularité de ce pays. On y rencontre des gens récemment anoblis, qui sont comtes, ou princes, alors que d'autres, dont la noblesse remonte aux premiers tsars, ne portent aucun titre, mais jouissent d'une belle notoriété. C'est le cas, paraît-il, des Ozareff. Le père de ce jeune homme possède une maison à Moscou, qui a été en partie détruite par l'incendie, en 1812, une autre à Saint-Pétersbourg, et une propriété aux environs de Pskov, où il réside presque toute l'année. Sa fortune serait considérable. Je me suis laissé dire qu'il a plusieurs villages...

Les sourcils de Mme de Lambrefoux se levèrent avec intérêt. Ce langage lui rappelait une époque heureuse. Malgré les théories à la mode, elle persistait à croire que la volonté de Dieu était mieux respectée quand ceux qui étaient nés dans la misère ne cherchaient pas à en sortir.

— Plusieurs villages ? dit-elle. Combien au juste ?...

— Cinq ou six. On m'a parlé de deux mille paysans serfs, au bas mot.

— Serfs ?... Tout à fait serfs ?...

— Serfs comme on ne l'est plus qu'en Russie ! dit le comte avec un rire clairet.

Mme de Lambrefoux imagina sa fille régnant sur une province, contemplant des champs de blé à perte de vue, passant entre deux haies de moujiks prosternés, et une lueur d'espoir brilla dans ses yeux. Elle revenait de loin, avec cette enfant amoureuse d'un Russe traîneur de sabre. Pleine encore d'un tendre souci de mère, elle chuchota :

— Ainsi, d'après vous, Sophie aurait pu tomber plus mal ?

— Incontestablement ! dit le comte. Certes, j'eusse préféré pour elle un grand nom français, une situation mondaine mieux définie, une fortune plus facilement contrôlable... Mais nous ne devons pas oublier que, pour un prétendant sérieux, Sophie a le défaut de n'être plus une jeune fille. En matière de mariage, un homme veut être le premier. Sans doute m'objecterez-vous que ce pauvre Champlitte constitue un bien mince précédent !...

— Epargnez-moi ce genre de plaisanteries mon ami ! s'écria Mme de Lambrefoux. Je suis moins que jamais disposée à les entendre. La situation de veuve est très honorable. Grâce aux campagnes de Napoléon, elles sont légion en France. Et elles se remarient fort bien !...

— Pas quand elles sont de notre milieu, ma chère ! soupira le comte. Ni quand elles ont le caractère de Sophie ! Vous savez comme moi qu'elle agit toujours à l'encontre de la raison. Son plaisir est de décevoir nos ambitions les plus naturelles. Ouvrez-lui une belle route sur la droite, elle choisira, sur la gauche, un petit sentier rocailleux. La formule n'est pas de moi !

— Et de qui ?

— De M. Fouché lui-même. En me reconduisant à la porte, il m'a glissé quelques mots au sujet de Sophie. Rien de ce qu'elle a dit, de ce qu'elle a fait pendant ce qu'il est convenu d'appeler les Cent-Jours n'est ignoré en haut lieu. On ne l'inquiétera en aucune façon par égard pour moi, dont les sentiments légitimistes sont connus de Sa Majesté. Mais, pour mériter cette clémence, il faudra qu'elle renonce à toute activité politique. En sera-t-elle capable si elle reste en France ? Encore un an de célibat, et elle nous fera sauter les Tuileries !...

Mme de Lambrefoux tressaillit et mit une seconde à comprendre que son mari plaisantait.

— C'est affreux ! murmura-t-elle. Vous en êtes à souhaiter qu'elle parte ?...

— Ma foi, je n'en sais plus rien ! De toute façon le mariage n'est pas encore fait. Il se peut que les supérieurs hiérarchiques de Nicolas Ozareff s'y opposent.

— Pour quel motif ?

— En raison des opinions libérales de Sophie. Eux aussi sont au courant. M. Capo d'Istria ne me l'a pas caché ! Je comprends parfaitement que ces messieurs hésitent à introduire en Russie une jeune personne connue pour sa haine du principe monarchique !

Au comble du désarroi, Mme de Lambrefoux se vit affligée d'une fille criminelle, que la France repoussait et dont la Russie ne voulait pas. En tant que mère, elle ne pouvait admettre une pareille humiliation.

— Non, non ! s'écria-t-elle. Sophie n'a rien de

grave à se reprocher ! Il sied bien à ces Russes de faire les difficiles ! Si quelqu'un peut déplorer ce mariage, c'est nous ! Et nous seuls !

Elle réfléchit et ajouta :

— Le temps de toutes ces formalités, peut-être se déprendra-t-elle de lui !

— J'en doute, dit le comte. Pour qu'il en fût ainsi, il faudrait que votre fille eût un grain de raison. Mais tout n'est que bourrasque dans sa tête. Je regarde ces jeunes gens et je ne les comprends plus. Jadis, il me semble que nous aimions aussi profondément, mais avec moins de folie. Consciemment ou non, nous cherchions l'équilibre dans l'union des cœurs. Les nouvelles générations, elles, sont pour le désordre, l'absurdité et le débordement. Ont-elles trop lu Rousseau, Chateaubriand et Mme de Staël, qu'elles refusent le bonheur de vivre comme une vulgarité ?

— Nous avons été faibles avec elle ! soupira Mme de Lambrefoux. Son premier mariage, déjà, était une erreur. Depuis, elle nous a tout à fait échappé. Quand je pense que ce garçon reviendra la voir aujourd'hui !... Comment le recevrons-nous ?

— Avec une courtoisie distante. N'oubliez pas qu'il nous est imposé par Sophie. Il n'a pas notre approbation...

— Tout de même, nous savons maintenant qu'il est d'une bonne famille. N'y aurait-il pas une nuance à marquer de ce côté-là ?

— Si, dit le comte. Marquons la nuance. Mais légèrement.

Ayant adopté cette ligne de conduite, ils patientèrent jusqu'à l'arrivée de Nicolas Ozareff. Sophie leur avait annoncé la visite de son fiancé pour cinq heures. Mais, au lieu de se préparer à l'accueillir, comme n'importe quelle femme l'eût fait à sa place, elle avait quitté la maison aussitôt après le déjeuner en prétextant une course qui ne la retiendrait pas longtemps. A cinq heures dix, quand Nicolas Ozareff se présenta, elle n'était pas encore rentrée. Le comte et la comtesse, bien que fort contrariés, se résignèrent à recevoir le jeune homme en l'absence de leur fille.

Ce fut un moment pénible pour Nicolas, car il ignorait ce que Sophie avait pu dire à ses parents, la veille, et quelles étaient maintenant leurs dispositions envers lui. Eux, de leur côté, étaient gênés en face de ce prétendant, dont on ne savait plus s'il fallait se féliciter ou se plaindre. Mme de Lambrefoux l'invita à s'asseoir pensant que c'était là une politesse qui n'engageait à rien. M. de Lambrefoux, pour gagner du temps, se lança dans une dissertation sur les incompréhensibles scrupules des Alliés à l'égard de l'empereur vaincu. On chuchotait que l'Angleterre avait l'intention d'interner Napoléon dans l'île de Sainte-Hélène. Nicolas avait-il eu vent de ce projet ? Etait-il vrai que la baronne de Krudener, cette exaltée mystique dont le tsar suivait depuis peu les conseils, était arrivée à Paris et s'était installée à l'hôtel Monchenu, dans le faubourg Saint-Honoré, tout près de l'Elysée-Bourbon ? Quelle était l'humeur actuelle du souverain ? On le disait jaloux des lauriers de Wellington, qui avait acquis trop de gloire à Waterloo, dégoûté de Talleyrand, son ancien adversaire de Vienne, agacé par les Prussiens dont la grossièreté et les exigences financières lui paraissaient inadmissibles, plein de méfiance même envers Louis XVIII !...

— Je ne sais rien de tout cela, Monsieur, soupira Nicolas. Mes modestes fonctions ne me permettent pas d'approcher de si hauts personnages.

— Certes, mais vous devez avoir un écho des orages qui se déroulent par là ! Je serais curieux de connaître les réactions des milieux russes devant la dernière ordonnance royale.

— Quelle ordonnance, Monsieur ?

— Celle qui exclut de la Chambre les pairs coupables d'y avoir siégé pendant les Cent-Jours et qui met en accusation dix-neuf généraux et officiers pour crimes de trahison. Vous avez bien lu le texte dans *le Moniteur ?*

— En effet, en effet...

— Alors, vos impressions ?

— Je n'en ai pas encore ! balbutia Nicolas.

Ce bavardage l'épuisait. Il ne comprenait pas que le comte affectât de s'intéresser aux nouvelles du jour, alors que le sort de sa fille aurait dû le préoccuper par-dessus tout. Etait-il inconscient, ignorant, ou diaboliquement taquin ? D'ailleurs, comment se faisait-il que Sophie ne fût pas auprès de ses parents en cette minute ? Une manœuvre, un traquenard ? Soudain, l'affolement s'empara de Nicolas. Son imagination ardente lui représenta Sophie enfermée dans un couvent sur l'ordre de son père. La voix blanche, il demanda :

— N'aurai-je pas le plaisir de voir madame votre fille aujourd'hui ?

— Nous l'attendons comme vous, Monsieur, dit Mme de Lambrefoux.

— Oui, renchérit le comte, je suis même surpris qu'elle ne soit pas encore là.

Soulagé, Nicolas lança un regard amoureux vers la porte, rassembla son courage et dit entre haut et bas :

— Je ne sais, Monsieur, si madame votre fille vous a fait part...

La fin de la phrase resta sur sa langue. Mme de Lambrefoux tourna vers son mari des yeux de naufragé. Il y eut un lourd silence. Puis le comte fronça les sourcils et grommela :

— Elle nous a fait part, Monsieur ! C'est bien l'expression qui convient ! Elle ne s'est pas confiée à nous, elle ne nous a rien demandé, elle nous a fait part !...

Nicolas ressentit toute l'acrimonie de cette mise au point.

— Je suis désolé, Monsieur, dit-il, que vous persistiez dans votre méfiance. Peu à peu, j'espère vous prouver que vous avez tort. Vous me jugerez aux actes...

— Ce ne sera pas facile puisque vous serez loin ! dit le comte avec un sourire en biais.

— Vous viendrez nous voir en Russie. Mon père sera toujours heureux de vous recevoir. Sa lettre de bénédiction, que j'attends avec impatience, contiendra, j'en suis sûr, une invitation à vous rendre chez nous aussitôt après la cérémonie nuptiale...

— Un voyage de plusieurs semaines, à mon âge ! s'écria le comte.

— Oui, oui, nous aviserons à cela, le moment venu ! dit la comtesse avec amabilité.

Elle ne voulait pas renoncer d'emblée à cette occasion de voir sa fille en souveraine orientale.

— Vous avez parlé de la cérémonie nuptiale, reprit le comte. Comment l'envisagez-vous ?

— Madame votre fille a eu la bonté de me dire qu'elle m'épouserait selon le rite orthodoxe. Mais, si vous désirez que notre union soit préalablement bénie par un prêtre catholique...

— Certainement ! dit Mme de Lambrefoux. Nos amis ne comprendraient pas qu'il en fût autrement ! Ce mariage doit être un grand mariage !

— Je ne suis pas sûr que vous ayez raison sur ce point, ma chère, dit le comte. Dans le cas qui nous intéresse, je recommanderais plutôt la discrétion...

Perdue dans un mirage de blancheur, bercée par le chant des orgues, Mme de Lambrefoux eut quelque peine à s'expliquer la réserve de son mari. Enfin, se rappelant que Sophie était veuve, républicaine et anticléricale, elle murmura, vaincue par l'adversité :

— Laissons donc à ces jeunes gens le soin de régler l'affaire selon leurs convenances. L'essentiel, M. Ozareff, est que vous rendiez ma fille heureuse...

C'étaient les premières paroles humaines que Nicolas entendait depuis le début de la conversation. Il en fut touché. Mme de Lambrefoux elle-même paraissait étonnée de sa mansuétude. Elle regarda son mari avec une crainte radieuse dans les yeux. N'était-elle pas allée trop loin ? Le comte la rassura d'une inclination de la tête.

— Madame, s'écria Nicolas, par ces mots vous venez de lever un grand poids de mon cœur !...

Il n'eut pas le loisir d'en dire plus : la porte du salon se rabattit contre le mur, Sophie entra, pâle, vive, surexcitée, un sourire d'excuse aux lèvres. Elle n'avait même pas pris le temps de retirer son chapeau. Le bas de sa robe était souillé de poussière.

— Quels embarras de voitures ! gémit-elle. J'ai cru que tous les équipages de Paris s'étaient donné rendez-vous au même endroit !

Son père et sa mère la dévisageaient avec reproche, Nicolas avec adoration. Elle lui confia ses deux mains à baiser et poursuivit :

— Je suppose qu'en m'attendant vous avez parlé à mes parents. Maintenant qu'ils connaissent vos intentions, ils vous apprécieront davantage. Quant à moi, je ne puis que leur répéter ce que je leur ai dit hier : « Voici l'homme que j'aime et que je désire épouser. S'il vous agrée, mon bonheur n'en sera que plus grand !... »

Cette déclaration parut à Mme de Lambrefoux de la dernière indécence. Elle rougit pour sa fille, qui narguait les règles de la pudeur féminine en exprimant aussi ouvertement des sentiments aussi délicats. Où courait-on avec cette jeunesse qui avait pris le mors aux dents ? Nicolas lui-même ne put se défendre d'une légère confusion devant l'attitude déterminée de Sophie.

— J'ai été heureux de présenter mes hommages à vos parents, dit-il. Ou je me trompe fort, ou il n'existe plus guère de malentendu entre nous...

— Eh bien ! alors, venez ! dit Sophie.

— Comment cela, venez ? s'écria le comte. Où allez-vous ?

— Je vous l'enlève, père, répondit-elle en prenant Nicolas par le bras.

Et, laissant ses parents ébahis, elle entraîna le jeune homme dans le vestibule. Là, le visage rieur de Sophie s'éteignit tout à coup. Elle fixa sur Nicolas un regard tragique et dit faiblement :

— J'ai été retardée par une grave circonstance. Vavasseur vient d'être arrêté !

— Arrêté ? dit Nicolas. Mais pour quelle raison ?

— Suivez-moi dans la bibliothèque. Nous y serons plus à l'aise pour parler.

Ils montèrent un étage et entrèrent dans la forteresse des livres. Sophie referma la porte et dit :

— Cela devait arriver. Il avait une petite imprimerie clandestine dans sa cave. Quelqu'un l'a dénoncé. Les agents ont perquisitionné chez lui, ce matin. Il a été emmené à la Préfecture de Police.

— Quand l'avez-vous appris ? demanda Nicolas.

— Tout de suite après le déjeuner, par un ami commun. Inutile de vous dire que je me suis immédiatement précipitée rue Jacob !

— Quoi ?

Nicolas ouvrait des yeux horrifiés.

— Mais oui, chuchota Sophie, j'en reviens à l'instant.

— Qu'êtes-vous allée faire chez Vavasseur, puisqu'il n'y est plus ?

— Je ne suis pas allée chez Vavasseur, mais chez les Poitevin.

— Ils sont rentrés de Versailles ?

— Non, et c'est cela justement qui est grave ! Toutes les brochures interdites tirées par Vavasseur sont entreposées dans leur appartement. Si la police découvre la cachette, ils sont perdus. Heureusement, ils m'avaient donné un double de leurs clefs, à tout hasard. J'ai déjà pu déménager une partie des livres. Je retourne là-bas, maintenant, pour détruire le reste...

— Ah ! non ! s'écria Nicolas. Vous n'allez pas courir un danger pareil pour des gens qui... que...

— ... Pour des gens qui sont mes meilleurs amis, Nicolas, ne l'oubliez pas ! dit-elle avec une douce assurance.

— Alors, j'irai avec vous !

Il s'était jeté tout entier dans ces mots. Au sourire émerveillé de Sophie, il devina combien était grand le risque qu'il venait de prendre. Cette idée mit le comble à son exaltation. Il ne tenait plus en place. Elle, cependant, hésitait encore :

— Nicolas, c'est impossible !... Je n'ai pas le droit de vous entraîner dans cette aventure !... Pas vous, surtout pas vous !...

— Ne sommes-nous pas destinés à unir nos deux vies dans l'infortune comme dans la félicité ? dit-il avec enthousiasme. Quoi qu'il arrive, ma place est auprès de vous ! Dépêchons-nous, Sophie ! Et que le Seigneur nous protège !

Elle se blottit dans ses bras et lui donna ses

lèvres. Puis, comme il paraissait y prendre trop de goût, elle s'arracha à son étreinte, lui opposa un regard héroïque, ramassa l'ampleur de ses jupes et se dirigea vers la porte sans se retourner. Il la suivit, aspiré par un courant d'air. Dans le vestibule, pourtant, un scrupule de politesse le retint.

— Je ne puis partir sans avoir salué vos parents, dit-il.

— Vous avez raison, dit Sophie. Je pense qu'ils sont encore dans le salon.

Ils y étaient, en effet, la mine mortifiée et lointaine. Nicolas bredouilla des excuses, promit de revenir alors qu'on ne l'en priait pas, et Sophie dut le couper au milieu d'une phrase pour l'aider à prendre congé promptement.

A deux pas de l'hôtel, ils eurent la chance de trouver des fiacres à leur poste de stationnement et montèrent dans la première voiture. Pendant tout le trajet, Nicolas se tut avec sentiment et broya les mains de la jeune femme dans les siennes. Ils mirent pied à terre au coin de la rue Jacob. Le quartier semblait calme. Nicolas prit son air le plus naturel pour donner le bras à Sophie. Marchant côte à côte, ils arrivèrent à hauteur de la librairie du « Berger fidèle ». Des volets de bois couvraient la devanture, avec des scellés de cire rouge sur chaque joint. Devant le porche de la maison se pavanait un gendarme.

— Il va nous empêcher d'entrer ! souffla Nicolas.

— Je ne le pense pas, dit Sophie. Pour l'instant, la police ne s'intéresse qu'à Vavasseur. C'est seulement s'il livre le nom de ses amis que les recherches iront plus loin.

— Mais... mais il se pourrait qu'il eût déjà parlé ! balbutia Nicolas.

— Evidemment !

— Alors ?

Elle haussa lentement les épaules :

— Que voulez-vous ? C'est un risque à courir !

Un frisson glacé descendit entre les omoplates de Nicolas. Il regarda le gendarme, qui était robuste, bête et important, dans ses buffleteries. Hésiter, c'était se signaler à la méfiance de cet homme.

— Allons-y ! reprit Sophie.

Ils s'avancèrent délibérément vers le porche. Nicolas cambrait la taille. Sa gorge était sèche, tel un tuyau de bois. En avisant un uniforme d'officier russe, le gendarme rectifia son attitude. Pour un peu, il eût salué. La main de Sophie ne trembla pas une seconde sur le bras de Nicolas. « Comme elle est brave ! », pensa-t-il. Et il lui sembla que ses épaulettes dorées les protégeaient tous deux, pendant qu'ils traversaient la cour. Le portier les vit prendre l'escalier du fond, mais ne dit rien.

— Il est pour nous ! chuchota Sophie.

Cette remarque rassura médiocrement Nicolas : il eût préféré que le portier ne fût pour personne ! L'appartement des Poitevin se trouvait au deuxième étage. Sophie tira une clef de son réticule, ouvrit la porte et se glissa dans une enfilade de pièces obscures. Tous les volets étaient clos. L'air était imprégné d'une fraîche odeur de moisi. Le parquet craquait à chaque pas. Connaissant bien les lieux, Sophie se dirigeait avec aisance dans la pénombre. Nicolas retenait son épée avec le plat de la main pour l'empêcher d'accrocher un meuble.

Ils arrivèrent ainsi dans une chambre à coucher, où il faisait moins sombre que dans le reste de l'appartement. Les lames des persiennes laissaient filtrer un poudroiement de soleil sur un cadre doré, sur des fauteuils recouverts de housses, sur une coiffeuse chargée de flacons de cristal à facettes. Le parfum de Mme Poitevin était encore vivant dans les plis des tentures. Un lit s'avançait au milieu de la pièce. Nicolas éprouva quelque gêne à se trouver avec Sophie devant cette couche aux dimensions conjugales. Mais la jeune femme n'y prêtait pas attention. Elle avait ouvert une armoire très haute et très large, pleine de linge, et grimpait sur une chaise pour essayer d'atteindre le dernier rayon.

— Vous allez vous rompre le cou ! dit Nicolas. Que voulez-vous faire au juste ?

— Sortir tout ce qu'il y a là-dedans ! dit-elle en lui cédant sa place sur la chaise.

Il commença par enlever des piles de draps et les passa à Sophie, qui les posait par terre sans ménagement. Puis il s'attaqua au solide bastion des nappes. Il en déplaçait un premier paquet, quand ses regards découvrirent, contre la planche du fond, une montagne de paperasses. Etendant le bras, il attira des liasses de feuillets imprimés. C'étaient les exemplaires d'une gazette de petit format : *Les Compagnons du Coquelicot*. Un bonnet phrygien figurait en cartouche au-dessous du titre. Nicolas écarquilla les yeux dans le clair-obscur et déchiffra péniblement quelques lignes en gros caractères : « Ni Napoléon ni Bourbon, mais la République !... » « En échange de son trône, Louis XVIII a vendu la France à la Russie... » « Il n'y a pas d'exemple qu'un souverain se maintienne au pouvoir contre la volonté du peuple. Amis de la province, organisez-vous, armez-vous et tenez-vous prêts à l'action ! »

— Qu'est-ce que c'est ? demanda Nicolas avec inquiétude.

— Un journal que Vavasseur édite assez irrégulièrement et qu'il envoie un peu partout à travers la France.

— Pour quoi faire ?

— Pour gagner le plus grand nombre de gens à notre cause. Une révolution ne s'improvise pas. Il faut y préparer les esprits. Dans chaque grande ville, un groupe d'amis nous communique les noms des personnalités susceptibles d'être touchées par notre « propagande », pour employer le mot de Joseph de Maistre. C'est d'après ces listes que nous faisons nos expéditions...

— Vous... vous vous occupez de distribuer ces libelles incendiaires, vous, Sophie ? bégaya Nicolas.

— Oui, dit-elle avec simplicité.

— Mais vous n'écrivez pas là-dedans, tout de même ?

— J'ai donné à Vavasseur deux ou trois articles, qui furent jugés bons.

— Etaient-ils signés ?

Elle sourit de son innocence :

— Voyons, Nicolas ! Vous êtes un enfant !

Il voulut prendre une vue générale du problème.

— En somme, dit-il, vous faites partie d'un vaste complot contre le régime ?

— ... Plus exactement, d'une petite association d'amis de la liberté.

— Les Compagnons du Coquelicot ?

— C'est cela même.

Debout sur sa chaise, Nicolas observait Sophie avec un mélange de passion et de crainte. Quelle était la part de la politique et celle de l'amour dans la grâce qui éclairait ce visage de femme ? Plus il la contemplait, moins il s'habituait à l'idée qu'il allait épouser un Compagnon du Coquelicot.

— Ne restez pas planté ainsi, dit-elle. Donnez-moi les brochures. Nous les brûlerons dans la cheminée.

Animé par un zèle frénétique, il bouscula les piles de chemises, de caleçons, de serviettes, de mouchoirs, et amena au jour toute la littérature subversive de la maison. En contrebas, Sophie levait sa jupe à deux mains, pour recevoir la cueillette. Des gazettes, des opuscules, des estampes patriotiques, des caricatures de Louis XVIII et de Bonaparte tombaient, tels des fruits mûrs détachés d'une branche. Quand la charge devenait trop lourde pour ses bras, Sophie déversait le tas devant la cheminée. Une fois l'armoire vide, Nicolas sauta à terre. Accroupie devant l'âtre, Sophie lui demanda s'il avait un briquet. Il la pria de le laisser faire. Sa longue habitude des bivouacs le désignait pour allumer le feu. Il battit la pierre, souffla sur l'amadou. Les premiers tortillons de papier s'enflammèrent gaiement.

— N'avez-vous pas peur que, de la rue, on voie fumer la cheminée ? demanda Nicolas.

Elle n'avait pas pensé à ce détail .

— Tant pis, dit-elle. Il est trop tard !

Il la trouva bien légère pour une conspiratrice avertie, mais n'osa protester. Des flammes claires s'élevaient maintenant au-dessus des pages qui noircissaient et se recroquevillaient avec lenteur. Au cœur du brasier, parmi les guirlandes d'étincelles crépitantes, apparaissaient les mots de « liberté », de « constitution », de « fraternité républicaine ». Tout un paquet d'effigies affreuses de Louis XVIII se dénoua et vingt profils bourboniens grimacèrent ensemble dans la chaleur de l'autodafé. Armée de pincettes, Sophie administrait l'incendie. Le reflet des flammes rougissait son visage et projetait une ombre palpitante au plafond. Ce spectacle était si insolite, que Nicolas croyait participer à une sorcellerie. Il songeait aux paroles de Vavasseur : « Cela m'est bien égal d'être arrêté, jeté en prison !... Il faut savoir souffrir pour ses convictions les plus hautes !... » Tous ces gens étaient fous ! A commencer par Sophie ! Lui-même, s'il n'y prenait garde, allait perdre la raison. Il ramassa quelques feuillets et les lança sur le feu. Au même instant, un pas retentit derrière le mur. Nicolas et Sophie échangèrent un regard d'alarme. Quelqu'un avait-il pénétré dans l'appartement ? Nicolas se redressa, parcourut la chambre des yeux et fit signe à Sophie de se cacher derrière un rideau. Elle secoua la tête négativement et dit :

— Ce n'est pas ici qu'on marche.

— Et où donc ? demanda-t-il.

— A côté.

— Il y a un autre appartement à cet étage ?

— Oui.

— Les voisins sont-ils des gens sûrs ?

— Je ne sais pas. Quand je suis avec vous, Nicolas, je n'ai peur de rien !

Et, afin de le lui prouver, elle s'abandonna dans ses bras. Il lui baisait la bouche avec fougue, mais ne pouvait détourner ses yeux des flammes qui sautaient dans l'âtre, ni son oreille des rumeurs menaçantes qui emplissaient la maison. Le feu étant près de s'éteindre, ils se séparèrent pour y jeter les derniers journaux. Puis, de nouveau, ils s'étreignirent. Entre deux baisers, Nicolas chuchota :

— Il faut partir, maintenant !

Sa voix était suppliante. Il craignait à la fois d'être découvert et d'être séduit. Si la police le laissait plus longtemps seul dans cette chambre avec une femme aimée, un beau feu, un grand lit, il ne parviendrait pas à dominer son désir. Or, il respectait trop Sophie pour lui imposer ses exigences avant le sacrement du mariage.

— Oui, dit-elle soudain, soyons prudents ! Ce serait trop bête !...

Sans chercher à savoir si c'était la conspiratrice ou l'amoureuse qui s'exprimait ainsi, Nicolas accéléra les préparatifs du départ. En un clin d'œil, le linge fut rangé sur les rayons, les ultimes lambeaux de papier livrés aux flammes, puis piétinés, écrasés, dispersés en cendres.

Ils retraversèrent l'appartement en se tenant par la main. Des fauteuils drapés dans des robes de fantômes jalonnaient leur parcours. Parfois, une glace inattendue leur renvoyait l'image de deux enfants craintifs perdus dans la forêt. Une souris détala sous leurs pieds. Sophie ravala un cri et planta ses ongles dans la paume de Nicolas. Il faillit crier à son tour, tant la douleur était vive. Dégageant ses doigts, il s'avança seul vers la porte d'entrée et colla son oreille contre le battant. Un calme absolu régnait sur le palier. Si quelque malveillant s'y trouvait à l'affût, il devait observer une immobilité de statue. Sur un geste de Nicolas, Sophie introduisit la clef dans la serrure. Alors, il recommanda son entreprise à Dieu, fit jouer le pêne, ouvrit la porte et sortit. Sa vaillance rencontra le vide. Il se retourna vers Sophie. Elle le considérait avec gratitude, comme s'il venait de pourfendre dix adversaires.

— La voie est libre ! dit-il. Allons !

Ils refermèrent la porte et dévalèrent l'escalier dans l'heureuse disposition d'esprit de deux cambrioleurs qui ont réussi leur coup. Nicolas se persuada qu'il aimait encore plus Sophie après avoir couru ce péril avec elle.

— Ce que vous avez fait est admirable ! chuchota-t-elle en se pendant à son bras pour traverser la cour. Grâce à vous, les Poitevin sont sauvés !

— Ce n'est pas pour sauver les Poitevin que je vous ai suivie, dit-il, mais pour vous sauver vous-même. Jamais vous ne saurez à quel point vous m'êtes chère !...

Le gendarme, en faction sous le porche, entendit ces derniers mots et sourit aux amoureux.

6

Augustin Vavasseur resta en prison pendant que se poursuivait l'instruction de son affaire. Cela menaçait de durer longtemps, car la police et la justice étaient débordées de travail. Jamais la France n'avait eu autant de coupables. La mode était aux dénonciations. Des mouchards surveillaient les anciens jacobins, les demi-soldes, les propriétaires fonciers compromis pendant les Cent-Jours, les ouvriers qui se plaignaient de la dureté des temps, les bourgeois qui n'avaient pas d'opinion et les artisans qui en avaient trop. Dans le Gard et dans le Midi, des bandes de volontaires royaux continuaient de massacrer les bonapartistes sans que l'autorité osât réagir. D'humbles protestataires allaient rejoindre dans les prisons les grandes figures de l'Empire déchu : Lavalette, le général Drouot, le général de La Bédoyère, le maréchal Ney... Napoléon voguait vers Sainte-Hélène. Le roi complétait la chambre des pairs et ordonnait de nouvelles élections pour la chambre des députés. Talleyrand, Fouché et Pasquier espéraient y voir affluer des monarchistes libéraux.

Mais, dès le premier tour, il était évident que la majorité serait aux ultras.

Dépassé par les exigences de ses propres partisans, Louis XVIII devait également se défendre contre l'appétit des Alliés. Ceux-ci prenaient un plaisir haineux à ralentir la préparation du traité de paix. Bien que la guerre fût virtuellement terminée et l'armée de la Loire dissoute, sans cesse de nouvelles troupes anglaises, prussiennes, autrichiennes, russes, hollandaises, badoises, bavaroises, wurtembergeoises, piémontaises, hanovriennes, passaient les frontières. Les réquisitions en argent et en nature étaient énormes. Nicolas le constatait avec tristesse en lisant les rapports officiels qui traînaient dans les bureaux de l'état-major. Souvent, il s'étonnait que ses camarades ne fussent pas indignés de la façon dont on traitait la France. Pour excuser leur manque de compréhension, il se disait qu'aucun d'entre eux n'avait la chance d'aimer une créature aussi exceptionnelle que Sophie. A y bien réfléchir, toutes les femmes étrangères qu'il avait rencontrées jusqu'à présent auraient pu être russes, sauf elle. Même quand elle s'appellerait Mme Ozareff, elle aurait un air parisien. Ce mariage auquel il pensait constamment lui donnait la fièvre. Il n'attendait que la réponse de son père pour arrêter la date de la cérémonie. Mais les distances étaient si longues, la poste si mal organisée! Dans ses prévisions les plus optimistes, Nicolas comptait recevoir la lettre au début du mois de septembre.

Pour prendre patience, il voyait Sophie chaque jour après ses heures de travail et, chaque jour, il découvrait une nouvelle raison de la chérir. Elle le recevait dans le salon de ses parents, seule ou en leur présence. Même quand elle se trouvait en tête à tête avec lui, leur conversation était rarement politique. Il semblait que l'arrestation de Vavasseur l'eût provisoirement assagie. A plusieurs reprises, elle parla d'aller rendre visite aux Poitevin, à Versailles, mais Nicolas n'eut pas de peine à lui déconseiller ce voyage. Elle l'écoutait. Il se sentait chef de famille. Après l'avoir quittée, il demeurait sous son empire et ne vivait pas un événement sans songer au récit qu'il lui en ferait.

Le 20 août, en lisant dans le *Journal des Débats* que le général de La Bédoyère, coupable d'avoir livré Grenoble à Napoléon, avait été fusillé la veille, il imagina l'indignation de Sophie et regretta de ne pouvoir courir immédiatement chez elle. A cinq heures du soir, il se présenta enfin à l'hôtel de Lambrefoux. Introduit dans le salon, il eut à peine le temps de vérifier sa tenue dans une glace : déjà la porte se rouvrait avec violence, une robe s'élançait, mais c'était la mère et non la fille. Mme de Lambrefoux avait-elle, malgré ses convictions légitimistes, une tendresse secrète envers le général de la Bédoyère ? Nicolas se le demanda en voyant le visage éploré de la comtesse. Les yeux humides, les traits crispés, un tremblement rose à la place de la bouche, elle tendit la main à Nicolas, eut un hoquet de douleur et gémit :

— C'est affreux !

— Oui, dit Nicolas. La sentence a été dure et promptement exécutée.

— Quand ils l'ont emmenée, j'ai cru que je deviendrais folle ! soupira la comtesse en portant un mouchoir à son nez.

— De qui parlez-vous ? balbutia Nicolas.

— De Sophie ! De Sophie, bien sûr ! Deux hommes de la police sont venus la chercher à midi !

Atterré par la nouvelle, Nicolas n'eut que la force de protester :

— Ce... ce n'est pas possible !

— Ils l'ont conduite à la Préfecture, comme une voleuse ! Ils vont l'interroger !...

— Mais pourquoi ?

— Vous le demandez ? A cause de ses fréquentations politiques ! Son pauvre père est au désespoir ! Il est parti faire le tour de nos relations pour essayer de la tirer de là ! Mais ce sera peine perdue, vous verrez ! Ils la mettront en prison ! En prison !...

Un sanglot lui coupa la parole.

— Où se trouve la Préfecture de Police ? demanda Nicolas.

— Rue de Jérusalem ! répondit Mme de Lambrefoux à travers un voile de larmes.

— Savez-vous le nom des inspecteurs qui ont appréhendé votre fille ?

— Non !

Nicolas secoua sa tête à la manière d'un lion :

— Tant pis ! J'irai sur place ! Je me renseignerai ! Votre fille vous sera rendue, Madame, je vous le jure !

Il eut conscience de prononcer un serment inconsidéré, mais sa frénésie était trop forte, il ne s'appartenait plus, il était porté par une vague.

Un fiacre le déposa rue de Jérusalem devant le porche de la Préfecture de Police, orné de bas-reliefs allégoriques et gardé par un factionnaire dans sa guérite. Il était armé d'un fusil, dévisageait les passants d'un œil terrible, mais n'interdisait pas l'approche de l'établissement. Nicolas pénétra dans une cour entourée de bâtiments gris. Une voiture cellulaire, haute sur roues, toute fermée, et traînée par un seul cheval, entra sur ses talons. Un homme en descendit, les menottes aux mains. Deux gendarmes le poussèrent vers une porte. Etait-ce ainsi qu'on avait amené Sophie ? Autour de Nicolas, c'était un va-et-vient de visiteurs modestement vêtus, qui paraissaient tous avoir quelque chose à se reprocher. Leur mine quémandeuse contrastait avec l'air arrogant des fonctionnaires de la maison. Nicolas arrêta l'un de ces messieurs, très jeune et très affairé, qui portait des dossiers sous le bras :

— Monsieur, je cherche une personne de qualité, Mme de Champlitte, qui a été conduite ici par erreur. Ne pourriez-vous pas m'indiquer à quel service il faut que je m'adresse ?

L'employé, qui était en tenue civile, considéra avec respect l'uniforme de son interlocuteur et demanda :

— Pour quelle affaire a-t-elle été arrêtée ?

— Une affaire politique, je crois, dit Nicolas en rougissant.

— Alors, c'est le bâtiment du fond. Premier étage. Là, vous verrez le planton.

Il n'y avait pas de planton au premier étage. Le couloir était percé de portes, toutes pareilles, avec un numéro sur le vantail et une tache de crasse en auréole autour de la poignée. Des chiffons de papier, des crachats de chique, souillaient le plancher. Sur des bancs, disposés le long du mur, étaient affalés des hommes, des femmes, d'aspect misérable, attendant on ne savait quoi. Nicolas huma la triste odeur des corps mal lavés, pensa encore à Sophie et sa compassion se changea en angoisse. Il prit le parti d'ouvrir toutes les portes, l'une après l'autre, jusqu'au moment où il découvrirait sa fiancée.

Au premier essai, il tomba sur une salle bourrée de scribes juchés sur de hauts tabourets, devant de hauts pupitres. Toutes les plumes se levèrent, toutes les têtes se tournèrent vers lui en même temps. Mais Sophie n'était pas là. Dans le second bureau, un nain était assis, le buste renversé, les talons sur la table, et il lisait un journal. Interrogé, il répondit n'avoir jamais entendu parler de Mme de Champlitte. Mais peut-être que son collègue, à côté... Le collègue, trapu, sanguin, les mains dans les poches, allait, venait, en plein travail. Son regard idiot balayait la pièce. Devant lui, un petit vieillard tout blanc, tout propre, se ratatinait sur sa chaise, étourdi de mille questions.

— Alors, tu vas nous le dire qui t'a commandé ces jolies médailles à motifs d'aigles et d'abeilles ? Tu sais que ta femme a été arrêtée aussi ! Plus vite tu parleras, plus vite vous serez relâchés tous les deux ! C'est dommage, une belle bijouterie comme la tienne fermée pour toujours !

Tapi telle une araignée dans son coin, le greffier attendait de noter la déposition. Nicolas, qui était entré sur la pointe des pieds, allait se retirer de même, quand l'inspecteur aboya :

— Eh ! là ! Qui demandez-vous ?

— Mme de Champlitte.

— Champlitte ? Connais pas ! dit l'homme.

Et il poursuivit, tendu vers sa victime :

— Vas-tu parler ? Vas-tu parler, canaille ?

Le malheureux tressaillit, ouvrit la bouche, prêt à cracher son aveu, et la referma sur un silence. Une envie de cogner agaçait les poings de Nicolas. Tous les faibles de la terre étaient ses amis. Ce fut pour lui une grande souffrance de sortir dans le couloir sans avoir souffleté la brute et délivré le petit vieux. Mais il se devait entièrement à Sophie. Après ce qu'il avait vu, il l'imaginait raillée, molestée par un policier aux manières de rustre, jetée sur la paille dans un cachot sombre et puant ! Il la perdait pour des mois, pour des années, pour la vie... « Je vais en référer au ministre de la Police », décida-t-il. Et, subitement, tout s'éclaira en lui. A l'autre extrémité du couloir, Sophie apparut, non point telle qu'il se la figurait, — épuisée, humiliée, — mais rayonnante d'assurance. Vêtue comme pour la promenade, elle tranchait par l'élégance de sa toilette sur l'univers pitoyable qui l'entourait. Nul policier, nul gendarme ne lui emboîtait le pas. Nicolas s'élança à sa rencontre, poussé par une telle joie que le cœur lui battait dans la gorge. En l'apercevant, elle eut un mouvement de recul. Puis elle sourit :

— Pourquoi êtes-vous venu ?

— Mais voyons, Sophie, s'écria-t-il, vous rendez-vous compte de l'inquiétude où nous étions, vos parents et moi ? Il fallait que je vous retrouve, coûte que coûte ! Etes-vous libre au moins ?

— Parfaitement libre, dit-elle. Je suppose que cette mesure de faveur est due à l'intervention de mon père...

— N'en doutez pas, Sophie.

— De toute façon, ces messieurs ne m'auraient pas gardée longtemps : ils n'avaient aucune charge précise contre moi !

Il la saisit par le bras et l'entraîna vite vers la sortie, par crainte qu'un policier, changeant d'avis, ne les rattrapât. Dans l'escalier, il balbutia encore :

— Comme vous avez dû avoir peur, ma bien-aimée !

— Mais non !

— Vous si fine, si délicate, seule en face de ces tortionnaires !...

— Ils se sont montrés fort corrects avec moi.

— Que savaient-ils ?

— Pas grand-chose. Mon nom figurait sur le calepin de Vavasseur. Je leur ai dit que je le connaissais comme libraire, mais que j'ignorais tout de ses activités politiques. Les Poitevin ont fait la même réponse.

— Ils ont été appréhendés, eux aussi ?

— Oui, avant-hier, et relâchés, faute de preuves, ce matin.

— Vous vous attendiez donc, plus ou moins, à ce qui vient d'arriver ?

— Bien sûr !

— Et vous ne m'en avez rien dit ?

— Vous vous seriez alarmé inutilement !

Il la ramena en fiacre, et, pendant le voyage, elle lui parla de l'infortuné Vavasseur, qui ne s'en tirerait pas à bon compte ! Deux ans de prison, c'était ce qu'il risquait, à condition que son avocat fût habile. Or, elle ne savait même pas quel défenseur il avait choisi. Nicolas l'implora, par égard pour leur amour, de laisser Vavasseur s'occuper lui-même de ses affaires.

— Une seule chose importe maintenant, Sophie ! C'est notre avenir à nous, notre bonheur à nous ! Oubliez le reste ! Soyez égoïste !...

Sophie s'amusait de ses inquiétudes, l'embrassait, riait, surexcitée comme une personne qui vient d'échapper à un accident. Elle ne recouvra son sérieux qu'en descendant de fiacre devant la maison. Au bruit de la voiture, M. de Lambrefoux se montra derrière une petite fenêtre du premier étage. Deux minutes plus tard, il reparut à une grande croisée du salon. Ce fut dans cette pièce que Sophie et Nicolas le retrouvèrent, seul, debout derrière un fauteuil, le menton haut, l'œil émaillé dans une face de bois. Comme sa fille s'avançait vers lui, il proféra d'une voix sèche :

— Je vous prie d'aller tout de suite auprès de votre mère. Incapable de supporter son chagrin, elle a dû s'aliter. Elle vous attend.

Sophie qui était prête à remercier son père de ses démarches, se rebiffa, rougit et tourna vers Nicolas un visage durci par la contrariété.

— Ne partez pas avant de m'avoir revue, dit-elle.

Il s'inclina respectueusement. Quand elle eut quitté le salon, M. de Lambrefoux sortit de derrière son fauteuil, se planta devant Nicolas, les mains dans le dos, et dit :

— Rien ne nous aura été épargné !

— Grâce à Dieu, nous en aurons été quittes pour la peur !

— Vous trouvez ? glapit le comte. Et le déshonneur, Monsieur, le déshonneur d'avoir une fille conduite rue de Jérusalem, le tenez-vous pour négligeable ?

— Depuis la Révolution, il n'y a plus de honte, en France, à être arrêté pour un motif politique.

— Ne comparez pas les martyrs sacrés de 1789 aux misérables caboches libérales de notre temps. J'avais prévu ce qui s'est passé ! Je l'avais dit à sa mère.

— Permettez-moi de vous faire remarquer, Monsieur, que votre fille n'a pas été reconnue coupable !

— Parce qu'on a fermé les yeux sur ses agissements !... Si je n'étais pas intervenu cette fois encore... ! Une Lambrefoux !... Une Lambrefoux !...

Il n'acheva pas sa phrase, enveloppa Nicolas d'un regard soupçonneux et demanda soudain :

— N'avez-vous toujours pas reçu la lettre de votre père ?
— Non, dit Nicolas. Je l'attends d'un jour à l'autre.
Le comte balança la tête, tristement.
— Il est grand temps que ce mariage se fasse ! dit-il.

7

« Mon cher fils,

« Tu m'écris en russe, c'est donc en russe que je te répondrai : les choses n'en seront que plus claires. Je trahirais le devoir paternel si, pour t'épargner une peine passagère, je te laissais commettre une folie dont tu te repentirais toute ta vie durant ! L'intention dont tu me parles dans ta lettre me prouve que tu n'as pas acquis de raison dans l'armée. Que cette jeune personne soit parée de toutes les vertus morales et physiques, je veux bien l'admettre, encore que, sur ce point, je me méfie de ton exaltation ! Mais elle est française, elle a deux ans de plus que toi, elle n'est pas de notre religion, enfin et surtout elle est veuve ! Or, à ton âge, on n'épouse pas une femme dont un premier mari a éveillé les sens et modelé le caractère. Avec le nom que tu portes, la fortune dont tu disposes et les avantages physiques dont t'a gratifié la nature, tu mérites toute autre chose que ce genre de succession. Ce serait insulter Dieu que gâcher par une union mal assortie les chances qu'Il a bien voulu assembler sur ta tête. A l'imbécillité dans le choix de ton destin, tu ajouterais l'ingratitude envers le Très-Haut. Ne compte donc pas sur ma bénédiction. Je te la refuse catégoriquement. Et je te prie de rompre toute relation avec cette Française de rencontre. Plus le sacrifice te paraîtra lourd sur le moment, plus il te paraîtra léger par la suite ! Quand tu reviendras à Kachtanovka, je te ferai part d'un projet de mariage autrement raisonnable et délicieux, que j'ai conçu pour toi en ton absence. Et si celle que je te réserve ne te convient pas, nous en dénicherons une autre. Tu vois, je ne suis pas têtu. Mais, que diable ! les jeunes filles ne manquent pas en Russie. Pourquoi aller chercher une veuve en France ? Dès que j'y repense, la colère me reprend tout entier. Ne m'écris plus un mot de cette affaire, si ce n'est pour me dire qu'elle est terminée, avec une croix dessus. Ici, tout le monde se porte bien et ton souvenir est dans tous les cœurs. Marie me charge de te dire sa tendresse. Quant à moi, que la sévérité de ma décision te soit un témoignage de ma sollicitude. Ton père qui t'aime et te protège. »

« M. OZAREFF. »

Nicolas reposa la lettre sur la table et lissa la page, des deux mains, comme pour en aplanir les rugosités. Un cataclysme venait de secouer le monde et, autour de lui, dans le bureau, personne n'en avait conscienre : Hippolyte Roznikoff, toujours élégant, polissait ses ongles, Soussanine feuilletait des journaux, Baklanoff se curait l'oreille avec le petit doigt. De l'autre côté de la cloison, le prince Volkonsky marchait à grands pas nerveux et parlait d'une voix forte. Un huissier entra, les bras chargés de dossiers.

— Eh ! s'écria Hippolyte Roznikoff, tu nous en apportes deux fois plus que d'habitude ! Que se passe-t-il ?

— Sa Majesté a beaucoup travaillé hier soir ! dit l'huissier.

Il se mit à distribuer des liasses de lettres, annotées par l'empereur, et auxquelles il fallait répondre en français. Cela constituait, avec le dépouillement des gazettes, la principale activité de la chancellerie. Nicolas reçut le paquet qui lui était destiné, grommela : « Merci ! » et serra les poings. Renoncer à Sophie ? Jamais ! Cette décision explosa dans sa tête et il demeura un instant ébloui par le feu d'artifice. Oui, la force de son amour était telle, qu'il était prêt à braver l'auteur de ses jours. Après tout, il ne serait ni le premier ni le dernier à se marier contre le gré de sa famille. Les grandes passions se reconnaissent aux obstacles qui jalonnent leur route. « Quand je l'aurai épousée, nous partirons pour la Russie, nous nous jetterons aux pieds de mon père, nous implorerons sa bénédiction et il ne pourra pas nous la refuser. C'est toujours ainsi que cela se passe ! » Il se le répétait avec violence, comme on fouette une toupie pour la maintenir debout. Puis il se demanda ce que dirait Sophie en apprenant qu'il n'avait pas obtenu l'approbation paternelle, et sa confiance diminua. Mais non, elle était trop émancipée pour s'embarrasser d'un pareil préjugé ! Avec son tempérament combatif, elle trouverait même, sans doute, un courageux plaisir à entrer dans une famillle qui ne voulait pas d'elle. « Là, j'exagère ! », pensa Nicolas. Et il reprit la question plus posément.

Il était en pleine méditation, quand le prince Volkonsky pénétra dans le bureau. Le chef d'état-major se dirigea vers la table de Roznikoff et lui parla à voix basse, tandis que les autres officiers se courbaient sur leurs besognes, comme des écoliers surpris par un inspecteur. Nicolas glissa la missive de son père dans sa poche et attira vers lui le dossier de correspondance apporté par l'huissier. Comme d'habitude, la plupart des lettres émanaient de Français qui sollicitaient un secours pécuniaire, ou une décoration, ou une audience, ou un autographe ou une place de domestique à l'Elysée-Bourbon, ou même un enrôlement dans l'armée russe. De grandes dames, un peu folles, invitaient le monarque à s'installer dans leur château, en province, aussi longtemps qu'il le voudrait. Des politiciens anonymes lui proposaient un plan pour réorganiser la France. Des écrivains obscurs lui adressaient leurs manuscrits et le priaient d'en accepter la dédicace. Dans ce cas, la consigne était de transmettre les ouvrages à l'ancien précepteur suisse du tsar, La Harpe, qui désignait ceux dont l'hommage pouvait être retenu sans danger. Nicolas saisit, sur le tas, la lettre d'une femme qui demandait si son fils, disparu depuis 1812, n'était pas prisonnier en Russie. Quelques mots en marge, de la main du tsar : « Tous les prisonniers ont été rendus. » Nicolas trempa sa plume dans l'encre et écrivit : « Madame, ayant pris connaissance de votre lettre, Sa Majesté Impériale a daigné observer... » Comme le prince Volkonsky passait derrière lui, il rentra légèrement la tête dans les épaules.

— Lieutenant Ozareff, dit le prince.

Nicolas bondit sur ses pieds et se figea pour écouter la suite :

— Veuillez vous tenir prêt à partir. Vous irez chez le peintre français Gérard et lui remettrez un uniforme de l'empereur. L'artiste en a besoin pour achever son tableau...

Nicolas pensa d'abord : « Je profiterai de la course pour rendre visite à Sophie. » Mais cette perspective, loin de le réjouir, le déconcerta. Malgré tout ce qu'il avait pu se dire sur la liberté d'esprit de sa fiancée, il redoutait l'aveu qu'il avait à lui faire. Dans une conversation aussi délicate, une phrase, un mot mal interprété, risquaient de jeter bas un grand bonheur. L'instinct de la tranquillité poussait Nicolas à gagner du temps. Ce soir, il devait rencontrer Sophie au Théâtre-Français, où ses parents avaient une loge. Il lui parlerait à l'entracte. Ce serait bien assez tôt !

Le prince Volkonsky avait déjà regagné son bureau, et Nicolas demeurait debout, perplexe, le regard vide. Il éprouvait intensément le besoin d'être conseillé. Soudain, il tira de sa poche la lettre de son père, s'approcha d'Hippolyte Roznikoff et dit :

— Je voudrais que tu lises ça !

Penché sur la missive, Roznikoff fit une grimace de médecin consultant. Son visage s'assombrissait à mesure qu'il avançait dans la lecture. Enfin, il grommela :

— Eh bien ! quoi ? Tu t'y attendais !

— Oui, dit Nicolas, mais cela m'ennuie tout de même !

— Quand l'as-tu reçue ?

— Au courrier de ce matin. Il faut absolument qu'on en discute. Je vais chez le baron Gérard. Tu ne peux pas m'accompagner ?

Il se trouvait que Roznikoff avait été chargé par le chef d'état-major de porter un message aux Tuileries. Les deux jeunes gens sortirent ensemble et prirent la même voiture de service dans la cour. Le valet de chambre du prince Volkonsky, Joseph, apporta le paquet destiné au baron Gérard.

L'uniforme du tsar était plié dans un drap vert. Avec ce poids d'étoffe sur les genoux, Nicolas aurait pu croire qu'il était un tailleur allant livrer sa marchandise en ville. Mais il s'exaltait en pensant que cet habit avait connu la forme, la chaleur, les mouvements d'un monarque révéré de tous. L'équipage partit au trot et Roznikoff invita son ami à lui parler avec franchise. Ils examinèrent la situation sous tous ses angles. La seule solution raisonnable était celle que préconisait Nicolas : d'abord, avertir officiellement le prince Volkonsky du mariage projeté ; deuxièmement, présenter au tsar une demande de démission pour convenances personnelles ; troisièmement, choisir un aumônier de l'armée qui bénirait l'union. Tout cela pouvait être fait très vite. Quant aux suites de l'aventure, Roznikoff estimait, lui aussi, que l'hostilité du père fondrait comme neige au soleil devant le couple heureux venu de France pour solliciter son pardon.

— Le seul ennui, dit-il, c'est que, par précipitation, tu brises ta carrière ! Jusqu'où ne grimperais-tu pas en restant dans l'armée ? A ta place, je me marierais, mais je ne démissionnerais pas !...

Nicolas n'admettait pas ce genre de critique. Depuis qu'il avait résolu d'épouser Sophie, l'état militaire avait perdu pour lui son principal attrait.

— A quoi bon se marier, dit-il, si c'est pour continuer à vivre avec des obligations de service ? Je veux m'éloigner des casernes, mener l'existence qui me plaît, à la campagne, n'avoir de comptes à rendre à personne !...

— Je regarde tes pieds, soupira Roznikoff, et je les vois dans des pantoufles de tapisserie. Dommage !

— Quand tu seras colonel, général, tu viendras

à Kachtanovka, et je ne sais si c'est moi qui envierai tes épaulettes et ta gloire, Hippolyte, ou toi mes cheveux gris et mon bonheur auprès de la femme aimée.

Roznikoff pouffa de rire et lui donna une bourrade :

— Poète, va ! Réveille-toi, réveille-toi avant qu'il ne soit trop tard !

Ils ne cessèrent de discuter qu'en pénétrant dans l'atelier du baron Gérard, où régnait un chaos de statues antiques, de toiles retournées, de cuirasses rutilantes, de brocarts tordus, de panoplies aux langues d'acier et de coffres de pirates débordant de perles et de sequins. La renommée du peintre était si grande, que Nicolas et Roznikoff s'attendaient à trouver un vieillard. Ce fut un homme de quarante-cinq ans, poupin, jovial, l'œil vif, le front dégarni, le corps enveloppé d'une blouse de travail, qui les reçut et les guida jusqu'au tableau inachevé de l'empereur Alexandre. Le tsar, en uniforme, se dressait sur un fond d'orage. Son chapeau à plumes blanches reposait à ses pieds. Sa main gauche s'appuyait à la garde de son épée. Un éclair, jailli des nuages, illuminait violemment sa figure. Nicolas poussa un cri d'admiration. Il n'osait dire qu'il jugeait le tableau fort majestueux, certes, mais peu ressemblant. Roznikoff prétendit avoir vu cette expression de noble détermination sur le visage du tsar en 1814, pendant la bataille de Paris.

— J'en suis fort aise, dit le baron Gérard, car mon glorieux modèle a posé rarement pour moi et je me suis fié souvent à ma mémoire ou à ma fantaisie ! Certes, j'aurais pu, comme ce cher Isabey, le montrer souriant, affable. J'ai préféré offrir aux générations futures l'image d'un héros. Vous devez être fiers, Messieurs, de servir un monarque digne des plus grands noms de l'antiquité !

Nicolas pensa à sa démission et se troubla. Tout en parlant, le baron Gérard déballait l'uniforme impérial et l'étendait soigneusement sur un canapé.

— Chaque détail a son importance ! murmurait-il. Je le ferai rapporter demain...

« Comment un homme qui a illustré avec tant de bonheur l'épopée de Napoléon peut-il accepter de peindre maintenant Alexandre, le roi de Prusse, Wellington, Schwarzenberg ? », se demanda Nicolas. Il avait l'impression que, dans cet atelier, se préparait l'histoire conventionnelle que les écoliers apprendraient dans cent ans. Un malaise le pénétrait sous le regard théâtral du tsar. Debout devant son souverain, il baignait dans le mensonge. Sur la prière de Roznikoff, le baron Gérard voulut bien montrer quelques toiles plus anciennes, représentant des scènes de bataille, des études de chevaux, une esquisse pour le portrait de Mme Récamier. Puis il reconduisit ses visiteurs jusqu'à la porte et les pria de transmettre à Sa Majesté Impériale l'expression de son « parfait dévouement ».

De chez le baron Gérard, Nicolas et Roznikoff se rendirent aux Tuileries. Un garde national, en faction à l'entrée, se chargea de les convoyer jusqu'au bureau du secrétariat royal. Mais il se trompa de chemin et les entraîna dans de longs couloirs déserts, traversa de grandes pièces démeublées. Les trumeaux, les cadres des glaces, les médaillons des encoignures portaient encore le monogramme de Napoléon. Certains tableaux fumeux, suspendus aux murs, rappelaient ses victoires. N'y avait-il pas quelque toile du baron Gérard dans la collection ? Après avoir erré à l'aventure, le petit groupe aborda enfin la partie habitée du palais. Poussant une porte, Nicolas vit des laquais en livrée qui dressaient une table ronde. Le couvert du roi !

— On n'entre pas ici ! cria un majordome.

Une odeur de poulet rôti embaumait ce lieu privilégié. Du vin brillait dans une carafe. L'appétit de Nicolas en fut aiguisé. Heureusement, Roznikoff parvint à découvrir, dans la salle voisine, un secrétaire qui prit son message et lui en donna décharge.

La conscience en paix, les deux amis allèrent déjeuner au *Rocher de Cancale.* Il y avait beaucoup d'officiers anglais dans le restaurant. Leur uniforme manquait d'élégance et leur physionomie était arrogante. Mais comme c'était la première fois depuis un siècle qu'une armée britannique se montrait sur le continent, ces messieurs excitaient la curiosité des vaincus et même des Alliés. Les Russes, eux, étaient pour les Parisiens de vieilles connaissances. Le patron de l'établissement vint bavarder avec Nicolas et Roznikoff. En vrai Français, il se plaignait de tout : les affaires marchaient mal, la politique marchait mal... Il était si ennuyeux, que les jeunes gens abrégèrent leur repas et retournèrent en hâte à l'Elysée-Bourbon.

Là, ils tombèrent en pleine effervescence. Le vestibule regorgeait de généraux que le tsar avait convoqués pour préparer la prochaine revue des troupes russes dans la plaine de Vertus, aux environs de Châlons. Bientôt, le prince Volkonsky entraîna toutes ces épaulettes dans son sillage et les portes se refermèrent sur la réunion du conseil. L'affaire était si absorbante que, de l'après-midi, les officiers d'ordonnance ne furent pas dérangés par leur chef. Nicolas profita de l'accalmie pour rédiger sa lettre de demande en mariage et sa lettre de démission, toutes deux destinées à

« l'autorité supérieure ». Au moment de les signer, il éprouva l'émotion d'un adieu. Il tranchait les liens avec sa jeunesse, avec le métier des armes, avec ses camarades, avec ses rêves d'autrefois. Et pourtant, il était sûr de ne pas se tromper. Hippolyte Roznikoff lut les deux documents, les approuva et promit, la main sur le cœur, de n'en parler à personne avant que l'événement fût officiellement annoncé.

A cinq heures, les généraux conféraient encore avec le chef d'état-major, mais le tsar avait quitté la salle de séances. Penché à la fenêtre du bureau, Nicolas vit l'empereur déambuler seul, nu-tête, dans le jardin. Il était en uniforme vert foncé, comme sur le tableau de Gérard. Mais il n'y avait rien de commun entre cet homme fatigué, pensif, et le demi-dieu environné de nuées fulgurantes dont le peintre avait fixé l'image pour la postérité. Enfin, le tsar regagna ses appartements. Il reparut, peu après, vêtu d'un frac. Un palefrenier lui amena son cheval dans l'allée. Il l'enfourcha et sortit du palais, suivi d'un écuyer. Chaque jour, ou presque, il allait se promener ainsi sur les Champs-Elysées. A son retour, il se précipitait chez la baronne de Krudener et passait la soirée avec elle en conversations politiques et mystiques. Les officiers d'ordonnance ne parlaient jamais entre eux de cette liaison, par crainte que leurs propos ne fussent rapportés en haut lieu. Mais Nicolas n'avait pas besoin d'interroger ses camarades pour deviner que, comme lui, ils étaient humiliés de savoir l'empereur de Russie soumis à l'influence d'une prophétesse d'origine livonienne, qui écrivait des romans et prétendait communiquer avec l'au-delà. On l'apercevait parfois, entre deux portes, à l'Elysée-Bourbon. Elle n'avait même pas l'excuse d'être jolie : cinquante ans, le teint couperosé, le nez pointu, une perruque blonde sur le crâne... Si une créature aussi laide pouvait charmer le tsar par ses qualités morales, de quel prix devait être, pour un simple mortel, une femme comme Sophie, qui était belle et d'âme et de visage !... Emporté par ses réflexions, Nicolas constata qu'une fois de plus tout lui était prétexte à rappeler sa fiancée et à la comparer aux autres. Elle était dans l'air qu'il respirait, dans les aliments qu'il mangeait, dans la lumière qui baignait ses yeux. Les coudes sur la table, mordillant les barbes de sa plume d'oie, il rêva d'une nuit d'amour.

★

Au premier entracte, Sophie et Nicolas se rendirent dans le foyer du théâtre, suivis, à courte distance, par M. et Mme de Lambrefoux. Une foule élégante charriait ses paillettes, ses aigrettes, ses épaules nues, ses moustaches martiales et ses joues fardées dans un salon de dorures et de glaces. Le comte n'osait encore présenter Nicolas comme le fiancé de sa fille. Aux amis qui s'approchaient du jeune couple, il disait :

— Comment, vous ne connaissez pas le lieutenant Ozareff ? Nous avons eu le plaisir de l'héberger l'année dernière. Il nous est revenu !...

La comtesse était au supplice à cause de cette situation fausse. Il lui semblait qu'elle portait la honte de son enfant, comme une tache, au milieu de la figure. Etourdie par la chaleur, le bruit et l'inquiétude, elle souriait à des bustes de marbre et saluait des inconnus dans les glaces. Profitant d'un remous de la foule, Nicolas attira Sophie loin de ses parents et chuchota :

— J'ai une grande nouvelle à vous annoncer,

mon aimée. Cet après-midi, j'ai signé tous les papiers nécessaires à notre mariage et à ma démission. Le prince Volkonsky les trouvera demain matin sur son bureau.

Elle le remercia d'un long regard et dit :

— Peut-être auriez-vous dû attendre la lettre de votre père ?...

Nicolas fut saisi d'une crainte prémonitoire.

— Pourquoi ? murmura-t-il. Cette lettre finira certainement par arriver !... Mais mon père est bizarre, négligent !... Je le vois fort bien remettant de jour en jour le soin de nous écrire, sans se soucier qu'ici nous nous rongeons d'impatience !...

Il mentait avec application et Sophie se taisait, songeuse.

— D'ailleurs, reprit-il, quelle que soit sa réponse, nous nous marierons, n'est-ce pas ?

— Non, dit-elle.

Un calme terrible s'abattit sur Nicolas. A court d'idées, il observait Sophie désespérément. Enfin, il balbutia :

— Je ne vous comprends pas, Sophie ! Vous qui étiez prête à m'épouser contre le gré de vos parents, pourquoi, maintenant, avez-vous besoin du consentement de mon père ?

— C'est pourtant bien simple ! répondit-elle. Je peux tenir tête à mes parents parce que je suis naturellement liée à eux par ma naissance. En outre, mon premier mariage m'a permis d'échapper plus ou moins à leur autorité. Mais je n'accepterais pas d'entrer dans une famille où je serais reçue à contre-cœur. Je respecte trop votre père, à travers vous, pour supporter l'idée qu'il me juge mal. Si je ne dois pas être traitée par lui comme sa fille, ni vous ni moi ne serons heureux !...

La vie se retirait de Nicolas. Il voulait appeler au secours. Jamais il n'oserait dire la vérité !

— Mon père n'est pas aussi féroce que vous l'imaginez ! bredouilla-t-il. Même s'il vous résistait un peu, au début, vous sauriez vite le convaincre...

— Justement, je n'aimerais pas avoir à le faire, dit Sophie.

— Charmer, c'est le rôle des femmes ! remarqua Nicolas bêtement.

Elle secoua la tête :

— Non, Nicolas.

— Je plaisantais, dit-il.

Mais son visage demeurait triste. Sophie demanda :

— Que se passe-t-il ? Vous aurais-je froissé ?

— Nullement !

— N'êtes-vous pas inquiet ?

— Pourquoi le serais-je ?

— Votre père...

— Mon père ?... Eh bien ! demain, après-demain, j'aurai sa lettre... Du moins, je l'espère beaucoup... Sinon, je lui écrirai encore... Enfin, nous aviserons... Faites-moi confiance... Songez à notre amour... Il faut qu'il soit plus fort que tout, que tout !...

Il parlait avec volubilité pour cacher sa gêne. Soudain, par-dessus les têtes, il aperçut une figure familière : Delphine. L'avait-il vraiment trouvée jolie, autrefois ? Elle lui parut vulgaire, avec trop de rouge sur les joues, des yeux petits, un double menton... Pourtant, il ne put s'empêcher de penser qu'à l'époque de leur liaison tout était simple dans son existence. Il reporta son attention sur Sophie et se reprocha sa lâcheté. Avec ses yeux profonds, son long cou, ses cheveux de soie sombre, elle méritait le drame. Un mouvement de la foule rapprocha les deux jeunes femmes qui se saluèrent.

— Tiens ! M. Ozareff ! s'écria Delphine. J'ignorais que vous fussiez revenu à Paris !...

— C'est vrai, vous vous connaissez ! dit Sophie.

— Il a été le premier Russe à qui j'ai osé adresser la parole, ma chère ! On n'en voit plus beaucoup dans nos murs ! C'est bien dommage ! Venez donc, Eddy !

Derrière Delphine se tenait un officier anglais, blond, rose et raide, sanglé dans un habit de couleur brique. Un kilt écossais découvrait ses gros genoux. Elle le présenta comme un collaborateur de Wellington. Mais il ne savait pas deux mots de français. De petits rubans ornaient le revers de ses chaussettes. Appuyée au bras de cet étrange héros en jupon, Delphine, très à l'aise, parlait des acteurs avec exubérance, riait d'un rire de cascade, et, de temps à autre, fixait sur Nicolas un regard plein de souvenirs. Sans doute, s'amusait-elle de l'avoir approché intimement avant Sophie, qui paraissait si fière de se montrer avec lui au théâtre ! Il se sentait percé à jour, déshabillé, et craignait que sa confusion ne fût visible. Si Sophie concevait le moindre soupçon de ses anciens rapports avec Delphine, il était perdu. Le refus du père d'abord, les indiscrétions de la maîtresse ensuite, c'était trop pour une seule journée ! Crispé de la nuque aux talons, il attendait la fin de l'entracte comme une délivrance. Delphine répéta pour la dixième fois : « Il faut absolument que nous nous revoyions ! », se heurta au sourire évasif de son amie et partit dans un grand mouvement d'étoffe, suivie de l'officier anglais qui marchait en canard.

— Je n'aime pas cette femme ! dit Sophie.

— Moi non plus, dit Nicolas avec précipitation.

Il fut soulagé en retrouvant sa place dans la loge. Rien n'était résolu, mais du moins, dans l'ombre, n'avait-il pas à surveiller l'expression de sa figure. La représentation de *Tartuffe* ne lui laissa aucun souvenir.

8

En présentant son armée dans la plaine de Vertus, à cent vingt verstes de Paris, le tsar entendait frapper ses alliés par l'étalage d'une force militaire considérable et les inciter à tenir compte de ses exigences dans les négociations diplomatiques en cours. La répétition générale avait été fixée au 7 septembre, anniversaire de la bataille de Borodino, la parade au 10 septembre et l'office religieux de clôture au 11 septembre. A mesure que la date de la fête approchait, la fièvre montait à l'Elysée-Bourbon. Chaque jour, des généraux de plus en plus nombreux, de plus en plus nerveux, se réunissaient autour de l'empereur Alexandre pour étudier les horaires de marche, tracer des plans, discuter les moyens de signalisation. La sévérité du monarque en matière de discipline était si grande, que même les hauts dignitaires de l'armée vivaient dans la terreur d'une fausse manœuvre. N'avait-il pas, le mois précédent, ordonné de mettre aux arrêts, à l'Elysée même, deux commandants de régiment dont les hommes s'étaient trompés de pas en défilant dans les rues de Paris ? En vain le général Ermoloff lui avait-il fait observer que le poste de garde du palais étant fourni ce jour-là par des Britanniques, il était fort déplaisant pour des officiers russes d'y être enfermés. « Tant pis pour eux ! Leur honte n'en sera que plus cuisante ! », s'était écrié le tsar. Cette réplique revenait à la mémoire de chacun, tandis que se préparait « la plus gigantesque revue de tous les temps », selon l'expression des journalistes français.

Le prince Volkonsky, hébété de soucis, passait des nuits blanches et exigeait double travail de ses collaborateurs. Ecrasé sous le nombre des rapports à rédiger, à corriger, à recopier, Nicolas avait à peine le loisir de voir Sophie. Naguère, il eût maudit les occupations qui l'éloignaient d'elle. Mais, dans l'embarras où il se trouvait maintenant, il n'était pas fâché d'avoir un prétexte envers lui-même pour retarder l'aveu de sa duplicité. « Laissons passer la revue, se disait-il. Après, je serai plus calme. Je lui expliquerai tout. Et, si elle m'aime vraiment, elle cèdera. » En attendant cette confession, il continuait à lui faire croire que la réponse de son père n'était pas encore arrivée. Ce mensonge était d'ailleurs très pénible à Nicolas. Une autre circonstance le dépitait : le prince Volkonsky, après avoir reçu les documents relatifs au projet de mariage et à la demande de démission, n'avait pas dit un mot de la suite qu'il donnerait à ces deux affaires. Evidemment, le chef d'état-major avait des problèmes plus importants en tête. Il n'allait pas s'intéresser aux tourments d'un petit officier d'ordonnance, alors que le prestige de toute l'armée russe était en jeu. Là encore, le moment n'était guère favorable. Il fallait prendre patience...

Déjà, de toutes les casernes de Paris, de banlieue et de la province, les troupes se mettaient en marche vers la Champagne. Cent cinquante mille hommes ! Cinq cents canons ! Le 6 septembre, l'empereur et le prince Volkonsky partirent eux-mêmes pour Vertus. Nicolas, Roznikoff et Soussanine avaient été désignés pour se joindre à la suite impériale. Leur retour dans la capitale était prévu pour le 13 septembre. Une semaine entière de séparation ! En quittant Sophie, Nicolas avait éprouvé un sentiment de culpabilité, mêlé d'une certaine allégresse. Il s'imaginait pouvoir oublier ses tortures morales dans l'agitation joyeuse du camp. Très vite, il s'aperçut qu'il s'était trompé. La grandeur du spectacle qui se déroulait devant lui ne l'empêchait pas d'être constamment rongé par les remords.

La répétition générale, en présence du tsar et des jeunes grands-ducs Nicolas et Michel Pavlovitch, fut une réussite. Le lendemain, les personnalités étrangères commencèrent d'arriver : l'empereur d'Autriche, le roi de Prusse, Wellington, Schwarzenberg, une foule de princes, de généraux, de diplomates venus de Paris, de La Haye, de Berlin, de Londres et, bien entendu, l'inévitable baronne de Krudener, plus inspirée que jamais, traînant derrière elle sa fille, son gendre et le ministre protestant qui la dirigeait dans ses extases mystiques. Toutes les maisons de Vertus et des environs étaient réquisitionnées pour loger les invités de marque. L'architecte préféré de Napoléon, Fontaine, avait décoré les tentes destinées aux banquets, aux conseils et aux réceptions.

Le camp immense était pavoisé, illuminé, ratissé, orné de feuillages pacifiques. Des cailloux badigeonnés à la chaux dessinaient des chiffres et des arabesques aimables aux carrefours. Les cantiniers avaient repeint leurs voitures. Mais de nombreux marchands français, attirés par l'appât du gain, leur disputaient la clientèle. Avec ces étalages en plein air, les abords du cantonnement prenaient un aspect de foire. Tous les uniformes de la Russie confondaient leurs couleurs entre les cônes de toile blanche. Les trompettes et les tambours s'exerçaient dans un petit bois. Du dernier fantassin qui brossait son habit au plus haut général qui repassait en mémoire les instructions pour la revue, il n'y avait pas un Russe dont l'esprit ne fût terrorisé par la grande figure d'Alexandre. Lui déplaire par un changement de pas, une fausse note, une erreur d'alignement ou un bouton mal cousu, eût été aussi grave que de déplaire à Dieu. Nicolas se disait qu'il y avait quelque chose d'étrange dans cette soumission aveugle de tout un peuple à la volonté d'un seul homme. Jamais cette pensée ne lui était venue auparavant. Il la trouvait insolente, mais ne savait plus s'en défaire. Etait-ce Sophie qui lui avait inculqué le goût de discuter en lui-même certains principes dont, jusqu'à ce jour, il n'eût pas osé mettre en doute le caractère sacré ? Il lui semblait que, jadis, il suivait un chemin rectiligne, bordé de vérités solides, sur lesquelles il pouvait, à tout moment, se reposer, et que maintenant ces points d'appui disparaissaient dans la brume. Où allait-il ? Que croyait-il ? N'avait-il plus d'opinion, de personnalité, d'existence en dehors de Sophie ? A plusieurs reprises, il se sentit dépaysé parmi ses camarades. Leurs rires, leurs plaisanteries le choquaient. Le 9 septembre, il écrivit à sa fiancée pour lui redire son amour, sa solitude et son espoir.

Le lendemain, 10 septembre, la revue débuta de bonne heure, en présence des invités du tsar réunis sur les hauteurs du Mont-Aymé. Pour la première fois, le grand-duc Nicolas Pavlovitch commandait une brigade de grenadiers et le grand-duc Michel Pavlovitch une unité d'artillerie. A la tête de l'armée, se trouvait le feld-maréchal Barclay de Tolly. L'air était pur et chaud. Le soleil matinal éclairait les moindres détails du paysage. Sur toute l'étendue de la plaine, à perte de regard, s'alignaient des rectangles rouges, verts, bleus, blancs, noirs, qui étaient des régiments au repos. Les différents signaux de la revue devaient être donnés par des coups de canon. A la première détonation, toute l'infanterie mit le fusil sur l'épaule et mille aiguilles d'acier étincelèrent et s'inclinèrent comme les dents d'un râteau. A la deuxième détonation, les troupes présentèrent les armes, les tambours battirent avec fermeté et un immense Hourra ! déferla jusqu'aux pieds du tsar. A la troisième détonation, les pointillés vivants se disloquèrent et s'allongèrent en colonnes de bataillon. A la quatrième détonation, le dessin se brouilla de nouveau et des chenilles aux teintes vives rampèrent dans les champs, traversèrent des routes, se rejoignirent et se soudèrent en un vaste carré. Le tsar et sa suite parcoururent les quatre côtés de la formation, reçurent le tonnerre des vivats et les éclats de cuivre de la musique, regagnèrent les hauteurs du Mont-Aymé et le défilé commença : d'abord les grenadiers, puis l'infanterie de ligne, puis la cavalerie, puis l'artillerie montée...

Les officiers d'ordonnance se tenaient à cheval, non loin du groupe chamarré des monarques, des princes et des généraux. Nicolas, qui avait participé à de nombreuses parades militaires, était pour la première fois dans les rangs des spectateurs. A cette distance, l'effort de milliers d'individus pour rester au pas, tendre le jarret, garder les armes parallèles, semblait facile et amusant. La beauté géométrique des évolutions cachait la souffrance de ceux qui les exécutaient dans la chaleur et la poussière. Impossible de croire que ces larges bandes d'étoffe, piquées de plumets, jalonnées de drapeaux, étaient composées d'hommes dont chacun avait une âme, un passé, une famille, des joies, des peines, des espoirs, qui ne ressemblaient pas à ceux de son voisin. Dominant la plaine, à l'exemple des grands de ce monde, Nicolas comprenait soudain leur indifférence envers la multitude qui s'écoulait en bas. « Peut-on être tsar et aimer le peuple ? », se demanda-t-il avec une sorte d'effroi religieux. Un régiment remplaçait l'autre. Ils ne différaient que par les couleurs de leurs uniformes. Quand les tambours et les fifres se taisaient, on entendait le bruit de cet énorme mouvement, pareil à celui d'un fleuve roulant sur un lit de pierres.

Nicolas poussa son cheval pour se rapprocher du groupe des invités. En prêtant l'oreille, il pouvait saisir des bribes de leurs commentaires. La plupart des officiers étrangers louaient l'extraordinaire discipline du soldat russe. Le tsar rayonnait d'une satisfaction absolue : cent cinquante mille hommes avaient défilé devant lui sans modifier les distances prescrites, ni se tromper de direction ni changer de pas. Il dédiait ce triomphe à Mme de Krudener, qui se trouvait à proximité, en robe sombre, la taille longue, un chapeau de paille sur ses faux cheveux blonds. Un peu en retrait, le prince Volkonsky, rouge de plaisir, conversait avec Wellington.

Lorsque les troupes se furent reformées en carré, des salves de coups de canon ébranlèrent le sol. D'un bout à l'autre de la plaine, naissaient des flocons de fumée. Chaque batterie lâchait son chapelet de ballons vaporeux, blanchâtres, qui dérivaient ensuite lentement sur le fond vert fané du paysage. Bientôt, l'horizon s'effaça complètement dans un bain de nuées laiteuses. Derrière cet écran, l'armée se hâtait d'évacuer le champ de manœuvre. Après douze minutes de tir intensif, le silence revint, le voile se déchira et la plaine apparut déserte. Personne parmi les Alliés ne s'attendait à cette dernière performance. Nicolas, malgré ce qu'il avait pensé quelques instants plus tôt, se sentit fier d'être russe.

Le soir même, le tsar offrit aux plus illustres de ses hôtes un dîner de trois cents couverts, au cours duquel il proposa un toast à la paix en Europe. Le jour suivant, pour la Saint-Alexandre Nevsky, fête patronale de l'empereur, les cent cinquante mille hommes de troupe se rangèrent en carrés autour de sept estrades, dont chacune supportait un autel. Sept prêtres, aux chasubles dorées, célébrèrent l'office religieux en même temps. Leurs mouvements étaient aussi exactement synchronisés que ceux des soldats à la parade. Le tsar écouta la messe dans le carré des grenadiers.

Après la cérémonie, les visiteurs étrangers regagnèrent Paris, et les généraux russes, soulagés d'une grande crainte, s'assemblèrent pour un banquet à l'état-major. Dans un ordre du jour à l'armée, l'empereur exprima sa haute satisfaction pour la tenue des hommes pendant la revue, annonça qu'il accordait le titre de prince au feld-maréchal Barclay de Tolly, commandant en chef, et promit aux troupes un prompt retour dans leurs foyers. Les soldats reçurent une ration d'eau-de-vie et de la soupe à la viande. Tout le camp s'adonna à la joie du zèle récompensé. Les chanteurs militaires s'enrouaient à force de pousser en plein vent les notes de leurs rengaines :

Est-il rien de plus aimable
Au guerrier que les combats ?

Une dizaine de jeunes officiers, attachés à l'état-major, se réunirent sous la tente de Nicolas pour boire du punch et échanger leurs souvenirs sur les belles journées qu'ils avaient vécues. Comme Hippolyte Roznikoff emplissait les verres avec une louche, un cri retentit :

— A vos rangs ! Fixe !

L'empereur entra, suivi du grand-duc Nicolas Pavlovitch et du prince Volkonsky. Le visage du souverain exprimait la détente auguste de ses pensées. Sans doute se promenait-il dans le camp avec le désir de montrer qu'il était un père pour tout le monde. Ayant commandé le repos, il remercia les officiers d'ordonnance pour leur collaboration au succès de la parade, fronça les sourcils en remarquant que l'uniforme de Soussanine n'était pas boutonné jusqu'au col, faillit se mettre en colère, mais dut se rappeler à temps qu'il était dans un bon jour, et, hochant la tête, grommela :

— Je vous souhaite une heureuse soirée, Messieurs. Continuez...

Il allait se retirer, lorsque le prince Volkonsky lui glissa quelques mots à voix basse. L'empereur, qui était un peu dur d'oreille, inclina sa haute taille pour mieux entendre. Une grimace de sourd lui plissa le nez. Enfin, il se redressa et dit :

— Lieutenant Ozareff !

Glacé jusqu'à la moelle, Nicolas fit un pas en avant et se mit au garde-à-vous. Le tsar le toisa des pieds à la tête et reprit :

— Vous avez exprimé le désir de vous marier et de quitter l'armée.

— Si tel est le bon vouloir de Votre Majesté, balbutia Nicolas.

Et il eut l'impression que son habit tombait, qu'il apparaissait nu aux yeux de ses camarades.

— Je n'ai jamais empêché personne de démissionner, annonça le tsar. Encore moins de prendre femme ! Votre fiancée, me dit-on, est française...

— Oui, Majesté.

— Voulez-vous me rappeler son nom ?

— Mme de Champlitte.

— Madame ?... Comment Madame ? dit l'empereur en arrondissant les yeux.

— Oui, chuchota Nicolas, elle a déjà été... Enfin, elle est veuve...

— Ah ?

Le prince Volkonsky vola au secours de son officier d'ordonnance :

— C'est la fille du comte de Lambrefoux, Majesté.

— Mais parfaitement ! s'écria l'empereur. Où avais-je la tête ? Nous avons eu de ses nouvelles dernièrement. Elle n'est pas très bien disposée à l'égard des Bourbons, si j'en crois ce qu'on m'a rapporté !

— Pas très bien, Majesté, articula Nicolas d'une voix défaillante.

Tous les regards convergeaient sur lui. Il n'osait bouger un muscle de son visage. Sa peau était tendue comme celle d'un tambour. A la droite du tsar, le grand-duc Nicolas Pavlovitch, qui venait d'avoir dix-neuf ans, souriait avec insolence. Il avait une figure ronde, au nez droit, à la bouche menue, aux yeux globuleux et luisants.

— Je suppose que ce ne sont pas les opinions de Mme de Champlitte qui vous ont incité à demander sa main ! reprit le tsar.

Il y eut quelques rires serviles dans l'assistance.

— Certainement pas, Majesté ! dit Nicolas.

— A la bonne heure ! Je compte donc sur vous pour faire perdre à cette charmante personne le goût immodéré de la politique.

— Heureux de servir Votre Majesté Impériale, bégaya Nicolas en pleine confusion.

Les rires redoublèrent. Lui, se tenait raide à s'en casser les épaules. Des gouttes de sueur perlaient à son front.

— Mais oui ! Il n'y a rien de tel que les plaisirs

du mariage russe pour consoler de l'agitation intellectuelle française ! renchérit le grand-duc Nicolas Pavlovitch.

Les traits du tsar se crispèrent sous l'effet du mécontentement. Sans doute estimait-il que son jeune frère n'avait pas à prendre la parole après lui. Ce ne fut qu'un nuage sur le front de l'Olympe. Souriant de nouveau, l'empereur s'appuya familièrement au bras du prince Volkonsky et prononça dans un soupir :

— C'est entendu, mon cher. Tu règleras cela pour le mieux. Qu'il se marie et qu'il parte !

Lorsque le tsar, le grand-duc et le chef d'état-major furent sortis de la tente, les camarades de Nicolas se précipitèrent sur lui avec une joyeuse fureur. Comment avait-il pu leur laisser ignorer une décision aussi grave ? Ne craignait-il pas d'épouser une Française ? Etait-elle brune ou blonde ? Quand la verrait-on ? Qui célébrerait le mariage ? Roznikoff recommandait le père Mathieu, qui avait dit la messe dans le carré des grenadiers. Un saint homme et un bon vivant. Sa bénédiction était une garantie de longévité. Assourdi par toutes ces exclamations, Nicolas éprouvait un mélange de bonheur et de gêne. Avant d'avoir reçu l'approbation du tsar, il pensait à son mariage comme à un doux secret entre Sophie et lui. Et voici que leur projet, rendu public, prenait autant de réalité, soudain, que ce tabouret ou cette table. N'importe qui avait le droit de l'examiner, d'en discuter, de tourner autour... Des voix rauques criaient :

— Il fait sec ! Terriblement sec !... Qu'est-ce qu'on attend pour boire ?... Appelez les musiciens !... Un toast à la santé de la charmante Sophie !...

D'où savaient-ils qu'elle s'appelait Sophie ? Sans doute était-ce Roznikoff qui le leur avait dit. Le bel Hippolyte était plus excité que tous les autres :

— Monte sur la table, faux frère !

Nicolas voulut refuser. Vingt bras le hissèrent de force. Debout sur les planches, il voyait, à hauteur de ses genoux, un cercle de faces hilares. Les yeux brillaient sous les sourcils et les dents sous les moustaches. Des coupes pleines se levaient vers le triomphateur. Mais il n'était pas sûr de mériter cette fête. L'assistance réclama un discours.

— Je ne puis rien vous dire, mes amis, bredouilla-t-il, sinon que je suis heureux, et que... et que je ne vous oublierai jamais... et que, même loin de l'armée, pour ainsi dire... je resterai fidèle à l'esprit qui l'anime. Pour le tsar, la patrie et la foi !...

— Hourra ! Hourra ! glapirent ses camarades.

Roznikoff lui tendit une bouteille de rhum avec ordre de la boire jusqu'au fond :

— On ne te laissera pas descendre avant ! Ce sera ta punition pour nous avoir préféré une femme ! Allons, montre de quoi tu es capable ! A mon commandement !...

Nicolas joignit les talons et porta le goulot à sa bouche comme une trompette.

— Va ! hurla Roznikoff.

Et tous les autres se mirent à chanter.

La tête renversée, Nicolas regardait le haut de la tente où s'enfonçait le piquet central. Cet empiècement circulaire de toile bise le fascinait jusqu'à l'écœurement. L'alcool coulait dans son gosier en ruisseau de flamme. L'intérieur de ses joues était brûlant. Plus il buvait, plus il se sentait seul et triste. La dernière goutte avalée, il jeta la bouteille par-dessus son épaule. Un bruit mou l'avertit qu'elle était tombée dans l'herbe. Des applaudissements éclatèrent autour de lui. Il descendit de la table sur des jambes de coton. Son crâne avait doublé de volume. Des moucherons d'argent volaient devant ses yeux. Roznikoff le prit amicalement par les épaules et demanda :

— Alors, comment te sens-tu ?

— Très bien ! dit Nicolas en remuant une langue de bœuf dans sa bouche.

— Tu recommencerais ?

— Oui, Hippolyte !

— Quel homme ! Garde tes forces : tu vas en avoir besoin pour t'expliquer avec Sophie !

— Sophie ! murmura Nicolas. Sophie !...

Le monde pivota autour de sa tête. Il s'écroula par terre, comme une masse.

9

— Maintenant, Nicolas, racontez-moi tout, dit Sophie en lui désignant une place à côté d'elle sur le canapé du salon. Comment s'est déroulée cette revue ?

— A merveille ! dit-il. Mais je vous en parlerai plus tard, quand vos parents seront là. Pour l'instant, j'ai des choses autrement intéressantes à vous apprendre !

Il s'assit, prit la main de Sophie, l'effleura d'un baiser et attendit ses questions.

— Vous m'intriguez, dit-elle.

— Eh bien ! Sophie, je ne veux pas vous faire languir plus longtemps. Cette fois, tout est arrangé ! Le tsar en personne m'a déclaré qu'il ne s'opposait ni à ma démission ni à notre mariage !

Il avait lancé cette phrase comme on déploie un drapeau. Son regard quêta un signe de joie sur le visage de sa fiancée. Mais elle semblait distraite. N'avait-elle pas compris l'importance de la nouvelle ? Déçu, Nicolas murmura encore :

— J'ai été très heureux de constater la bonté de Sa Majesté à mon égard... à notre égard !

— Je vous comprends, dit Sophie, mais l'approbation du tsar compte moins pour moi que l'approbation de votre père.

Nicolas se découragea. Elle s'obstinait dans son idée. Jamais il ne l'en ferait démordre.

— N'avez-vous toujours pas de réponse ? reprit-elle.

Il s'apprêtait à dire : non, mais aucun son ne sortit de sa bouche. Tout à coup, il cessa d'être lui-même. Un diable se coulait dans sa peau. Entre deux grands battements de cœur, il s'entendit prononcer d'une voix blanche :

— Si, Sophie.

Elle tressaillit et redressa le buste.

— Votre père vous a écrit ? dit-elle avec lenteur.

— Oui.

— Quand avez-vous reçu sa lettre ?

— Il y a... il y a deux jours... Au camp de Vertus...

— Et c'est maintenant seulement que vous me l'annoncez ?

Il essaya de paraître désinvolte, mais son sourire était mal épinglé sur sa figure.

— Je voulais vous faire cette surprise à mon retour, marmonna-t-il.

— Quelle surprise ? s'écria-t-elle. Vous êtes fou de plaisanter ainsi, Nicolas ! Dites-moi la vérité : est-il d'accord ?

Nicolas avala une bouffée d'air et, les prunelles écarquillées, les muscles tendus, l'esprit préparé au choc, plongea de tout son poids dans le mensonge :

— Il est d'accord, Sophie.

Elle eut un premier mouvement de joie, mais

se ressaisit, comme rendue incrédule par l'excès même de cette chance :

— En êtes-vous bien sûr ?

— Mais oui ! dit-il.

En une minute, il avait renoncé à vingt ans de vie honnête. Sophie n'allait-elle pas entrevoir dans ses yeux qu'il la trompait ?

— Cette lettre, reprit Sophie, où est-elle ?

Les doigts faibles, il tira la missive de sa poche, la déplia et la tendit à la jeune femme.

— Comment voulez-vous que je la lise ? dit-elle. C'est écrit en russe !

— Oui, soupira Nicolas. C'est toujours en russe que nous correspondons, mon père et moi.

Par un phénomène étrange, plus il se sentait coupable, plus il aimait Sophie. La confiance, la droiture de sa fiancée le bouleversaient.

— Que vous dit votre père ? demanda-t-elle.

— Eh bien !... mais qu'il est très content... qu'il nous bénit...

— Sont-ce là ses propres termes ?

— Evidemment !

— Ne pourriez-vous me traduire le passage où il parle de nous ?

Il se troubla, le sang au visage, le regard fuyant :

— Oh ! c'est bien facile !...

Elle lui rendit la lettre. Penché sur le papier, il adressa une courte prière à Dieu pour le succès de son improvisation. Puis, il se lança. Il lisait en russe : « A ton âge, on n'épouse pas une femme dont un premier mari a éveillé les sens... Ce serait insulter Dieu... L'imbécillité dans le choix de ton destin... Je te prie de rompre... » Et ces phrases affreuses devenaient en français :

— « Mon cher fils, à ton âge il est temps de songer au mariage et je suis heureux que tu aies trouvé une personne dont les goûts, les aspirations, l'éducation, la beauté, te séduisent à ce point. Ce serait insulter Dieu que de renoncer à un si doux dessein. Je te prie de dire à cette jeune Française... que... que... »

Il feignit de chercher un mot, grommela :

— Ce n'est pas tout à fait cela !... Je voudrais trouver l'expression exacte !... Vous m'excusez !...

— Oh ! Nicolas ! dit-elle.

Et des larmes de gratitude emplirent ses yeux. Il ne put supporter la vue de ce visage défait par un bonheur illusoire, baissa la tête et reprit d'une voix enrouée :

— « Dis à cette jeune Française que... que je l'accueillerai comme ma fille et que... et que... »

Il étouffait de honte et de chagrin. Pourquoi son père n'avait-il pas écrit cela ? Pourquoi n'avait-il pas donné à son fils une occasion de le chérir et de le respecter davantage ? Tout aurait été si simple ! Ah ! quel contretemps ! Il n'aurait pas la force de tenir son rôle jusqu'au bout. Encore quelques secondes de torture, et la vérité jaillirait de sa bouche dans un sanglot. Ce serait la fin de son amour, la fin du monde. Dans un élan de rage, il conclut :

— « Et que... et que je vous bénis tous les deux... »

Le silence qui suivit parut à Nicolas une réprobation céleste. Il ne s'éveilla de sa torpeur qu'en sentant le poids d'une tête chaude sur son épaule. Sophie s'était rapprochée et le caressait de son souffle :

— Merci, Nicolas ! Maintenant, je suis tranquille. Nous nous marierons quand vous voudrez. J'ai hâte de connaître votre père, votre sœur... Je les aime déjà !

Il la pressait contre sa poitrine et souffrait de l'avoir si aisément trompée. « Dans quel abîme suis-je descendu ? songeait-il. Comment me rachèterai-je aux yeux de Sophie et aux miens ? Dès qu'elle sera ma femme, je lui dirai la vérité, je le jure ! » Ce serment ne le réconforta qu'à demi.

TROISIÈME PARTIE

1

Penchée au bastingage, Sophie plongeait ses regards le plus loin possible dans l'espace où se confondaient le gris perle du ciel et le gris glauque de l'eau. Une lumière froide effaçait les reliefs, tuait les couleurs et disposait l'âme à la mélancolie. Çà et là, sur ce fond de brume stagnante. se détachait la silhouette d'un grand bateau fantôme, aux voiles de nacre, aux agrès noirs. Des barques de pêche rampaient, portées par des pattes de mouche, à des distances indéfinissables. Les bords du golfe de Finlande étaient de longs nuages couchés à l'horizon. La mer, exceptionnellement calme, paraissait plus épaisse que partout ailleurs. Son aspect n'était pas celui d'une masse liquide, mais d'un tissu opaque, aux molles moires d'argent. Dans cet univers de rêve, le navire, un robuste trois-mâts de la marine marchande russe, taillait sa route avec lenteur, sans rouler, sans craquer. Il était parti de Cherbourg douze jours auparavant, le 25 octobre. Bien que la traversée eût été paisible, Sophie ne s'habituait pas à la sensation de ce plancher mouvant sous ses pieds. Une vingtaine de passagers s'étaient réunis sur le pont pour voir approcher les côtes de la Russie.

Cependant, Nicolas se trouvait encore dans la cabine, où il s'occupait des bagages avec Antipe. Sophie s'impatienta contre son mari. Allait-il remonter enfin ? Elle voulait absolument qu'il fût près d'elle au moment où le bateau entrerait dans le port. A l'idée que, bientôt, elle foulerait pour la première fois le sol de la Russie, sa joie et son angoisse grandissaient en même temps. Elle se rappela les tristes conciliabules de ses parents à la veille du mariage. Ils avaient exigé que l'union de leur fille avec Nicolas fût préalablement bénie par un prêtre catholique, à la sacristie. Ensuite, ils s'étaient rendus d'un cœur léger à l'église orthodoxe. La chapelle de l'Elysée contenait peu de monde : de proches amis de la famille, les Poitevin, quelques camarades de Nicolas. Ceux-ci se relayaient pour tenir une lourde couronne d'orfèvrerie au-dessus de la tête des futurs époux. Un chœur de soldats chantait des hymnes d'une merveilleuse douceur. Le prêtre barbu, mitré, engoncé dans des vêtements d'or, officiait avec une voix qui sortait des entrailles de la terre. Après l'échange des anneaux, il avait présenté une coupe de vin aux lèvres des jeunes gens, leur avait lié les mains avec un mouchoir de soie et leur avait fait faire trois fois le tour de l'autel, afin de les habituer à marcher du même pas dans la vie chrétienne. Ces rites étranges eussent incité Sophie à sourire, si elle n'avait vu le visage ému de Nicolas pendant la cérémonie. Pour lui, en cette seconde, Dieu descendait réellement dans le temple parmi des nuages d'encens. Tant de ferveur naïve chez un homme promettait un grand bonheur à la femme qui l'épousait. Pendant le dîner de noces, à l'hôtel de Lambrefoux, il n'avait cessé de la dévorer d'un regard anxieux, presque coupable. On eût dit qu'il se sentait indigne d'elle, qu'il refusait de croire à sa chance, qu'il n'osait imaginer d'autre plaisir que celui de la contempler. La nuit même, il lui avait prouvé le contraire.

Elle se troubla en évoquant ces premières caresses, dans la chambre où, si longtemps, elle avait dormi seule. Les formalités nécessitées par la démission, par l'établissement des passeports, par la préparation du voyage avaient traîné encore une quinzaine de jours. Sophie était gênée d'habiter avec Nicolas chez ses parents. Tantôt, par pudeur, elle hésitait à leur laisser voir qu'elle était comblée, tantôt, par fierté, elle voulait leur démontrer qu'elle se louait de son choix. En vérité durant la dernière semaine de son séjour à Paris, ni son père ni sa mère ne lui avaient plus reproché la légèreté de sa décision. Nicolas les avait conquis par sa prévenance. Ils n'en avaient pas moins pleuré en accompagnant le jeune couple à la diligence de Cherbourg. L'ultime vision que Sophie gardait de ses parents était celle de deux vieillards, debout, côte à côte, dans la cour des Messageries. Leurs recommandations se perdaient dans le vacarme des bagages remués à pleins bras, des sabots dérapant sur les pavés et des postillons hurlant pour appeler leur monde. « Soyez heureuse, mon enfant ! Adieu ! Adieu ! Quand nous reverrons-nous ? »

Ces paroles, qui n'avaient guère affecté Sophie quand elle les avait entendues, prenaient dans son souvenir une résonance nostalgique. Pourtant, elle ne regrettait pas d'avoir quitté ses parents, dont les façons de penser et de vivre étaient par trop différentes des siennes. Malgré ses qualités de cœur, sa mère était une personne agitée et niaise ; quant à son père, élevé dans les idées du siècle précédent, il était l'homme le plus mondain, le plus superficiel et le plus charmant de Paris. C'était surtout depuis son veuvage qu'elle avait affirmé devant eux sa volonté d'indépendance. A peine émancipée par la mort de son mari, elle s'était lancée dans la politique autant pour se distraire de son deuil que pour rendre hommage à l'être supérieur qu'elle avait perdu. A ce jeu, elle avait acquis rapidement des manières libres, une assurance un peu masculine. Etait-il possible que l'apparition de Nicolas l'eût transformée au point qu'elle se sentît étrangère à la femme qu'elle était avant de le connaître ? Il l'avait semblait-il, touchée d'un rayon. Amoureuse de lui, elle se découvrait une âme de jeune fille. Elle doutait qu'un autre homme l'eût tenue jadis dans ses bras. Mme Ozareff ! Elle inclina la tête gracieusement sous ce nom bizarre, comme si elle eût essayé un nouveau chapeau. Un scrupule lui vint : n'y avait-il pas quelque danger dans son enthousiasme ? Que trouverait-elle en Russie ? Pour la vingtième fois, elle se tranquillisa en évoquant ce que Nicolas lui avait dit de son père, de sa sœur, qui l'attendaient avec une tendre impatience. Sûre d'être bien accueillie par eux, elle leur donnait d'avance toute son affection. Elle apprendrait le russe pour leur plaire.

Une brise courut sur la mer, et Sophie remonta son col. Elle respirait un air vif, qui sentait le sel, le goudron, la brume. Des cloches tintaient au loin. Le golfe s'animait. Une forêt de mâts perçait la nappe de brouillard. Aux limites du monde visible, des navires de guerre manœuvraient sous leurs charges de toiles immaculées. Mille petites barques dansaient sur des reflets verts, en forme de virgules. Une rive se dessinait, plate, marécageuse, piquée de grêles bouleaux aux blancheurs d'ossements séchés. Par endroits, les eaux semblaient plus hautes que les terres. Une masse de granit apparut : la forteresse de Cronstadt. Les passagers se réunirent tous du même côté, sur la gauche. Le bateau jeta l'ancre en face de l'île.

Nicolas remonta sur le pont et attira Sophie contre son épaule. Elle leva les yeux sur lui et le trouva d'une beauté inquiétante. L'habit civil, qu'il avait adopté depuis sa démission, lui allait mieux encore que l'uniforme. Il portait une redingote de ratine gris fer à col et parements d'astrakan, et tenait un chapeau de castor à la main. C'était elle qui avait choisi le tissu de la redingote. Elle sourit au souvenir de ce premier achat en commun et se sentit encore plus confiante.

— Vous avez été bien long, mon ami ! dit-elle. Un peu plus, et je débarquais sans vous ! Pourquoi le bateau s'est-il arrêté ?

Ni elle ni lui n'employaient encore le tutoiement, bien qu'ils se fussent promis de le faire.

— Sans doute allons-nous subir les formalités du contrôle, dit Nicolas.

Et il lui montra de petites embarcations, qui se détachaient de l'île et se rapprochaient du navire à coups de rames miroitantes. Ces messieurs de la police et de la douane arrivèrent nombreux et grimpèrent à bord, salués par le capitaine. Peu après, les passagers furent engagés à descendre dans la grande salle du bateau, où un tribunal d'inspecteurs en uniforme s'était installé derrière une longue table. L'interrogatoire commença :

— Vos nom ? Prénoms ? Date de naissance ? Références morales ? Pourquoi venez-vous en Russie ? Comptez-vous en repartir et dans combien de temps ? N'êtes-vous point chargé d'une mission secrète ? N'avez-vous point quelque projet contraire à la Loi ?

En répondant à ces questions, les personnes en apparence les plus dignes prenaient des mines coupables. Les Russes n'étaient pas traités avec moins de méfiance que les étrangers. Des commis ouvraient les passeports et vérifiaient les visas à la loupe. D'autres feuilletaient d'énormes registres et y cochaient certains noms, comme pour noter la rentrée d'une compagnie de prisonniers au camp. Le sens de cette comptabilité échappait à Sophie. Dressée sur la pointe des pieds, tirant la tête hors de la file, elle chuchota :

— Que cherchent-ils ? Leur a-t-on signalé quelque malfaiteur à bord ?

— Oh ! non, dit Nicolas. C'est l'habitude, chez nous. Nos déplacements sont surveillés.

— Pourquoi ?

— Parce que, dans un pays aussi vaste, aussi divers, aussi inculte que la Russie, il faut une autorité solide pour tenir le peuple en main.

Tout en parlant à voix basse, il observait Sophie du coin de l'œil et regrettait de ne pouvoir lui présenter son pays sous un jour plus favorable. Il eût voulu que tout fût soleil, propreté et sourire pour la recevoir. Et la première vision qu'elle avait de Saint-Pétersbourg, c'étaient des faces de fonctionnaires blêmies par le soupçon ! Sans doute était-elle indignée par ces précautions administratives qui, en Russie, passaient pour nécessaires alors que, partout ailleurs, les gens circulaient librement. N'allait-elle pas se figurer qu'après une existence indépendante elle entrait dans l'empire de la contrainte et de la peur ? Il se sentait déjà tellement fautif envers elle, que cette dernière pensée l'affola. De jour en jour, il avait différé de lui apprendre sur quel mensonge reposait leur bonheur. D'abord, il s'était juré de lui dire la vérité le lendemain de leur mariage. Puis il avait préféré attendre d'être loin de la France pour faire cet aveu. Maintenant, il voulait tenter une démarche à Kachtanovka avant de mettre Sophie au courant de tout. Dans un cas aussi grave, le contact humain valait mieux à son avis, que toutes les lettres. En revoyant son père, en lui parlant de vive voix, il finirait par le convaincre. La perspective de cette victoire consolait Nicolas de la honte où il devait vivre en se préparant à l'assaut. Il comptait les jours, les heures qui le séparaient de l'échéance. « Dans une semaine, si tout va bien, nous pourrions être là-bas ! »

— Veuillez avancer, je vous prie ! dit une voix sèche.

Marchant à côté de Sophie vers le bureau, Nicolas espéra, pour l'honneur de son pays, que les policiers se montreraient aimables avec elle. Ils le furent au-delà de toute prévision. Un officier de gendarmerie, aux moustaches raidies de cosmétique, prit les documents que lui tendait Nicolas, le complimenta en russe pour son mariage et souhaita la bienvenue, en français, à Sophie. Cela n'empêcha pas d'ailleurs un scribe subalterne de confisquer les deux passeports : ils seraient restitués aux intéressés le lendemain, à Saint-Pétersbourg. Le cas d'Antipe fut étudié avec le même soin. Heureusement, ses papiers, à lui aussi, étaient en règle. Ayant suivi Nicolas à la guerre en qualité de domestique serf, il n'avait pas à rester dans l'armée après la démission de son maître.

Sur le pont, les commis de la douane s'attaquaient déjà aux bagages. Quelques passagers furent emmenés dans une cabine pour être fouillés jusqu'à la peau. Ceux qui revenaient de ces investigations avaient le visage rouge et les vêtements défaits, tels des écoliers après la fessée. Une grosse femme, palpée de trop près par l'employé, hurlait qu'elle se plaindrait dès ce soir à l'ambassadeur d'Angleterre. On l'avait soupçonnée parce qu'elle faisait, en marchant, un bruit de clochettes : des flacons de parfum étaient suspendus sous ses jupes. Nicolas tremblait qu'un pareil outrage ne fût réservé à Sophie. Mais ni elle ni lui ne furent inquiétés. Un douanier se contenta de retourner le contenu de leurs malles.

Passagers et bagages furent transférés sur un navire plus petit, qui s'engagea dans la baie de Cronstadt, en suivant un chenal marqué par des bouées. Après trois heures de route, le bateau pénétra dans Saint-Pétersbourg et vint s'amarrer devant un immense quai de granit. Aussitôt, de nouveaux policiers et de nouveaux douaniers montèrent à l'abordage. Assemblés sur le tillac avec leurs compagnons, Nicolas et Sophie assistèrent à la répétition de l'interrogatoire et de la fouille. C'était le contrôle du contrôle.

En se retrouvant sur le continent, Sophie eut l'impression que la mer bougeait encore sous ses pieds. Une nausée l'étourdit, alors qu'elle n'avait pas eu mal au cœur pendant les douze jours de navigation. Nicolas, remarquant son trouble, accourut pour la soutenir. Elle marchait dans le vague. Un tonneau montait au ciel, tiré par un palan. Une mouette rasait les flots avec des cris tragiques. Antipe se démenait parmi les bagages. Des cochers hurlaient à qui mieux mieux, sans quitter leur siège. Entre l'eau laiteuse et les nuages de plomb, s'alignaient des toits d'améthyste, des coupoles en forme de tiare, des clochers bulbeux, et, dominant le tout, une haute flèche dorée. Nicolas dit :

— Regardez, Sophie ! C'est la flèche de l'Amirauté !

Cependant des hommes à longs cheveux et à longues barbes, vêtus de peaux de mouton, chaussés de loques, accouraient pour empoigner les malles et les hisser sur une charrette. Assurément, c'étaient là ces « moujiks » dont on parlait tant. Ils avaient des yeux d'enfants dans des visages de brutes. Nicolas leur jeta quelques pièces de monnaie. Ils le remercièrent par des saluts profonds. Leur obséquiosité était pénible à voir. Sans que rien ne bougeât dans le décor, l'air, tout à coup, se liquéfia. Il ne pleuvait pas, il bruinait, une poussière d'eau imprégnait l'espace.

Nicolas aida Sophie à grimper dans un fiacre couvert d'une capote de cuir. Le cheval, très maigre, tirait le cou sous un arc de bois. Rond de partout, poilu jusqu'aux yeux, coiffé de fourrure galeuse, le cocher fit claquer son fouet. On s'ébranla. Antipe suivait avec les bagages, sur une charrette. Nicolas serra les mains de Sophie dans les siennes et dit :

— Nous voici chez nous, mon aimée ! Je vous présente votre nouveau pays !

Or, elle ne voyait pas grand-chose dans la pluie qui s'était mise à tomber plus fort. La voiture roulait sur un quai bordé de palais à frontons et à colonnes. Des traînées d'eau marquaient le tendre crépi des façades. Quelques fenêtres étaient déjà allumées. Derrière les vitres, s'épanouissaient des lustres de cristal et des plantes vertes. A l'angle d'une place, une statue surgit, comme indignée d'être surprise dans son repos. Un cavalier de bronze faisait cabrer son cheval sur la roche qui lui servait de socle et tendait le bras vers la Néva. C'était, dit Nicolas, le fameux Pierre le Grand de Falconet. Le palais de l'Amirauté dressait, tout à côté, ses énormes murs jaunes, sa tour à galerie et son aiguille d'or piquée dans un ciel de coton. Plus loin encore, cette masse grisâtre, dans la brume, méritait que Sophie lui accordât un regard déférent : le palais d'Hiver, résidence habituelle du tsar. Mais Alexandre n'avait pas encore regagné sa capitale. Ayant signé l'acte de la Sainte Alliance, il s'était rendu à Varsovie pour organiser le nouveau royaume de Pologne, avec tous les morceaux arrachés à la convoitise de la Prusse et de l'Autriche. Sans doute ne reviendrait-il pas en Russie avant le mois prochain. Le fiacre tourna sur la droite et s'engagea dans une rue rectiligne, large, solennelle, où le vent et la pluie jouaient à l'aise avec les silhouettes bossues des passants.

— La perspective Nevsky, dit Nicolas.

Sophie entrevit un mélange de palais, de magasins et d'églises. Sur les enseignes, brillaient les étranges lettres de l'alphabet russe. Les voitures, en se croisant à toute vitesse, s'éclaboussaient l'une l'autre de boue, de hennissements et de claquements de harnais. Nicolas expliqua à Sophie que son père possédait une maison non loin de là.

— Mais elle est à l'abandon, sans domestiques. Nous serons mieux logés dans une auberge.

Sophie était pressée d'arriver. Un froid humide pénétrait ses vêtements. Enfin, le fiacre s'arrêta devant un porche flanqué de lanternes en fer forgé. Des valets à faces de Mongols se précipitèrent sur les voyageurs. Dans le vestibule, deux plantes tropicales prospéraient dans une odeur de soupe. Des paletots, des cache-nez et des bonnets de fourrure pendaient aux crochets d'un portemanteau, et, devant une banquette, s'alignait une flottille de galoches noires. Le patron se dérangea lui-même pour conduire ses clients à leur appartement.

La chambre était vaste, haute de plafond et meublée de deux lits, d'une armoire et d'un canapé aux coussins de cuir. Un poêle de faïence, incrusté dans une encoignure, dégageait une chaleur agréable. Les fenêtres étaient doubles, avec une traînée de sable entre les châssis. En collant son front à la vitre, Sophie aperçut, dans la cour, des tas de bûches pour l'hiver. La porte rabattue, elle se jeta dans les bras de Nicolas. Ils ne se détachèrent l'un de l'autre, le souffle perdu, qu'en entendant frapper au vantail : les bagages entraient sur le dos des porteurs. Antipe, les mains vides, fermait la marche.

Sophie eût volontiers dîné ce soir-là, à la table d'hôte. Mais Nicolas préféra se faire servir un repas froid dans la chambre : « Nous serons tellement mieux en tête à tête ! », disait-il. En fait, il appréhendait de rencontrer quelque vieil ami de la famille dans le restaurant. Personne, en Russie, n'étant au courant de son mariage, il devait cacher sa femme avant d'avoir obtenu la bénédiction paternelle. Il décida que, dès le lendemain, il s'occuperait de louer une voiture de poste confortable pour se rendre avec Sophie à Kachtanovka. Cinq jours de trajet environ ! Elle eut beau lui suggérer de rester plus longtemps à Saint-Pétersbourg pour visiter la ville et prendre du repos, il se montra intraitable : « Si nous tardons encore, les routes seront trop mauvaises ! » Elle s'inclina.

Le jour suivant, il lui conseilla de garder la chambre pendant qu'il courrait de bureau en bureau pour retirer les passeports et préparer la suite du voyage. Cette fois, elle le considéra avec un étonnement proche de la méfiance :

— Pourquoi ne voulez-vous pas que je vous accompagne ?

— Pour rien... Je pensais vous éviter une fatigue inutile...

Elle sortit avec lui. Le ciel était gris et bas, les rues pleines de monde. Nicolas n'osait regarder à droite ni à gauche, par crainte d'apercevoir un visage de connaissance. Son malaise augmentait à mesure qu'il approchait du centre de la ville. Certes, il avait trop peu vécu à Saint-Pétersbourg pour y avoir de nombreuses relations, mais il suffisait d'un oncle en promenade, d'une cousine à l'œil aigu descendant de voiture, et il ne saurait comment leur présenter Sophie. Inconsciente de l'embarras où il se trouvait, elle goûtait dans le dépaysement un plaisir fébrile. Une nuit de repos l'avait régénérée. Ses yeux couraient de toutes parts. Elle s'amusait des enseignes illustrées qui pendaient à la porte des magasins et demandait à Nicolas de lui traduire les inscriptions des vitrines.

— Remonter cette perspective Nevsky, c'est feuilleter un livre d'images ! disait-elle. Quelle est cette église ? Quel est ce palais ?

Il la renseignait avec un air de contrainte. A peine avait-il fini de parler, qu'elle remarquait autre chose. Un passant sur trois portait l'uniforme. Les moujiks aux touloupes rapiécées coudoyaient des messieurs importants et bien vêtus, des femmes dont la toilette n'eût pas été déplacée à Paris. D'élégantes voitures de maîtres suivaient des chariots de paysans aux roues pleines, qui grinçaient à fendre l'âme en tournant.

— Quel contraste ! s'écriait Sophie. On se croirait au carrefour de deux siècles. Un pied dans le Moyen Age et l'autre dans les temps modernes. Le ciel même est différent de celui que l'on voit à Paris. J'aime cette clarté polaire...

— Oui, oui, Sophie, balbutiait Nicolas en lui serrant le bras. Venez vite...

— Vous paraissez bien sombre, mon ami ! lui dit-elle soudain. A vous voir, on jurerait que vous êtes moins heureux que moi d'être en Russie !

Il se mit à rire, puis redevint sérieux et fixa son regard à vingt pas devant lui. N'était-ce pas un ami de son père qui sortait d'une boutique du *Gostiny Dvor ?* Nicolas entraîna Sophie dans une rue transversale.

— Où allons-nous ? demanda-t-elle.
— A la maison de poste. C'est par ici...
Après dix minutes de marche, ils se trouvèrent au bord d'un canal étroit d'où montait une odeur de vase.
— Mais c'est Venise ! dit Sophie.
Nicolas lui sourit faiblement et murmura :
— Je suis heureux que Saint-Pétersbourg vous plaise.

2

La pluie tambourinait mollement sur la capote de la voiture. Le dos du cocher se balançait à chaque cahot. Sa touloupe était hérissée de perles liquides. Une vapeur l'entourait. De temps à autre, il élevait la voix pour parler aux trois chevaux qui couraient de front. Pressée contre Nicolas, Sophie se laissait engourdir par les battements des sabots, les craquements de la suspension, les tintements des clochettes et le retour monotone des bornes rayées qui jalonnaient la route. Le vent mouillé de la course la frappait au visage en s'engouffrant sous la couverture de cuir à soufflet. Frissonnante, les épaules serrées, elle songeait au malheureux Antipe qui voyageait, accroché aux bagages, derrière la caisse, entre les gros ressorts. Enroulé dans une peau de mouton, il était un ballot parmi les autres, soumis aux chocs et aux intempéries. Pourtant il ne se plaignait pas de cette situation incommode. A chaque arrêt il descendait de la soupente avec une grimace de rire sur la figure.

Depuis deux jours que durait cette randonnée, le paysage n'avait guère changé. Les chevaux trottaient infatigablement à travers une plaine grise et plate, semée de flaques. Au bruit des clochettes, des bandes de corbeaux noirs se levaient de l'herbe en croassant. Parfois, à l'horizon, surgissaient une famille de bouleaux nus et frileux, un rideau de sapins funèbres. Puis, du fond du désert, alors qu'on ne croyait plus à la vie, s'avançait un petit village : des masures de rondins autour d'une église au clocher vert en forme d'oignon ; une gamine ahurie derrière une palissade ; un moujik chargeant du bois sur un chariot. Et, de nouveau, l'espace immobile, vaporeux, décoloré, où le regard se perdait en même temps que l'esprit.

Les relais étaient de vingt verstes environ. Toutes les maisons de poste se ressemblaient : façade blanche et portique à colonnes. Jusqu'à présent, ni les chevaux ni les cochers de rechange n'avaient manqué. Nicolas espérait atteindre Pskov dans trois jours, si la voiture tenait bon et si le temps ne se gâtait pas. Mais la pluie redoublait de violence. La route, crevée d'ornières, bourrée de cailloux, s'en allait en boue noirâtre. De tous côtés giclaient des éclaboussures de crotte. Un marécage coupa le chemin. Les roues s'enlisèrent. Le cocher leva les bras au ciel dans un geste d'impuissance. Nicolas se pencha en avant, saisit l'homme au collet et le secoua avec une telle fureur que Sophie en fut étonnée. Jamais, pensait-elle, il n'eût traité de la sorte un serviteur français.

— Laissez-le donc ! dit-elle. Il n'y peut rien !

— Mais si ! dit Nicolas en donnant des coups de poing dans le dos du cocher. Il aurait dû prendre à travers champ, l'imbécile !

L'autre protestait à peine et oscillait sur son siège, tel un poussah :

— Oh ! barine ! barine !...

C'était tout ce que Sophie pouvait comprendre.

Enfin, le cocher sauta lourdement à terre. Antipe le rejoignit. Ils pataugèrent, dans la boue jusqu'aux mollets, autour de l'attelage. Nicolas leur criait des conseils. Etait-ce parce qu'il était en colère ou parce qu'il parlait russe qu'elle ne le reconnaissait plus ? A peine revenu dans son pays, il retrouvait naturellement ce mépris de l'homme qui caractérisait tous ses compatriotes. Sans doute était-il bien difficile de ne pas jouer au maître parmi tant d'esclaves élevés dans la crainte. Il descendit à son tour et tira les chevaux, pendant qu'Antipe et le cocher poussaient aux roues. Le véhicule gémit, tressauta, escalada un bourrelet de sol ferme.

On repartit en longeant la route. Le cocher rendait en coups de fouet à ses bêtes les coups de poing qu'il avait reçus de Nicolas. Dix minutes plus tard, un lisoir cassa et la caisse pencha sur la droite. Sophie sortit de la voiture et ses pieds s'enfoncèrent dans un cloaque. Il ne pleuvait plus. Une bise aigre ébouriffait la plaine.

Avec l'aide d'Antipe, le cocher retira la pièce de bois transversale sur laquelle reposaient les ressorts et la remplaça par une simple planche qu'il avait en réserve : cela tiendrait bien jusqu'au relais !

Le soir tombait, quand ils arrivèrent à la maison de poste. Une grande agitation régnait dans la cour. Les valets d'écurie attelaient deux charrettes. Des gendarmes surveillaient le travail. L'un se tenait sabre au clair, comme une sentinelle. Sophie remarqua, derrière lui, une douzaine d'hommes rangés le dos au mur. Hâves, barbus, exténués, l'œil vide, les vêtements en lambeaux, ils semblaient ignorer le reste de l'univers. Entre leurs pieds, reposaient de gros boulets de fonte. Des chaînes reliaient leurs chevilles.

— Qui sont ces gens ? demanda Sophie.

— Des condamnés aux travaux forcés, dit Nicolas. On les transporte, par petites étapes, en Sibérie.

Sophie eut un élan de pitié, mais se ravisa :

— Qu'ont-ils fait ?

— Comment le saurais-je ? dit Nicolas en haussant les épaules.

— Si vous interrogiez les gendarmes ?

— Ils ne me répondraient pas. Sans doute ces prisonniers sont-ils des assassins, des voleurs, ou des serfs révoltés contre l'autorité de leur maître...

— Est-ce donc un si grand crime, pour un moujik, de désobéir ?

— Mais oui, Sophie ! dit Nicolas.

Un groupe de voyageurs sortit de la maison de poste. Hommes, femmes, tous étaient habillés chaudement et parlaient avec une animation joyeuse : ils s'étaient restaurés avant de reprendre la route. En passant devant les condamnés, ils leur firent l'aumône. Des pièces de monnaie tombaient dans des mains crispées de froid, noires de crasse. Les malheureux se signaient, marmonnaient et saluaient très bas.

— C'est abominable ! balbutia Sophie.

Les gendarmes contemplaient la scène sans intervenir. Nicolas expliqua à sa femme que ce genre de mendicité était d'usage en Russie.

— Quels que soient leurs péchés, les misérables qu'on expédie au bagne ont droit à la charité de tous les chrétiens, dit-il.

Sophie s'approcha des prisonniers. Nicolas fouilla dans ses poches et en tira une poignée de kopeks. Aussitôt, elle saisit l'argent, et, sans réfléchir, versa toute la somme dans la première main qui se tendait vers elle. Son regard rencontra une face velue et sale, aux narines tailladées, aux paupières sanguinolentes. L'homme la considérait avec une humilité de chien. Soudain, il se prosterna devant elle dans un affreux tintement de chaînes et baisa le bas de sa robe. Elle eut un mouvement de recul. De quoi était-il coupable, celui-là ? Pour combien d'années l'expédiait-on en Sibérie ? Elle voyait ce dos rond, elle entendait cette voix enrouée psalmodiant des remerciements en russe, et la honte, la pitié, le dégoût lui soulevaient le cœur. Nicolas l'entraîna vers la maison de poste. Une fois dans la salle commune, elle prit à peine le temps de se réchauffer devant le poêle et alla se poster à la fenêtre.

Les condamnés venaient d'être chargés pêle-mêle dans les charrettes. Six par plateau. Un transport de bétail à destination de la prochaine foire. Les essieux grincèrent. Le convoi s'ébranla. Un gendarme chevauchait par-devant, les autres suivaient, dans deux calèches.

Quand la cour fut vide, Sophie se tourna vers Nicolas. Il se tenait derrière elle, les bras ballants, le visage sombre :

— Je suis navré ! J'aurais tellement souhaité vous épargner ce spectacle !...

— Il faut que je m'habitue ! dit-elle en souriant malgré son malaise. Je ne veux pas me laisser aller à ma première impression.

— C'est cela même ! s'écria-t-il. Pour l'instant, vous nous jugez de l'extérieur. Tout ce qui n'est pas conforme à votre éducation vous heurte et vous indigne. Mais quand vous vous serez vraiment mêlée à nous, vous comprendrez que notre vie, avec ses bons et ses mauvais côtés, représente un tout très acceptable. On n'est pas moins heureux ici qu'en France. On l'est différemment...

Comme la voiture ne pouvait repartir sans avoir été sérieusement réparée, ils décidèrent de passer la nuit au relais. Un samovar bouillait en permanence sur une grande table, au milieu de la salle.

Près du poêle, deux voyageurs ronflaient, allongés sur des divans de cuir. Derrière le buffet, une fille blonde, corpulente, bâillait parmi des guirlandes de saucisses et des tonnelets de harengs. Après avoir reniflé ces victuailles avec méfiance, Nicolas envoya Antipe chercher le reste du poulet froid dans la cantine à provisions. Le maître de poste disposait d'une chambre à deux lits pour les hôtes de marque. Décidément, il semblait que la Russie ignorât l'usage de la couche conjugale ! Sophie le déplorait, mais se gardait bien de le dire. D'ailleurs, même ainsi Nicolas était très amoureux.

Avant de souffler la bougie, elle inspecta avec lui les coutures des matelas. Pas de punaises ! C'était inespéré. La fatigue aidant, ils s'endormirent avec un sentiment de bien-être.

Ce fut au petit jour seulement que des démangeaisons les jetèrent à bas de leurs lits. Une lumière bleutée venait de la fenêtre. Sophie regarda dehors et s'émerveilla : tout était blanc. Des flocons de neige tourbillonnaient dans l'air calme. Une joie irraisonnée envahit la jeune femme, comme si, pendant son sommeil, quelqu'un lui eût préparé ce cadeau. Sa gratitude alla d'abord à Nicolas. Entre deux baisers, elle lui demanda s'il croyait qu'on pourrait voyager aujourd'hui malgré le mauvais temps. Il lui apprit qu'en Russie la neige n'effrayait personne.

Habillés en hâte, ils descendirent dans la salle commune pour boire du thé chaud et manger des tranches de pain bis avec de la confiture d'airelles. Antipe avait dormi dans la voiture, afin de surveiller les bagages, mais il n'en paraissait pas moins dispos. Le maître de poste, en revanche, était au désespoir. Coup sur coup, il avait dû donner, à l'aube, quatre chevaux d'Etat à un général, trois à un colonel, trois autres au maréchal de la noblesse de Pskov. Il ne lui restait plus à l'écurie que deux bêtes privées, dont l'une était blessée au genou. Et, dans le vestibule, un courrier de cabinet glapissait encore des injures en brandissant le permis officiel qui lui attribuait une troïka par priorité.

— Nous ne sommes pas encore partis ! grommela Nicolas.

Il expliqua à Sophie que les fonctionnaires civils et militaires, munis d'un ordre de route, avaient droit à un nombre de chevaux d'autant plus important qu'ils occupaient un grade, ou *tchin*, plus élevé dans l'administration. Lui, par exemple, comme lieutenant en retraite regagnant ses foyers, ne pouvait prétendre qu'à un modeste attelage. Aussi avait-il dû payer le prix fort pour disposer d'une troïka et d'une calèche, à la façon d'un membre du huitième *tchin*, commandant ou assesseur de collège. Cette répartition des individus dans des catégories numérotées selon les services qu'ils rendaient à l'empire sembla puérile à Sophie, mais elle n'osa le dire à Nicolas, car, visiblement, il prenait la chose au sérieux. Sans doute y avait-il une vertu miraculeuse dans le titre, l'épaulette, la lettre de mission, l'œil comminatoire et le cri, car, dix minutes après s'être fait houspiller par le courrier de cabinet, le maître de poste, courbé jusqu'à terre, lui annonçait qu'une troïka l'attendait dans la cour.

Quand cet important personnage se fut envolé dans la neige, porté par un tintement de clochettes, Nicolas menaça le maître de poste de noircir toute une page dans le livre de réclamations si on ne lui amenait pas immédiatement un attelage frais. L'homme fit mine de s'arracher les cheveux, essuya une larme, se signa, et envoya un gamin au prochain village pour tâcher de trouver des chevaux.

— Que ferons-nous d'Antipe ? dit Sophie. Il ne peut voyager à l'extérieur par un temps pareil !

— Mais si, dit Nicolas. Il est bien couvert.

Comprenant qu'on parlait de lui, Antipe roulait des yeux blancs et tournait son bonnet dans ses mains. Nicolas lui rapporta les craintes de Sophie. Alors, la bouche d'Antipe se fendit sur une denture jaune, ébréchée au milieu. Il gloussa de plaisir :

— Comment aurais-je froid, quand je sens que la maison est proche ?

— Tu es content de rentrer chez toi ? demanda Nicolas.

— Oh ! oui, barine ! La France, qu'est-ce que c'est ? Un pays étranger. Les gens y parlent et y vivent à l'envers. C'est en Russie seulement qu'on se sent sur une terre chrétienne. Même la barynia, qui est française, a l'air de trouver que tout est beau chez nous !

— Oui, dit Nicolas, j'espère qu'elle ne sera pas déçue.

— Pourquoi le serait-elle ? Personne ne lui fera de mal. Vous l'avez si bien choisie, barine ! Bonne, douce, le visage clair comme la lune ! Quand elle parle, c'est un ruisseau qui coule ! Je ne comprends rien et ça me désaltère ! Votre honoré père sera si heureux de la voir ! Et votre sœurette plus encore ! Je suis sûr que chacun, là-bas, attend votre arrivée avec impatience et prépare des gâteaux !...

Il réfléchit un moment et ajouta :

— Peut-être que je devrais me marier, moi aussi, en rentrant au village ! Les filles ne manquent pas !

Il cligna de l'œil :

— Eh oui ! je le ferai ! Je le ferai si notre petit père Michel Borissovitch le permet...

Ces derniers mots frappèrent Nicolas et lui rappelèrent l'autorité redoutable du maître de Kachtanovka, qu'il avait failli oublier depuis quelques jours. Le moment de l'épreuve approchait avec une rapidité déconcertante. L'obstacle grandissait à vue d'œil. Bientôt, Nicolas aurait le nez dessus. Agacé il renvoya Antipe d'un claquement de doigts :

— Tu bavardes ! Tu bavardes ! Va voir si on amène les chevaux.

— Qu'a-t-il dit ? demanda Sophie.

— Rien d'intéressant... Il est pressé d'arriver !

Elle sourit :

— Moi aussi, Nicolas ! Songez que notre vraie vie ne commencera qu'au terme de ce voyage. Parlez-moi encore de votre père, de votre sœur...

Nicolas appréhendait par-dessus tout ce genre de conversation. Plus Sophie se montrait affectueuse dans ses questions, plus il se sentait bourrelé de remords. A tout prendre, il l'eût préférée indifférente. Antipe le tira d'embarras en revenant, la mine épanouie :

— Les chevaux sont là, barine !

Cette fois, le cocher était un gamin de quinze ans. Sophie s'en émut, mais Nicolas lui affirma qu'à cet âge, en Russie, les enfants étaient aussi hardis que des hommes. En effet, dès le départ, le garçon mena son attelage à un train d'enfer. Heureusement, la neige fraîchement tombée opposait quelque résistance au jeu des roues. Attelés à un traîneau, les chevaux eussent versé leur charge au premier tournant. La campagne était enfarinée à perte de vue. Dans cette blancheur, se balançaient trois crinières noires. Les clochettes tintaient au milieu d'un silence sidéral. Des flocons légers flottaient dans l'espace et venaient mourir en gouttelettes fraîches sur les lèvres de Sophie. Puis les points blancs se resserrèrent s'épaissirent, tremblèrent, bondirent avec rage à la face des voyageurs. Un vent violent rasa le sol, soulevant comme une fumée d'albâtre sur les talus. En un clin d'œil, les fossés furent nivelés, la route balayée, effacée, les arbres noyés dans la brume. On ne distinguait plus rien à quatre pas devant soi. Inquiète, Sophie jeta un regard à Nicolas. Il riait, la figure mouillée, enneigée, avec des sourcils de vieillard et des joues d'enfant.

— Ce n'est rien ! cria-t-il. Un chasse-neige !

Elle se rappela les douze prisonniers qui voyageaient, les fers aux chevilles, dans des charrettes découvertes. Son cœur se crispa d'une pitié qui ressemblait à un repentir. Et Antipe ? N'était-il pas mort de froid, cramponné aux bagages, entre les ressorts ? Ne l'avait-on pas perdu en route ? Cette crainte la poursuivit jusqu'au prochain relais. Ce fut avec soulagement qu'elle vit apparaître, au bord du chemin, dans une tempête de peluche, la maison de poste avec son inévitable fronton de bois blanchi à la chaux et ses colonnes de mortier. Les chevaux s'arrêtèrent en soufflant dans la cour. Avant même que Sophie eût rejeté les couvertures qui la protégeaient, un fantôme polaire se précipita pour l'aider à descendre. Antipe était sain et sauf, les joues bleues, des glaçons aux narines et le bonnet à la main.

3

Arrivés à Pskov tard dans la soirée, les voyageurs passèrent la nuit à la maison de poste, qui était grande, propre, et fournissait même du linge avec la chambre. Le lendemain matin, Nicolas expliqua d'un air embarrassé à Sophie qu'il préférait se rendre seul à Kachtanovka, en éclaireur. Son père, disait-il, n'aimait pas les visites à l'improviste. Il valait mieux l'avertir que sa belle-fille était sur le point de se présenter à lui. Sophie approuva ce programme, qui lui laissait le temps de se délasser et de s'apprêter à une rencontre si importante. Comme la propriété familiale ne se trouvait qu'à cinq verstes de la ville, Nicolas comptait revenir chercher sa femme vers midi. En embrassant Sophie sur le seuil de leur chambre, il murmura tendrement :

— A bientôt ! Faites-vous belle !

Il lui souriait avec amour, avec confiance, mais son angoisse était aussi forte que s'il l'eût quittée pour se battre en duel contre un adversaire implacable. Dans le tumulte de ses idées, il ne prévoyait même pas les phrases qu'il dirait à son père. La clarté, pensait-il, jaillirait de la discussion, en dehors de leur volonté à tous deux. Il remporterait la victoire, parce que Dieu ne pouvait tolérer que Sophie fût venue de France pour subir l'injure d'un refus.

Debout à la fenêtre, elle le vit esquisser un signe de croix avant de monter en voiture et s'amusa de cette propension russe à mettre de la religion dans tout. Antipe, qui ne devait pas accompagner son maître ce matin-là, demeura plié en deux, près du porche, jusqu'au moment où les chevaux s'ébranlèrent. Alors, il se redressa, tourna les yeux vers la fenêtre, aperçut la barynia et pouffa de rire. Sophie ne put s'empêcher de rire, elle aussi. Elle avait pris en affection cet espèce de pitre à la chevelure hirsute et à la peau tannée, qui s'accommodait aussi bien du soleil que de la neige, dormait on ne savait où, se nourrissait d'on ne savait quoi, volait un peu, priait beaucoup, ne se lavait jamais et rayonnait du plaisir de vivre. « C'est un serf, se dit-elle. Comment se fait-il qu'il ait l'air heureux de son sort ? Est-ce de l'inconscience, de la sagesse, de la paresse, de la résignation ? » Elevant deux doigts au-dessus de sa bouche ouverte, Antipe fit le simulacre d'avaler un hareng, se frotta le ventre du plat de la main et, avec un dandinement comique, se dirigea vers les cuisines.

La cour resta vide pendant une minute. Puis, une équipe de moujiks arriva, portant des balais et des pelles. Ils se mirent à rejeter la neige sur les côtés. Des calèches, des charrettes, des *tarantass* dressaient leurs timons noirs derrière un monticule blanc. Une épaisse fumée sortait des écuries. Les boules de crottin brillaient comme des tas d'or.

Longtemps, Sophie regarda les allées et venues des hommes et des bêtes devant le péristyle. Son changement de vie lui plaisait chaque jour davantage. La France lui paraissait si petite, si lointaine !... Elle sortit dans le corridor et battit des mains. Nicolas avait donné des instructions pour qu'on apportât de l'eau chaude à sa femme dès qu'elle en exprimerait le désir. Deux servantes surgirent au bout du couloir, traînant des seaux et un baquet de bois. Elles étaient jeunes et roses, un mouchoir d'indienne sur les cheveux, le corps perdu dans une robe roide à bretelles, dont le décolleté découvrait une chemise brodée de gros points. L'une était pieds nus, malgré le froid, l'autre portait des bottes noires, grimaçantes, qui, sans doute, appartenaient à un homme. Elles versèrent l'eau dans le baquet et demandèrent par signes, à Sophie, si elle voulait être aidée dans ses ablutions. Elle secoua la tête négativement, laissa les jeunes filles renifler avec extase son savon aux amandes, admirer son linge, puis les mit à la porte et tira le verrou.

Les soins de son corps l'occupèrent plus d'une heure. Après s'être lavée et parfumée, elle s'étendit mollement sur le lit et rêva. Dans un coin, la flamme d'une veilleuse brûlait sous une icône dorée et noire. De tendres craquements venaient du poêle qui chauffait la chambre. Une dentelle de givre fin irisait les vitres. Des voix russes bourdonnaient dans le corridor. Malgré cette impression de dépaysement, Sophie ne craignait plus de décevoir les proches de Nicolas, ni d'être déçue par eux. A quelques heures de les rencontrer, elle éprouvait même l'agréable assurance d'une coquette habituée à plaire. Sur un fauteuil, les vêtements qu'elle avait choisis attendaient : une robe en velours flamme de punch, ornée de nœuds en satin ton sur ton, avec un col rabattu et une ceinture à boucle ; pour sortir, elle coifferait sa jolie capote à plumes noires et enfilerait une ample witchoura, garnie de petit-gris.

Impatiente de se voir dans ces atours, elle se leva et se mit à s'habiller devant la vieille glace ovale qui pendait au-dessus d'une commode. Une fois prête, elle appela les servantes pour qu'elles emportassent le baquet et les seaux. Les deux filles joignirent les mains et se récrièrent d'admiration devant l'élégance de la barynia. Elle les gratifia d'un pourboire et, n'ayant plus rien à faire, essaya d'imaginer Nicolas arrivant dans sa famille.

★

La neige précoce tenait sur les talus, mais fondait en fleuve limoneux dans l'allée. A chaque tour de roue, des gerbes de boue grise sautaient aux flancs haletants des chevaux. Deux rangées de hauts sapins noirs conduisaient à une trouée de lumière. Penchée en avant, Nicolas voyait venir avec émotion la maison de son enfance, grande, carrée, tranquille, avec ses murs enduits d'un crépi rose, son toit vert chou, glacé de plaques blanches, et ses quatre colonnes soutenant un fronton grec. Le soleil se reflétait dans les vitres. Une mare s'étalait devant le perron. Des aboiements retentirent. Un chien noir courut derrière la voiture, les oreilles battantes, la gueule en feu. Nicolas cria :

— Joutchok !

Les appels furieux se transformèrent en jappements d'allégresse. Absorbé dans ses pensées, Nicolas remarqua cependant que le vieux sapin du tournant n'était plus à son poste et que la toiture de la cabane de bains, à demi masquée par les broussailles, avait enfin été réparée. Jadis, c'était dans cette bicoque pourrie qu'il allait se cacher avec Marie pour échapper aux remontrances de

M. Lesur ou de la bonne d'enfant, la *niania*, Vassilissa. Aujourd'hui, il refusait de se laisser attendrir par ces souvenirs. Pour être fort, il lui fallait oublier qu'il avait été jeune en ces lieux. C'était en homme mûr et résolu, et non en adolescent craintif, qu'il devait aborder son père.

Des moujiks, chargés de fagots, se montrèrent sur le chemin. Le jeune barine n'ayant pas annoncé son arrivée, on le saluait bien bas en hésitant à le reconnaître. Lui, cependant, considérait avec appréhension les colonnes du péristyle. Sa tension d'esprit était telle, qu'au moment de mettre pied à terre il se sentit comme exclu de la réalité. Déjà, de tous côtés accouraient des serviteurs aux mines ahuries, réjouies :

— Ah ! mon Dieu ! C'est lui ! C'est bien lui !...

La vieille *niania*, Vassilissa, apparut au milieu du groupe. Elle avait un visage blet, dont les rondeurs semblaient faites de pommes superposées : deux pour les joues, une pour le front, une pour le menton. Avec un râle jailli du ventre, elle se jeta sur Nicolas, l'étreignit, le palpa, lui baisa les mains.

— Mon petit faucon ! balbutiait-elle. Mon soleil rouge revenu sur la terre ! Que la Très Sainte Vierge soit mille fois bénie pour l'instant où je te revois !

Agacé par ce train de cajoleries, Nicolas se délivra rudement de Vassilissa, gravit le perron, pénétra dans le vestibule, entendit une faible exclamation et reçut Marie contre sa poitrine.

— Nicolas, est-ce possible ? s'écria-t-elle. Pourquoi ne nous as-tu pas prévenus ? Oh ! que je suis heureuse ! Tu ne vas pas repartir au moins ?

— Non, dit-il en l'embrassant avec douceur.

Soudain, elle fit un pas en arrière et s'étonna :

— Mais, tu n'es pas en uniforme !

— J'ai démissionné.
— Cela signifie que tu as quitté l'armée ?
— Oui.
— C'est très grave !
— Nullement.
— Pourquoi as-tu fait cela ?
— Je te l'expliquerai plus tard ! Comment va notre père ?
Le petit visage de Marie se crispa. Les coins de ses lèvres s'abaissèrent. Elle avait des taches de rousseur sur les pommettes.
— Ah ! tu ne sais pas ? dit-elle. Il a été très malade. Nous avons même cru qu'il allait mourir...
L'esprit de Nicolas se dispersa, partagé entre la stupéfaction, la honte et une sorte de terreur mystique. Braquant sur sa sœur un regard effaré, il marmonna :
— Mourir ?... Comment cela, mourir ?... Qu'a-t-il eu ?...
— Une fluxion de poitrine !... Si tu l'avais vu !... A chaque quinte de toux, je pensais qu'il rendait l'âme... Il étouffait, il délirait... Le médecin l'a saigné plusieurs fois, très fort... La fièvre a baissé... Je t'ai écrit aussitôt : tu n'as pas dû recevoir ma lettre...
— Non. Mais, dis-moi, maintenant ?...
— Il est guéri, mais sa faiblesse est très grande. Il doit prendre beaucoup de précautions. Tout le fatigue, tout l'irrite...
— Quand est-il tombé malade ?
— Il y a six semaines environ.
Nicolas tressaillit : une corrélation horrible s'établit dans sa pensée entre son insubordination filiale et la maladie qui avait frappé son père. Ceci était le châtiment de cela. Convaincu de sa responsabilité par-delà toute explication humaine, il n'osait plus regarder sa sœur dans les yeux.

— T'a-t-il parlé de moi dernièrement ? demanda-t-il.

— Bien sûr ! Hier matin encore, il s'inquiétait d'être sans nouvelles de toi depuis si longtemps ! Il voulait écrire directement au prince Volkonsky...

— Il ne l'a pas fait, j'espère ?

— Non ! Je l'en ai dissuadé. Je lui ai dit que si tu ne donnais pas signe de vie c'était parce que tu te préparais à revenir en permission... Tu ne supposais pas que j'avais un don de voyante, hein ?

Elle se mit à rire en secouant la tête. Ses nattes blondes volèrent autour d'elle. Dans la gaieté, son frais visage de seize ans, aux yeux bleus, aux lèvres charnues, prit une expression de femme. « Comme elle a changé en quelques mois ! pensa-t-il. Sa taille s'est formée, son teint s'est éclairci, ses gestes sont devenus plus gracieux... »

— Après tout, dit-elle, tu ne me plais pas moins en civil qu'en militaire ! Toutes les demoiselles des environs vont être en émoi !

Il haussa les épaules.

— Si ! Si ! s'écria-t-elle. J'en connais au moins deux qui auront des battements de cœur. Veux-tu que je te dise qui ?

— Non, murmura-t-il. Je t'en prie.

Il souffrait de ces taquineries charmantes adressées à un jeune homme qu'il n'était plus et dont le passé même lui paraissait incroyable.

— Tu as raison, dit Marie. Elles ne sont pas assez belles pour toi ! Viens vite ! Père est dans son bureau. Ce sera une telle joie pour lui de te revoir !

Elle prit la main de Nicolas. Mais, au lieu de la suivre, il s'alourdit, s'enracina dans le vestibule. Une tête de loup, les babines retroussées, les crocs à découvert, dominait la porte. A gauche et à droite, sur le mur de bois peint en jaune, pendaient des fusils, des coutelas, des cravaches. L'odeur hivernale de la maison n'avait pas changé : fumée de bois, cire d'abeille et marinade. Nicolas aspira profondément cet air nourricier de son enfance. Sa volonté mollit. Il balbutia :

— Marie, je ne suis pas revenu seul.

— Tu es avec un ami ? dit-elle d'un ton de curiosité amusée.

— Non, avec une femme. Avec ma femme. Je me suis marié en France.

Marie ouvrit la bouche, écarquilla les prunelles et referma ses doigts sur le dossier d'une chaise. L'étonnement, la tristesse pâlissaient son visage. Son menton tremblait.

— Père est-il au courant ? demanda-t-elle enfin.

— Non, dit Nicolas. Je lui avais écrit pour implorer sa bénédiction ; il me l'a refusée ; j'ai passé outre...

La jeune fille porta les deux mains à ses tempes et se comprima la tête comme pour l'empêcher d'éclater. Ses yeux s'emplirent de larmes :

— Oh ! Nicolas ! Comment as-tu pu ? gémit-elle. Comment as-tu pu désobéir à notre père ?

— Je n'avais pas le choix, dit-il. J'étais amoureux. Il ne voulait pas le comprendre. Je suis sûr qu'il n'a jamais fait allusion devant toi à mon projet !

— Non... Pour lui, je ne suis qu'une enfant... Il ne me raconte rien... Ta femme, Nicolas, n'est-ce pas cette personne dont tu m'as parlé à ta dernière permission, cette si belle et si noble Française ?

— Oui, dit-il. Quand tu la connaîtras, tu seras conquise.

Marie essuya ses paupières avec le revers de son poignet.

— C'est égal ! soupira-t-elle. Tu n'aurais pas dû !

Tu n'avais pas le droit ! Dieu te voit et te juge ! Que vas-tu faire maintenant ?

— Dire la vérité à père.

— Tu es fou ? s'écria-t-elle. Dans l'état où il est, tu le tuerais !

Déconcerté, il baissa la tête. Marie avait raison : cette maladie compliquait tout.

— Je suis perdu ! chuchota-t-il. Je ne peux pourtant pas repartir sans avoir vu mon père ! Et si je le vois, saurai-je lui cacher ce que j'ai sur le cœur ? Et si je le quitte sans le lui avoir rien dit, comment expliquerai-je à Sophie qu'elle ne doit plus compter se rendre à Kachtanovka ?

— Où est-elle en ce moment ? demanda Marie.

— A la maison de poste, à Pskov. Elle m'attend. Elle se prépare. Elle est persuadée que je vais revenir la chercher pour la conduire ici...

— C'est abominable ! dit Marie. Je la plains de toute mon âme. Mais tant pis...

Les yeux de la jeune fille étincelèrent de fierté. Elle reprit d'une voix rauque :

— Oui, tant pis pour elle ! Tant pis pour vous deux ! Tu ne dois rien dire à père ! Il est vieux, malade ! Vous, vous êtes jeunes ! Vous êtes forts ! Vous irez vivre ailleurs. Invente n'importe quel prétexte, mais épargne-le ! Laisse-le dans l'ignorance, je t'en supplie !...

— Encore un mensonge ! dit Nicolas.

— Celui-ci du moins, Dieu te le pardonnera ! dit Marie. Peut-être même rachètera-t-il tous les autres !

Un pas se rapprochait. Marie serra convulsivement la main de son frère :

— C'est lui ! Promets-moi, promets-moi, Nicolas !

La porte s'ouvrit lentement. Michel Borissovitch Ozareff apparut dans une ample robe de chambre olive à brandebourgs. Sa taille de géant s'était un peu voûtée. La maladie avait pâli et ridé son visage aux grands traits rudes, encadré de favoris poivre et sel. Mais les yeux étaient aussi vifs qu'autrefois, sous les sourcils noirs ébouriffés. Muet, la tête haute, il semblait attendre la soumission de son fils. Nicolas lui baisa la main.

— Je savais que tu viendrais ce matin, dit Michel Borissovitch d'une voix essoufflée.

La surprise de Nicolas fut telle, qu'il soupçonna son père de n'avoir plus toute sa raison. Le frère et la sœur échangèrent un regard apitoyé. Puis Marie dit avec l'enjouement pénible d'une garde-malade :

— Eh bien ! père, vous êtes plus perspicace que moi ! J'avoue que, tout à l'heure, en voyant Nicolas dans le vestibule, j'ai cru qu'il nous tombait du ciel. N'est-ce pas qu'il a bonne mine ?

— Meilleure mine que moi, en tout cas ! dit Michel Borissovitch. Tu sais l'histoire, mon fils ?

— Oui, oui, bredouilla Nicolas. Marie m'a raconté. Mais vous voici tout à fait rétabli, maintenant. Quitte pour la peur !

Michel Borrissovitch développa ses larges épaules de bûcheron.

— Je n'ai pas eu peur, dit-il. Trop de gens m'attendent là-haut pour que je ne ressente pas l'envie de les rejoindre ! Et, d'autre part, ce qui se passe sur terre n'est pas beau, pas beau du tout ! Viens, nous allons bavarder entre hommes.

Nicolas suivit son père dans le bureau, où régnait toujours le même désordre de papiers, de livres, la même odeur de pipe et le même reflet bleuâtre sur les sièges de cuir noir. De lourds rideaux épinard bordaient la fenêtre. Tous les bibelots, presse-papiers, candélabres, étaient en malachite. Michel Borissovitch ouvrit une bonbonnière taillée dans un bloc de pierre verte, y cueillit une réglisse, la fourra dans sa bouche, s'assit dans un fauteuil et désigna une chaise à son fils. Il y eut un long silence. Le maître de Kachtanovka reprenait sa respiration. Une lueur d'acier brilla sous la barre sombre de ses sourcils. Soudain, il demanda :

— Quelle est cette femme avec qui tu es descendu à la maison de poste ?

Nicolas éprouva un coup sourd dans la poitrine.

— Oui, poursuivit Michel Borissovitch, si je t'ai dit que je t'attendais ce matin, c'est parce que j'ai été prévenu, dès hier soir, de ton arrivée à Pskov. Cela t'étonne ? Tu devrais savoir qu'en province les nouvelles vont vite. Quelqu'un t'a vu au relais. Habillé en bourgeois ! Démissionnaire pour convenances personnelles !

Abasourdi, Nicolas songea que cette scène était sans rapport avec tout ce qu'il avait prévu, et la conscience de son impéritie l'accabla. Puis, brusquement, il se sentit soulagé de n'avoir plus à feindre. Un autre que lui avait fait éclater la nouvelle. Quoi qu'il advînt, Marie ne pourrait plus lui reprocher d'avoir manqué de ménagements envers son père.

— Elle est française, m'a-t-on dit, reprit Michel Borrissovitch sans hausser le ton. J'en déduis que c'est la même personne dont tu m'as entretenu dans ta dernière lettre.

— Oui, père.

— Comment a-t-elle pu accepter de t'accompagner jusqu'ici ?

— Parce qu'elle est ma femme, dit Nicolas avec élan.

Et il banda ses muscles pour résister au choc. Mais l'explosion qu'il redoutait ne se produisit pas. Il y eut comme un frisson sur toute la figure de Michel Borissovitch. Ses prunelles vacillèrent avant de reprendre leur fixité et leur éclat. Sa mâchoire carrée s'avança dans un mouvement de carnassier. Il se leva, fit trois pas lourdement dans la pièce. Nicolas demeurait assis, n'osant rompre le silence par crainte d'aggraver son cas. Des secondes passèrent. Enfin, Michel Borissovitch se campa, les poings sur les hanches, devant son fils, le regarda avec tristesse et prononça d'une voix enrouée :

— Ainsi, tu l'as épousée malgré mon interdiction !

— Pardonnez-moi, père ! s'écria Nicolas. Pour la première fois de ma vie, il m'a été impossible de vous obéir.

— Impossible ? dit Michel Borissovitch en levant les sourcils. Et pourquoi, s'il te plaît ?

— Parce qu'en me soumettant à votre volonté j'aurais sacrifié mon amour pour une femme admirable !

— C'est vrai ! grogna Michel Borissovitch avec un faible éclat de rire. L'amour ! J'oubliais l'amour ! Rien à dire ! C'est de ton âge!

Sa bouche riait toujours dans un visage las et sinistre. Il n'était donc pas fâché ? Il acceptait sa défaite ? Cette attitude conciliante renforça Nicolas dans l'idée que son père était déprimé par la maladie.

— Eh ! oui, continua Michel Borissovitch, la guerre a fait de toi un homme. On t'a donné le droit de tuer, tu as pris celui de te marier. Comment l'autorité d'un père résisterait-elle à un cataclysme qui a bouleversé le monde ? Je ne compte plus pour toi !

— Mais si, père...

— Allons ! pas de politesse ! C'est toi maintenant, et non moi, qui décides ! Il faudra que je m'y habitue ! On entre dans ma famille comme dans un moulin ! Je suis le dernier prévenu !...

Sur le point de s'emporter, il se calma avec effort, son regard se radoucit.

— Ma femme est on ne peut plus digne de votre affection, dit Nicolas.

— Certainement ! Certainement ! Je te fais confiance ! Mais cette intéressante jeune personne doit se languir à Pskov. Pourquoi ne l'as-tu pas amenée avec toi ?

— Je voulais vous parler d'abord, par déférence.

Un écho moqueur répéta :

— Par déférence ?

Dominant son fils, Michel Borissovitch hochait la tête et marmonnait :

— Par déférence ? Oui, oui ! Je suis très touché ! Mais c'est trop d'égards, mon fils. Après tout, puisque cette femme est ton épouse, nous n'avons qu'à nous incliner, sa place est dans notre maison...

Nicolas n'en croyait pas ses oreilles. Les difficultés s'aplanissaient d'elles-mêmes. Marchant sur un adversaire, il découvrait un allié. Certes, le ton de son père était parfois étrange, mais il ne fallait pas lui en demander trop. Blessé dans son amour-propre, Michel Borissovitch se consolait en affectant l'ironie.

— Vraiment, père, vous ne m'en voulez pas ? dit Nicolas en se levant.

Michel Borissovitch ouvrit les bras et les laissa retomber le long de son corps :

— Ton bonheur avant tout, mon enfant !... Les vieux sont faits pour qu'on les écrase... Je plaisante !... Tu ne m'écrases nullement !... Tu me pousses un peu sur le côté, c'est tout !... Comment s'appelle ma belle-fille ?

— Sophie, père, je vous l'avais écrit.

— Tu m'excuseras, je l'avais oublié, depuis le temps ! Sophie ! Sophie ! Sophie Ozareff ! Pourquoi pas ? Bien entendu, elle ne sait pas un mot de russe !... Aucune importance, puisque ici nous savons tous le français... J'ai hâte de connaître ma bru parisienne...

— Est-il possible, père ?...

— Mais oui ! Qu'y a-t-il d'étonnant à cela ? Aujourd'hui, je suis un peu fatigué... Mais, demain... Viens demain avec elle... pour le dîner... et pour le reste de la vie...

Un torrent de joie emporta les idées de Nicolas. Jamais, dans ses rêves les plus fous, il n'avait imaginé une conclusion aussi heureuse à son aventure.

— Comment vous remercier ? balbutia-t-il. Vous êtes le meilleur des hommes ! Si vous saviez comme je regrette de vous avoir surpris, tourmenté, en un moment où vous avez surtout besoin de ménagements !...

Michel Borissovitch cambra la taille. Le sang colora ses joues flasques. Ses narines s'enflèrent.

— Détrompe-toi, Nicolas, dit-il. Je ne me suis jamais mieux porté. A demain.

Et, d'un mouvement du menton, il lui désigna la porte.

Chaque fois que Sophie entendait le bruit d'un équipage, elle se précipitait, le cœur battant, à la fenêtre. A mesure que l'heure avançait, une nervosité grandissante se mêlait à son allégresse. Enfin après vingt déceptions, la voiture qu'elle attendait passa le porche, un valet d'écurie saisit le limonier au mors et Nicolas mit pied à terre. Pendant qu'il traversait la cour, elle vérifia une dernière fois sa coiffure, donna quelques tapes sur ses manches pour les défriper et, rayonnante de grâce, ouvrit la porte.

Elle espérait voir son mari bouleversé par la joie et s'étonna de constater qu'il avait un visage pensif. Sans dire un mot, il jeta son chapeau sur un coffre et saisit Sophie dans ses bras. Avait-il seulement remarqué qu'elle portait une nouvelle robe ? Les joues de Nicolas étaient gelées par le vent de la course. Son baiser eut un goût de neige. Sophie se détacha de lui et demanda :

— Comment avez-vous trouvé votre père ?

— Pas très bien, dit Nicolas.

Elle tressaillit, alarmée, et le considéra plus attentivement :

— Il est malade ?

— Il l'a été. Et gravement ! Une fluxion de poitrine.

— Mais c'est affreux, Nicolas ! s'écria-t-elle. Allons vite auprès de lui !

Il l'arrêta :

— Non, Sophie. Mon père a besoin de beaucoup de repos. Il préfère ne nous recevoir que demain.

Les yeux de Sophie s'attristèrent. Craignant de l'avoir trop brutalement déçue, Nicolas reprit avec un sourire :

— En tout cas, il se réjouit de faire votre connaissance. Il m'a chargé de mille choses aimables pour vous...

Les mots passaient difficilement dans sa gorge. Après s'être félicité de sa victoire, il était presque déçu de l'avoir si aisément remportée. Une sorte de remords lui venait à l'idée que son succès était dû à l'extrême fatigue de son père. Par amour filial, il eût souhaité que Michel Borissovitch s'indignât, criât, jetât ses foudres, comme d'habitude, avant de céder à la raison.

— Nous irons donc le voir demain, dit Sophie. Ce sera un grand jour pour moi.

Il recula de deux pas, la contempla des pieds à la tête avec une admiration coupable et murmura :

— Vous remettrez cette robe, n'est-ce pas ? Elle vous va si bien !

4

Assise entre Nicolas et Marie dans le grand salon de Kachtanovka, Sophie parlait avec animation de Paris, du voyage, de ses premières impressions russes, pour essayer de lutter contre la gêne qui s'était emparée d'elle à son entrée dans la maison. Son beau-père n'était même pas sorti de son appartement pour l'accueillir. Elle l'excusait, sachant qu'il était convalescent, mais son regret n'en était pas moins vif. Paraîtrait-il seulement à deux heures, pour le dîner, ainsi que l'assurait Marie ? C'était la jeune fille qui avait installé les voyageurs dans leur chambre, au premier étage. Sophie jugeait sa belle-sœur passablement jolie, mais trop timide, presque sauvage, avec une sorte d'hostilité mélancolique dans le regard. Quant à M. Lesur, il se révélait d'une obséquiosité et d'une légèreté affligeantes. Sa joie de retrouver une compatriote le faisait bégayer. En ce moment, il rassemblait tous les livres français de Kachtanovka pour les porter dans « le nid du jeune couple », selon sa propre formule. On l'entendait aller et venir dans le couloir sur ses talons claquants. Soudain, il y eut un bruit de volumes tombant par terre et Marie éclata d'un rire nerveux.

— M. Lesur se donne vraiment trop de mal ! dit Sophie. Je ne suis pas si pressée de me plonger dans la lecture !

— Laissez-le faire ! dit Marie. Il voudrait tellement vous être agréable ! Et il n'est pas le seul ! Nous souhaitons tous que vous vous plaisiez à Kachtanovka !...

Il y avait de l'affectation dans ces paroles. Sophie le ressentit et son malaise augmenta. Elle examina son mari à la dérobée. Lui aussi paraissait bizarre, guindé, vigilant.

— Tu devrais aller voir si père est bientôt prêt, dit-il à sa sœur.

— Il sait que nous dînons dans une demi-heure, répliqua Marie. Je ne veux pas le déranger pendant qu'il se prépare.

Sophie détourna la tête. Son regard rencontra, derrière la croisée, deux visages de paysannes au nez aplati contre le carreau. Longeant le mur extérieur de la maison, elles étaient venues admirer l'épouse que le jeune barine avait ramenée de France. Le temps d'un battement de paupières, et elles disparurent, affolées de leur audace. Un petit garçon roux les remplaça. Il devait être monté sur une pierre pour atteindre le rebord de la fenêtre. Sophie lui sourit. Il prit peur et s'envola à son tour. Une taloche retentit au loin.

Combien pouvait-il y avoir de domestiques à Kachtanovka ? Vingt ? Trente ? Quarante ?... Depuis son arrivée, Sophie avait entrevu la vieille *niania* Vassilissa, un valet de pied au crâne rasé, un cocher dans sa longue houppelande bleue à ceinture pourpre, des soubrettes dodues, coiffées de diadèmes de verroterie avec des rubans rouges dans leurs tresses, un gamin, le *kazatchok*, en blouse de calicot, dont l'unique travail consistait à porter des ordres, au pas de course, à travers les couloirs, des blanchisseuses, des filles de charge, un cuisinier tartare, l'homme du chauffage, qui avait les mains noires et les cils roussis, la femme de l'économat, reconnaissable à l'énorme trousseau de clefs qui pendait sur son ventre... Encore n'était-ce là qu'une faible partie du personnel ! Ainsi que Nicolas l'avait expliqué à Sophie, tous ces gens étaient des serfs attachés à la maison, mais les villages voisins étaient peuplés de serfs attachés à la terre.

— Vous m'excuserez, dit Marie, je vais tout de même m'assurer que père n'a besoin de rien.

Elle quitta la pièce d'une démarche raide. Sa robe rose était démodée, avec une profusion de rubans sur le corsage et aux manches. La masse de ses cheveux blonds, tordus en nattes, semblait trop lourde pour son cou frêle. Elle laissait pendre ses bras comme une pensionnaire à la promenade.

— Votre sœur est charmante, dit Sophie.

— Vous trouvez ?

— Mais oui ! Pour le moment, elle est encore à l'âge intermédiaire. Vous verrez, dans quelques années...

— Je suis content qu'elle vous plaise ! s'écria Nicolas. Savez-vous que, de votre côté, vous lui avez produit une très forte impression ? Elle vous trouve ravissante, élégante, mystérieuse...

— En tout cas, elle est gentille de vous l'avoir dit, murmura Sophie.

Nicolas lui prit la main et la porta à ses lèvres :

— Sophie ! Sophie ! Je suis si ému de vous voir dans cette maison où je suis né, où j'ai grandi...

Elle hésitait à le croire, car, tout en lui parlant, il surveillait la porte d'un regard inquiet.

— Pourquoi n'avez-vous pas remis votre robe flamme de punch ? demanda-t-il soudain.

— J'ai préféré changer, dit-elle évasivement.

En fait, son beau-père étant à peine rétabli, elle avait estimé plus délicat de s'habiller discrètement pour cette première entrevue.

— Vous êtes désappointé ? reprit-elle.

— Oh ! non ! C'est parfait ! parfait !...

Il la contemplait et songeait, à part soi, qu'il l'aimait mieux dans sa robe flamme de punch que dans cette redingote très stricte, en tissu beige à rayures brunes, qui lui donnait un air d'amazone. Mais il osait d'autant moins le lui dire, qu'il se sentait incompétent sur le chapitre de l'élégance féminine. Sophie, elle, comme toutes les Parisiennes, avait le goût inné des belles choses. En se remémorant les meubles précieux qui ornaient l'hôtel de Lambrefoux, Nicolas craignait qu'elle ne fût déçue par le décor solide, lourd et sans style de Kachtanovka. Ici, les fauteuils étaient de gros bois foncé, avec de fortes tapisseries clouées sur les bords, les commodes ressemblaient à des coffres, les tables étaient construites pour supporter le poids d'un bœuf. Au-dessus d'un clavecin, pendait le portrait d'un ancêtre des Ozareff qui avait été général sous la grande Catherine. Son regard d'aigle brillait autant que ses décorations. Nicolas jugeait le tableau ridicule. Mais Sophie dit :

— Je n'avais pas remarqué cette toile en entrant. Elle est fort belle.

Et, instantanément, le général de la grande Catherine revint en grâce auprès de Nicolas. Il aurait tellement voulu que choses et gens, tout dans cette maison enchantât sa femme et fût enchanté par elle ! Mais ce rêve d'harmonie se heurtait à l'humeur capricieuse du maître de Kachtanovka. Que signifiait sa manœuvre de dernière heure ? Nicolas tressaillit en entendant grincer une porte : ce n'était que M. Lesur. Petit, chauve, rose, il battait l'une contre l'autre ses mains potelées pour les débarrasser de la poussière :

— Ouf ! je vous ai constitué là-haut un petit coin de lecture ! Rien de nouveau, hélas ! Les œuvres françaises sont lentes à pénétrer jusqu'ici !... Mais enfin, Voltaire, Rousseau, Diderot, d'Alembert... Souvent, je savoure la bizarrerie de lire nos encyclopédistes dans cette campagne isolée, inculte, étouffée sous la neige...

Le dernier mot tomba du bord de sa lèvre, mollement, et ses yeux saillirent, son nez pointa vers la porte. Sophie remarqua que Nicolas, lui aussi, se figeait dans l'attention. Pas de doute : l'un et l'autre avaient entendu un bruit, décelé une présence, qu'elle ne percevait pas encore. Peu après, le parquet craqua dans le couloir.

Le personnage qui entra dans le salon étonna Sophie par son aspect grand, pesant et revêche. Il paraissait cinquante-cinq ans. Sa redingote noire était trop étroite pour ses épaules. Au-dessus d'un jabot de dentelle, il balançait un visage blafard, aux yeux à demi clos, aux favoris vaporeux. D'une main, il s'appuyait au bras de Marie, de l'autre il effleurait les meubles au passage.

— Père, dit Nicolas, permettez-moi de vous présenter ma femme.

Comme s'il n'eût rien entendu, Michel Borissovitch continua d'avancer vers Sophie. Elle s'était dressée à son approche. Arrivé devant elle, il leva ses épaisses paupières, la frappa d'un regard aigu tel un coup de couteau, plissa les lèvres et dit en français :

— Charmé ! Charmé !

Il roulait les « r » avec force. Nicolas, qui espérait un accueil plus chaleureux, se consola en pensant que son père avait toujours été d'un abord peu aimable.

— Eh bien ! M. Lesur, reprit Michel Borissovitch, vous devez être content ! A quoi bon aller en France, puisque la France vient à vous ? Et sous l'aspect le plus gracieux ! Remerciez mon fils !

— Je suppose que Nicolas n'a que faire de mes remerciements, tellement il se félicite lui-même de son choix ! dit M. Lesur avec une courbette.

— Et voilà la machine à compliments remise en marche ! s'écria Michel Borissovitch. Ce qu'il y a de bien avec M. Lesur, c'est qu'on lui lance deux mots, n'importe lesquels, et il en fait un bouquet pour les dames. La galanterie est un art essentiellement français, comme la guerre !

— Les Russes aussi ont prouvé qu'ils sont de grands soldats ! dit M. Lesur.

— Oui, parce que l'ennemi est venu les attaquer chez eux. Mais, autrement, ils sont fort sages. Des agneaux ! Regardez mon fils : à peine la paix est-elle signée, qu'il jette son uniforme aux orties !

Le visage de Nicolas s'enflamma.

— Vous savez bien pourquoi j'ai démissionné, père ! dit-il.

— Je le comprends mieux depuis que je vois ta femme. On ne peut servir deux patries à la fois.

— Que voulez-vous dire ? demanda Nicolas d'une voix tremblante.

— ... Qu'ayant épousé une personne aussi délicieuse, tu te dois de lui consacrer tout ton temps, répondit Michel Borissovitch avec un large sourire.

Nicolas poussa un soupir de soulagement. L'orage s'éloignait de lui. Il glissa un coup d'œil à Sophie. Elle était impassible, muette, le regard dur.

Un maître d'hôtel ouvrit la porte à deux battants. Michel Borissovitch offrit le bras, cérémonieusement, à sa belle-fille, pour passer à table.

Nicolas et Marie les suivirent. M. Lesur fermait la marche. La salle à manger était sombre et mal chauffée. Un valet de pied se tenait derrière le fauteuil de Michel Borissovitch. Les autres convives n'avaient droit qu'à des chaises. Quand tout le monde fut en place, Michel Borissovitch fit un signe de croix, marmonna quelques mots en russe et enfonça le coin de sa serviette entre le col de sa chemise et son cou. Sophie considérait avec étonnement la quantité de victuailles qui chargeaient la table : salaisons, marinades, charcuteries diverses, salades de poissons, petits pâtés, champignons en sauce, concombres, œufs farcis, hachis de gibier... Tout cela paraissait succulent, mais elle n'avait pas faim. Depuis qu'elle avait fait la connaissance de son beau-père, elle avait la sensation d'être une intruse dans la famille. Dès les hors-d'œuvre, il reprit ses pointes contre M. Lesur :

— Depuis quinze ans qu'il vit en Russie, notre cher M. Lesur n'a pas pu s'habituer à notre cuisine. Il prétend qu'il a le palais trop délicat !

— Je n'ai jamais dit cela, Monsieur ! gémit M. Lesur en avalant une énorme fourchetée de choux aigres.

— Si, vous l'avez dit ! J'ai même voulu, sur le moment, prendre un cuisinier français. Puis j'ai songé que cela ferait trop de Français dans la maison ! Non que j'aie quelque chose contre vos compatriotes, M. Lesur. Ce sont des gens très bien quand ils n'ont pas un Napoléon pour leur tourner la tête. Mais, quelle que soit mon estime pour eux, j'avoue que, si on les laisse faire, ils finiront par gouverner chez nous !

— Pour l'instant, Monsieur, nous ne gouvernons que vos enfants ! murmura M. Lesur. Et je ne pense pas que vous ayez à vous plaindre de l'éducation que nous leur avons donnée !

— Certes non ! dit Michel Borissovitch. Au fond, c'est peut-être parce que Nicolas a eu un précepteur français qu'il a épousé une Française. Sans vous, il n'aurait même pas su en quelle langue lui parler. Grâces vous soient donc rendues, M. Lesur, par moi, par ma belle-fille et par mon fils ! Nous buvons à votre santé !

Il leva son verre et le vida, sans que son geste fût imité par personne. Sophie devait se contenir pour ne pas laisser éclater son indignation. Nicolas lui jeta un regard de détresse et reporta les yeux sur son père. Dans les prunelles de Michel Borissovitch luisait une petite flamme de méchanceté joyeuse. Il avait l'air de conduire un jeu dont les moindres péripéties le comblaient d'aise. Mis dans l'obligation d'accueillir sa belle-fille, il se vengeait à sa façon. « Comment ai-je pu être assez naïf pour croire qu'il accepterait mon mariage ? pensa Nicolas. Il ne m'a bien reçu hier que pour m'humilier plus cruellement aujourd'hui. Et je suis tellement coupable devant lui que, si je proteste, ce sera encore moi qui aurai tort ! Mon Dieu ! fais qu'il se taise, fais que cela finisse bientôt ! » La tension des esprits, autour de la table, créait une atmosphère électrique. M. Lesur avait les joues pourpres, l'œil rond et vexé. La pâleur de Marie était celle d'une malade. Une oie en gelée, un cochon de lait au raifort, un rôti entouré de marrons succédèrent aux hors-d'œuvre. Michel Borissovitch se servait le premier, avec abondance. Il était d'ailleurs le seul à manger de tout. Ses enfants, sa bru, M. Lesur, l'appétit coupé, le regardaient, avec consternation, engouffrer de formidables portions de nourriture.

— Père, dit Marie, vous devriez être plus raisonnable. Le médecin vous a recommandé la diète pendant quelque temps.

— Je puis bien faire une exception le jour où je

reçois ma belle-fille, dit-il. Il y a si longtemps que j'attendais le plaisir de la rencontrer !

Il cligna de l'œil à Nicolas, qui baissa la tête et crispa ses dix doigts au bord de la table.

— Ma belle-fille ! reprit Michel Borissovitch. Ma belle, ma très belle fille ! Jamais expression française ne m'a paru plus exacte. Tu sais, Nicolas, elle est telle que tu l'as décrite dans tes nombreuses lettres. Une fleur de France ! Que dites-vous de ce compliment, M. Lesur, vous qui êtes un amateur ?

— Je suis ravi, j'approuve ! bredouilla M. Lesur.

— Et vous avez une tête d'enterrement ! gronda Michel Borissovitch. Curieux peuple que les Français ! Chez nous, tout est simple, chacun porte son âme sur sa figure ! Chez vous il faut arracher dix masques avant de trouver la peau !...

Il s'interrompit pour prendre sur le plateau une flûte de pâte feuilletée remplie de crème, avala son dessert en deux bouchées et continua le discours avec entrain :

— C'est comme en politique !... Examinez le cas de la Russie : nous avons un tsar adoré de tous, une foi chrétienne qui dicte le moindre de nos actes, un amour de la patrie qui suffit à soulever le peuple entier contre l'envahisseur... En France, pour être intelligent, il faut dire le contraire de ce que dit son voisin et, si possible, adopter l'opinion du voisin dès qu'il se range à la vôtre. On est pour Napoléon, puis pour Louis XVIII, puis de nouveau pour Napoléon, tout en espérant le retour de Louis XVIII, et enfin pour Louis XVIII en pleurant l'exil de Napoléon à Sainte-Hélène ! Les généraux trahissent à qui mieux mieux, les ministres tournent au vent comme des girouettes. Dans l'état actuel des choses, je me demande s'il existe un Français qui sache réellement ce qu'il veut !

— Soyez-en sûr ! dit Sophie d'un ton sec.

Nicolas frémit de crainte. Sa femme avait sur le visage une expression altière, qui ne laissait aucun doute sur la violence de ses convictions. Le Compagnon du Coquelicot, en elle, relevait la tête.

— Enfin, j'entends la voix de ma belle-fille ! s'écria Michel Borissovitch. Quelle est donc l'idée de ces Français qui savent ce qu'ils veulent ?

— Elle est simple, répondit Sophie. Combattre les excès du despotisme, réduire l'injustice, donner la même chance de bonheur à chaque individu...

— Et votre roi pourrait appliquer ce programme ?

— Il le pourrait, oui, s'il était mieux entouré. Comme le pourrait votre tsar...

— Vous n'allez pas comparer !... La Russie n'a aucun besoin de réformes !...

— Croyez-vous ? La victoire militaire que l'empereur Alexandre a remportée sur Napoléon ne prouve nullement que tout soit à louer dans votre pays et tout à dénigrer dans le nôtre !

— Vous êtes arrivée en Russie depuis une semaine et vous jugez déjà des défauts et des qualités de la nation russe ? Bravo !

— Ne jugez-vous pas des défauts et des qualités de la nation française sans être jamais allé en France ?

— Vous oubliez que j'ai eu un spécimen de Français sous les yeux pour mon étude : M. Lesur ! ricana Michel Borissovitch.

M. Lesur piqua du nez dans son assiette. De grosses larmes tremblaient dans ses yeux. Sophie froissa nerveusement sa serviette et la jeta sur la table.

— Père, je vous en prie !... balbutia Nicolas.

— Tais-toi ! dit Michel Borissovitch. Ce n'est pas à toi que je parle, mais à ta femme ! Peut-être d'ailleurs me répondra-t-elle que, de son côté, elle a eu un spécimen de Russe à sa disposition : mon fils !

En prononçant ces mots, il se leva de table et se dirigea d'un pas pesant vers la porte. Suffoquée, la tête pleine de bruit, Sophie observa Nicolas, Marie, M. Lesur, pour se convaincre qu'elle ne rêvait pas, qu'ils avaient tout entendu comme elle. Son regard rencontra trois faces mortifiées, à peine vivantes. La foudre était tombée sur la maison. Qu'avaient-ils tous à craindre ce tyranneau de village ? Sophie se rua dans le salon. Comme elle entrait, Michel Borissovitch se retourna d'un bloc. Elle affronta ce visage ridé, moussu, où brillaient deux prunelles grises.

— Je m'étais inquiétée de votre santé, Monsieur ! dit-elle d'une voix haletante. Mais vous devez fort bien vous porter pour prendre plaisir à tourmenter vos proches comme vous le faites ! Est-ce à la France ou à moi personnellement que vous en voulez ?

Michel Borissovitch ne répondit pas. Nicolas et Marie étaient accourus et se tenaient sur le seuil, n'osant avancer par peur de précipiter la catastrophe.

— Cette fois, vous gardez le silence, reprit Sophie, et, en effet, c'est ce que vous avez de mieux à faire ! Je trouve votre conduite indigne d'un homme de cœur ! Il me reste à espérer qu'elle n'est pas dans les usages russes ! Adieu, Monsieur !

Elle sortit du salon dans un grand mouvement de fureur. Nicolas se jeta derrière elle et la rattrapa au bas de l'escalier :

— Sophie, c'est abominable ! Je suis consterné !...

Arrivée sur le palier, elle ouvrit une porte, croyant que c'était celle de sa chambre, se trompa et exhala un soupir. Même les choses, dans cette maison, lui étaient hostiles.

— Où est-ce ? demanda-t-elle.

— Un peu plus loin, dit Nicolas.

Il poussa la porte suivante. Sophie entra dans la chambre, encombrée de bagages. Les malles n'étaient encore qu'à demi déballées. Des robes, des manteaux, du linge traînaient sur tous les sièges et sur les deux lits jumeaux. La vue de ce désordre augmenta le désespoir de la jeune femme. Elle s'abattit sur la poitrine de Nicolas et dit dans un souffle :

— Pardonnez-moi, mon ami, mais je devais répondre comme je l'ai fait. Ce dîner a été pour moi une épreuve horrible ! Quand je pense à la joie que je me promettais de mon entrée dans votre famille !... Votre père m'a infligé le plus grand affront de mon existence !... Quel homme odieux, plein de haine et de morgue !... Pourquoi me déteste-t-il à ce point ?

— Il ne vous déteste pas, Sophie, je vous le jure ! dit Nicolas en l'embrassant.

— Oh ! si, Nicolas. Votre respect filial vous aveugle ! Il me déteste, je le sais, je le sens ! Mais je ne m'explique pas son revirement à mon égard. Comment a-t-il pu m'accueillir si mal après ce qu'il vous a écrit ?

— Ne parlons plus de cela, Sophie !

— S'il lui déplaisait tant que son fils épousât une Française, il n'avait qu'à ne pas vous donner son consentement !

— Bien sûr ! chuchota Nicolas.

Et il sentit qu'il lui serait impossible de continuer à mentir. L'énorme édifice de ses tromperies craquait de toutes parts, vacillait sous ses pieds. Avec l'affreuse impression de glisser dans le vide, il murmura :

— J'ai un aveu à vous faire, Sophie. Tout est de ma faute. Mon père n'était pas d'accord...

— Pas d'accord ? Sur quoi ?

— Sur notre union.

Elle s'écarta de lui :

— Je ne vous comprends pas, Nicolas ! Vous ne voulez pas dire que ?...

— Si, Sophie !

— Et la lettre ? s'écria-t-elle. La lettre que vous m'avez traduite ?...

— C'était une lettre de refus.

Sophie demeura un instant hébétée. La chambre s'obscurcissait autour d'elle, comme si un nuage eût voilé le soleil. Incapable de réfléchir, elle écoutait vivre sa tête. Soudain, la colère l'envahit avec une violence telle que tout son corps trembla.

— Quand donc avez-vous appris notre mariage à votre père ? dit-elle d'une voix brisée.

— Hier matin. Il s'est fâché. Puis il a eu l'air de me donner raison. Il m'a promis de vous recevoir comme si de rien n'était !

— Vous lui en demandiez trop, Nicolas ! Maintenant, je ne m'étonne plus de sa brutalité, de sa mesquinerie. Mais vous dans tout cela, vous, quel rôle avez-vous joué ? Un menteur, un ignoble menteur !...

— Je n'avais pas le choix, balbutia-t-il. Vous aviez posé vos conditions. Il me fallait gagner du temps, coûte que coûte !

— Et pendant des semaines, reprit-elle, vous avez supporté de me voir confiante, heureuse, fière, alors que vous saviez la honte qui m'attendait ici ! J'ignore si c'est votre comédie ou ma crédulité que je dois admirer le plus !

Elle étouffait. Son regard découvrit dans la glace le reflet d'une robe beige à rayures brunes, et cette vision d'une femme sagement habillée pour la présentation au beau-père acheva de l'exaspérer. Comment avait-elle pu se laisser berner par un homme au point de le suivre, les yeux fermés, à l'autre bout du monde ? Le réveil était terrible ! Seule parmi une foule d'ennemis ! A mille lieues de la France ! Trahie, avilie, dépouillée, elle n'avait d'autre recours que la haine contre celui qui l'avait conduite à ce degré d'humiliation. Le beau visage de Nicolas lui faisait horreur.

— Vous êtes un monstre ! dit-elle. Jamais un Français n'aurait agi comme vous !

Il pâlit sous l'insulte.

— Sophie, dit-il, j'ai les plus grands torts envers vous, mais, je vous en supplie, écoutez-moi. Je vous ai menti pour sauver notre amour. Je me suis comporté comme un joueur... comme un stupide joueur, qui a perdu sa première mise et risque de plus en plus gros dans l'espoir de tout regagner d'un seul coup. Je vous ai entraînée jusqu'ici parce que j'étais sûr que, finalement, mon père aurait une réaction humaine !... Je ne comprends pas quel vent de folie l'a poussé tout à l'heure...

— Sans doute a-t-il moins que vous l'habitude de dissimuler ses sentiments ! dit-elle d'un ton sifflant.

Il voulut lui prendre la main. Elle le repoussa avec répugnance :

— Ne me touchez pas ! Ne m'approchez pas ! cria-t-elle.

Il baissa la tête :

— Sophie ! Ce n'est pas possible ! Qu'allons-nous devenir ?

— Il est bien temps de vous en inquiéter, Monsieur ! dit-elle.

Ce « monsieur » claqua dans la pièce tel un coup de fouet. Nicolas s'assit au bord du lit, entre un chapeau-capote et une robe de velours bleu, et prit son front dans ses mains. Plantée devant lui, Sophie cherchait des mots assez forts pour contenter son besoin de vengeance et n'en trouvait plus. « Le souffleter, le déchirer, le marquer au fer rouge ! » Tout en se disant cela, elle convenait qu'il avait l'air sincèrement malheureux. En vérité, il s'était conduit dans cette affaire comme un gamin irresponsable. Sa légèreté prouvait qu'il n'avait aucune expérience de la vie, aucune connaissance des êtres. « J'ai épousé un enfant ! », songea-t-elle soudain. Et sa colère se nuança d'indulgence maternelle. Il releva la tête. Son regard toucha Sophie profondément. Elle perçut un petit choc agréable au milieu de son désarroi. Une sensualité sauvage se mêla aux arguments de sa rancune. Il avait des yeux d'une fraîcheur marine. Un pli moelleux descendait de ses narines à sa lèvre supérieure. Et, avec ce visage charmant, il était le plus coupable des hommes !

— Nous ne pouvons rester dans cette maison ! dit-elle.

— Vous avez raison, Sophie. Allons-nous-en !

Elle l'entendit à peine, étourdie par une suave gratitude, sans rapport avec ce qu'il disait. Sur le point de se laisser attendrir, elle affirma :

— Je partirai seule !

— Seule ? dit-il. Mais voyons, Sophie !... Réfléchissez !... Vous êtes ma femme !... Je vous aime !...

— Taisez-vous ! répliqua-t-elle. Quoi que vous disiez, je ne vous croirai plus jamais. Nos routes se séparent.

Elle eut conscience d'exagérer sa pensée, mais elle devait réagir avec force contre la basse tentation du pardon. Sinon, elle serait une de ces épouses rudoyées et consentantes, qui aiment dans le reproche et se soumettent dans le déshonneur. Pour la seconde fois, il tenta de s'approcher d'elle et, pour la seconde fois, elle le cloua sur place d'un regard comminatoire :

— Non, Monsieur ! Si vous avez encore quelque

estime pour moi, je vous prie de quitter cette chambre. Je ne veux plus vous voir.

— Mais, Sophie...

— J'ai besoin d'être seule. Comprenez-vous cela ?

— Oui, Sophie.

Elle était si noble dans son courroux, que Nicolas n'osa lui demander quand il pourrait revenir, ni ce qu'elle comptait faire en l'attendant. Couvert d'opprobre, il se retira et ferma la porte. Au bas de l'escalier, il trouva sa sœur à l'affût, le visage anxieux.

— Alors ? chuchota-t-elle.

Il balança la tête, tragiquement :

— Tout est perdu, Marie !

Et il passa. Elle courut derrière lui :

— Raconte ! Que dit-elle ?

— Nous nous sommes disputés. Elle ne veut plus de moi.

— Comment cela ? N'êtes-vous pas mari et femme ?

Il sourit de haut à tant d'innocence et demanda :

— Où est notre père ?

— Dans sa chambre. Il fait la sieste.

— La sieste ? s'écria Nicolas. Il peut faire la sieste après ce qui s'est passé ? Je vais immédiatement lui dire ce que je pense !...

— Non ! gémit Marie en écartant les bras pour lui couper le chemin. Tu dois le laisser dormir ! Il en a tellement besoin ! Ne lui as-tu pas déjà suffisamment manqué de respect ?

Nicolas hésita une seconde, puis appliqua une claque du plat de la main sur le mur et dit :

— C'est bon ! Je le verrai donc tout à l'heure. Ah ! il peut être fier de son œuvre !

Dans le vestibule, il décrocha son manteau et

le jeta sur ses épaules. Marie se pendit à son bras :

— Où vas-tu ?

— Prendre l'air.

Il sortit sur le perron. Un froid vif lui pinça le visage. Des flocons papillonnaient au-dessus d'un paysage incolore. Nicolas s'éloigna de la maison et leva les yeux vers la fenêtre de sa chambre. Ah ! que n'eût-il donné, en cette seconde, pour apercevoir, derrière la vitre, sa femme lui faisant signe de revenir ! Mais il la connaissait trop bien pour espérer un retour en grâce. Sans doute ne lui pardonnerait-elle jamais ! Quelle serait la fin de tout cela ? Comment s'accommoderait-il plus longtemps de ce chagrin et de ce mépris ? Il était enterré vivant sous les ruines de son amour. Il se détestait, il plaignait Sophie, il ne savait d'où lui viendrait la lumière.

Comme il approchait de l'écurie, il entendit la voix d'Antipe, parlant à quelques serviteurs réunis autour des bêtes. Antipe était devenu le héros de Kachtanovka, celui qui était allé en France à la poursuite de Napoléon et avait goûté dans la capitale les délices d'une vie luxueuse et probablement dissolue.

— Ah ! Paris ! Chaque jour, là-bas, était un dimanche ! disait Antipe. Champagne, poulet à tous les repas. Eh ! que veux-tu, compère ? nous étions les vainqueurs. Il suffisait à un de ces messieurs de lever le petit doigt, et la ville tremblait. Nous-mêmes, les ordonnances, à cause de notre uniforme, les soldats français nous saluaient dans la rue. Une supposition que tu t'ennuies : tu fais un signe de la main, tu dis : « Mademoiselle !... » Et te voilà avec une jolie fille à ton bras !...

— Et comment le jeune barine a-t-il connu la sienne ? demanda le palefrenier.

Nicolas craignit d'entendre la réponse d'Antipe

et toussota pour annoncer sa venue. La conversation s'arrêta instantanément. « Je n'ai même pas le droit de reprocher à Antipe d'être un menteur, se dit Nicolas, car j'ai menti plus que lui et dans un cas autrement grave ! N'importe qui, maintenant, est plus respectable que moi. Le dernier de mes moujiks n'échangerait pas ses péchés contre les miens, sous le regard de Dieu. »

Il entra dans l'écurie. Les hommes le saluèrent si bas qu'il en eut honte. Ils étaient quatre : le carrossier, le palefrenier, le cocher et Antipe. Pris d'un zèle subit, le palefrenier se mit à tasser avec sa fourche des bottes de foin dans les râteliers. Les chevaux à l'attache tournèrent la tête vers le nouveau venu. Nicolas ordonna de lui seller Vodianoï, un bel alezan à l'encolure fine, mais aux hanches larges et paresseuses.

— Vous n'avez pas un meilleur cheval pour notre barine ? grogna Antipe. A Paris, il ne montait que des pur-sang de race anglaise !

Les rodomontades d'Antipe agaçaient Nicolas. Il eut envie de lui donner un coup sur la nuque pour le faire taire, mais se retint, pensant à Sophie et à la civilisation française.

Vodianoï, sanglé, bridé, frémit des épaules en sortant à l'air libre. Nicolas se mit en selle et sentit avec plaisir ce grand corps d'animal musclé et chaud, docile à la volonté de ses jambes. Dans l'allée principale, bordée de sapins, la neige et la boue formaient un mélange brunâtre, où les sabots enfonçaient profondément. Partout ailleurs, la campagne était d'une blancheur intacte. Regardant droit devant lui, Nicolas accusait, d'un souple mouvement de la taille, l'oscillation régulière du pas. L'air vif le dégrisait, son désarroi s'apaisait dans la solitude. « Nous ne pouvons rester dans cette maison ! », avait dit Sophie. Il l'approuvait sur ce point. Mais peut-être accepterait-elle d'aller vivre avec lui à Saint-Pétersbourg ? Il trouverait un emploi dans un ministère. Ou bien, il reprendrait du service dans l'armée...

Il tourna dans un petit chemin resserré entre deux bosquets et poussa son cheval au trot. A partir de ce moment, son cerveau se soumit au rythme de la course. Il réfléchissait par saccades à des choses vagues et décousues. Vodianoï foulait la neige, s'ébrouait, soufflait devant lui un double jet de vapeur. Les toits d'un village apparurent au loin. Que de fois, dans son enfance, Nicolas s'était rendu là-bas, en traîneau, avec sa sœur et M. Lesur, pour voir les paysans tailler des cuillers de bois ou tresser des chaussures de tille ! Comme il était heureux, alors ! Comme il avait foi en son avenir ! Pour oublier sa déchéance, il lança Vodianoï au galop.

Sophie entendit frapper à la porte de sa chambre et, immédiatement, se mit sur la défensive. Ce ne pouvait être Nicolas : elle l'avait vu, de sa fenêtre, partir à cheval, dans la neige, dix minutes auparavant.

— Qui est-là ? demanda-t-elle.

Une voix timide répondit :

— Je vous dérange ?

D'une manière inexplicable pour elle-même, Sophie perdit sa réserve et murmura :

— Entrez, Marie.

La jeune fille se glissa dans la chambre et s'appuya au mur. Elle paraissait bouleversée. Ses yeux étaient humides. Un souffle irrégulier s'échappait de sa bouche entrouverte. Après une seconde de silence, elle dit :

— N'avez-vous besoin de rien ?

Il y avait un contraste étrange entre la banalité de cette question et l'insistance avec laquelle Marie l'avait posée.

— Non, je vous remercie, dit Sophie en souriant.

Comme déçue par la réponse, Marie resta un moment indécise, puis, avec un mouvement garçonnier des épaules, elle demanda encore :

— Vous ne voulez pas venir vous promener avec moi ? Je vous montrerai les alentours de la maison. C'est très joli !

Sophie secoua la tête négativement :

— Je suis fatiguée.

— Rien qu'un petit tour ! dit Marie.

Son regard était une prière.

— Il fait si beau ! reprit-elle. Je ne puis supporter que vous restiez seule dans votre chambre.

Sophie se troubla. Avait-elle tant besoin de sympathie que cette simple invitation suffît à l'émouvoir ?

— Je ne veux rencontrer personne ! dit-elle.

— Je sais ! Je sais ! s'écria Marie. Nicolas m'a dit que vous vous étiez querellés. Je suis sûre que tous les torts sont du côté de mon frère. Mais il n'est pas méchant, je vous le jure... Il est même bon, très bon... Et mon père aussi est très bon, malgré les apparences... Son principal défaut, c'est la taquinerie... Il fait enrager ce pauvre M. Lesur... Avec vous, il a été maladroit !... J'en ai eu tant de peine !... Sa maladie lui a dérangé le caractère... Cela le prend, de temps à autre, comme une crise... Et, le lendemain, il est radieux... Plus un nuage... Tout le monde rit dans la maison... Vous finirez par vous entendre avec lui, par l'aimer !...

Sophie ne répondit pas.

— Vous en doutez ? soupira Marie. Il le faudra bien pourtant ! Vous êtes sa belle-fille. Il a le droit de vous dire tout ce qu'il pense, même si cela vous déplaît !

Et, avec un regard d'alliance féminine, elle ajouta :

— C'est le sort des épouses !

Cette résignation prématurée amusa Sophie. Elle se demanda si la docilité était un trait commun à toutes les femmes russes, ou s'il y avait parmi elles, comme parmi les Françaises, quelques esprits indépendants.

— Vous habitez ici toute l'année ? interrogea Sophie.

— Oui, dit Marie, et, vous verrez, on ne s'ennuie pas du tout ! Chaque saison apporte ses joies...

— Je n'aurai guère l'occasion de m'en rendre compte.

— Pourquoi ? Vous ne voulez pas rester avec nous ?

Sophie effleura du bout des doigts le menton de la jeune fille, lui sourit avec une douceur protectrice, et dit, sur le ton d'une grande personne éludant la question d'une enfant :

— J'aimerais voir votre chambre, Marie.

Une exclamation de joie lui partit au visage :

— Vraiment ? Elle n'a rien d'extraordinaire, vous savez ! Vous serez déçue !

Située à l'extrémité du couloir, la chambre de Marie était, en effet, d'une parfaite simplicité. Sophie admira les rideaux, d'un tissu à fleurs jaune et rose, mais trouva que le petit secrétaire d'acajou n'était pas à sa place contre le mur. Elles l'installèrent en face de la fenêtre et se récrièrent. D'un seul coup, le décor était transformé.

— Vous êtes une magicienne ! dit Marie.

Puis, mise en confiance, elle montra à Sophie une miniature sur ivoire représentant une jeune femme au regard triste :

— C'est ma mère. J'avais neuf ans lorsqu'elle est morte. N'est-ce pas que Nicolas lui ressemble ?

— Oui, dit Sophie.

Et, la gorge contractée, ne sachant comment libérer sa brusque tendresse, elle chercha refuge dans le mouvement :

— Maintenant, allons nous promener, Marie !

Elles chaussèrent des bottes fourrées, s'enveloppèrent de gros manteaux, et sortirent dans l'air blanc et froid, qui dansait, qui piquait. Marie prit le bras de sa belle-sœur. Serrées l'une contre l'autre, elles marchaient en chancelant dans la neige molle. Sophie scrutait le paysage, guettant au loin la silhouette d'un cavalier. Mais ses yeux ne rencontraient partout que des étendues livides, immobiles. De quel côté Nicolas était-il parti ? Elle ne voulait même pas le savoir ! Et, cependant, elle continuait à regarder autour d'elle avec intérêt, avec impatience. Elle se trouva soudain au bord d'une étroite rivière.

— Ici, l'été, on pêche, on se baigne... Des voisins viennent nous voir... On organise des jeux, des courses, des pique-niques...

Ainsi parlait Marie, comme si, en énumérant toutes les séductions de Kachtanovka, elle eût encore espéré retenir cette visiteuse pressée. Puis, Sophie demeurant imperturbable, la jeune fille murmura :

— Je vous ennuie avec mes histoires ! Il faut pourtant que vous sachiez une chose : si vous nous quittez, je serai très triste !

— Allons ! Allons ! Voulez-vous bien vous taire ! dit Sophie en regardant avec attention le jeune visage au nez rose qui se tournait vers elle.

— Très triste, répéta Marie. Mais personne n'en saura rien.

Sophie la vit, frêle, perdue, craintive, malade de rêverie et de solitude, un petit animal en quête d'un maître à aimer. Marie ramassa une poignée de neige et la respira profondément :

— Cela sent la mort, dit-elle.

Et ses yeux s'emplirent de larmes. L'eau de la rivière chantait entre des berges blanches.

— Est-ce qu'il y a de la neige à Paris ? demanda Marie.

— Oui, dit Sophie. Mais elle est moins abondante et moins propre qu'ici.

— J'aimerais aller à Paris !

— Vous irez un jour...

— Oh ! non. Il n'y a pas de chance !...

— Pourquoi, Marie ? A votre âge, je ne me doutais guère que je viendrais en Russie. Et, vous voyez...

— Vous, c'est différent ! Vous êtes belle ! Vous êtes libre ! Vous l'avez toujours été, cela se sent ! Comment vit-on à Paris ? Comment s'habillent les femmes ?

— A peu près comme en Russie.

— Je suis sûre que non ! Si j'osais, je vous demanderais de me montrer vos robes !

Sophie rit légèrement et pressa la petite main gantée de Marie :

— Vous y tenez vraiment ?

Marie acquiesça de la tête :

— Toutes vos robes ! Je vous en prie !

★

Le soir tombait, lorsque Nicolas reprit le chemin de la maison. Elle disparaissait presque dans l'ombre. Quelques faibles lueurs seulement, derrière des vitres, indiquaient la place du salon, du bureau, de la chambre où se trouvait Sophie. Cette constellation raviva en Nicolas le sens du drame qui l'attendait. Pendant qu'il chevauchait à travers la campagne, les autres, ici, avaient continué de vivre, chacun pour soi, dans le désordre, la rage, l'orgueil, le chagrin et l'angoisse. Le palefrenier accourut, un fanal au poing :

— Ah ! barine, on se demandait où vous étiez passé !

Nicolas sauta à terre et donna une tape sur l'encolure de son cheval, fumant et fourbu. Lui-même avait les membres gourds, une fatigue dans les reins et la face brûlée de froid. Mais cet exercice physique l'avait moralement ragaillardi. Le bien-être qu'il éprouvait par tout le corps lui rendait confiance en sa force de caractère. Sur ce fond de bonne santé, le désespoir ne pouvait prospérer longtemps. Le silence de la maison était étrange. Pas un craquement de meuble, pas un murmure de voix. Résolument, Nicolas se dirigea vers le bureau.

Il y trouva son père, assis, en robe de chambre, devant sa table de travail. Une lampe à huile dispensait à la pièce sa lumière insuffisante et triste. Dans la pénombre, seules brillaient les taches vertes des malachites et les ors de quelques vieux livres sur leurs rayons. Posant sur son fils un regard dénué d'expression, Michel Borissovitch demanda :

— D'où viens-tu ?

Décontenancé par cette question, Nicolas répondit comme lorsqu'il était enfant :

— J'ai fait du cheval.

— Et ta femme, pendant ce temps-là ?

— Je l'ai laissée seule.

— Pourquoi ?

Nicolas constata qu'il prenait figure d'accusé, alors qu'il était venu avec l'intention de prononcer un réquisitoire. La colère le souleva dans un grondement d'incendie.

— Vous demandez pourquoi ? cria-t-il. Après la

façon dont vous l'avez traitée, elle n'a plus pu supporter ma présence !

— Drôle d'idée ! dit Michel Borissovitch. Qu'elle m'en veuille à moi, je le comprendrais encore !... Mais à toi !... D'ailleurs, je ne lui ai rien dit de désobligeant sur elle-même...

— Vous avez insulté la France devant elle ! C'était aussi grave ! Ah ! père, vous m'auriez moins blessé en refusant d'accueillir ma femme qu'en l'accueillant comme vous l'avez fait ! Vous m'aviez pourtant laissé entendre...

Michel Borissovitch l'interrompit d'un geste de la main. Ses yeux se plissèrent. Une expression de ruse animale enlaidit son visage. Il se caressa les favoris, du bout des doigts, méditativement.

— Eh ! oui, dit-il. J'aurais bien voulu t'être agréable... vous être agréable à tous les deux... mais, c'est plus fort que moi, quand je vois un Français, une Française, la bile me monte à la bouche, je m'énerve, j'ai envie de piquer, de frapper... Ces gens-là ont mis notre pays à feu et à sang !

— La guerre est finie, père ! dit Nicolas sévèrement.

Michel Borissovitch soupira de toute la poitrine :

— Pour toi, peut-être, parce que tu t'es entiché d'une fille de là-bas. Mais pas pour les millions de vrais Russes qui songent au malheur de leur pays. Regarde autour de nous, parmi nos seuls voisins de campagne : les Brioussoff ont eu leur fils unique tué devant Smolensk, les deux fils Tatarinoff sont tombés à Borodino, le fils Shoukhine est mort de ses blessures, il y a deux mois, dans un hôpital de Nancy... Non, non, nous n'avons pas châtié les Français comme ils le méritent ! Même vaincus, ils relèvent la tête !

— Vous ne les connaissez pas, père ! Vus d'ici,

ils vous paraissent orgueilleux, violents, mais, si vous les regardiez vivre de près, vous seriez obligé de convenir qu'ils ont du bon sens, de la générosité, le goût des grands problèmes...

En parlant de cette France idéale, Nicolas pensait aux Poitevin, aux Vavasseur, à tous les compagnons du Coquelicot, dont le désir était d'instaurer le bonheur sur la terre.

— Fameuse civilisation que celle dont tu me chantes les louanges ! dit Michel Borissovitch. Le philosophe prépare le bourreau. Voltaire et Robespierre peuvent se donner la main. On commence par couper les cheveux en quatre et on finit par couper les têtes. Je suis un homme d'ordre. Ne me demande pas d'aimer cette race !

— Vous pourriez, du moins, faire exception pour votre belle-fille !

Michel Borissovitch inclina la tête sur le côté, comme pour écouter une musique galante.

— Ma belle-fille ! dit-il en souriant. Oui, oui, je veux bien croire qu'elle est d'une grande famille, comme tu l'affirmes...

Un espoir effleura Nicolas, léger tel un frisson sur l'eau, rapide tel un battement d'aile.

— Je l'ai observée à table, poursuivit Michel Borissovitch. Elle s'est contenue avec beaucoup de dignité. Et, quand elle a laissé éclater sa fureur, j'ai eu du plaisir à l'entendre, car sa voix sonnait juste.

— Sophie est quelqu'un d'extraordinaire, d'unique ! dit Nicolas. Puisque vous la jugez si bien, pourquoi n'avez-vous pas eu un mot aimable pour elle ?

Michel Borissovitch fronça les sourcils. Son visage se ferma soudain, se solidifia, coupé en deux par l'ombre de l'abat-jour.

— Tu veux le savoir ? gronda-t-il. Pauvre nigaud ! Oui, elle est intelligente, ta Sophie ! Et c'est ce que je lui reproche !

— Comment cela ?

— Elle est trop intelligente pour toi ! Tu t'es fait embobiner par elle ! Perfide comme toutes les Françaises, elle n'a pas eu de mal à te convaincre que tu pouvais te passer de mon consentement !

Il s'était dressé de toute sa taille, et, contournant la table, marchait sur son fils.

— Père, je vous assure... balbutia Nicolas.

— Tais-toi, imbécile ! rugit Michel Borissovitch. Je sais ce que je dis !

D'un seul coup, rejetant le masque de la bonhomie, il reparaissait avec sa vraie figure de violence.

— Ah ! la mâtine ! reprit-il d'une voix éraillée. Elle avait bien manigancé son affaire ! Une fois mariée, elle t'a suivi en Russie avec l'intention de berner le père après avoir berné le fils ! Mais je ne suis pas un godelureau, moi ! Elle apprendra ce qu'il en coûte de passer outre à ma volonté ! Tant que je vivrai, je resterai le maître ici et je la traiterai en servante ! Elle ne vaut pas plus cher que M. Lesur ! Des Français ! De sales petits Français !...

Une quinte de toux l'arrêta. Des veines se gonflèrent en ramifications bleuâtres à ses tempes. Il cracha dans son mouchoir et dirigea sur son fils un regard de haine :

— Ça t'étonne ? Tu te figurais que la maladie m'avait ramolli le cerveau, que j'étais devenu un agneau prêt pour la tonte !... Hein ?... Et voilà que l'agneau se fâche ! L'agneau montre les dents ! L'agneau va mordre ! Ha ! Ha ! Avoue que vous méritiez une leçon, elle et toi ! Avoue donc, parjure, antéchrist !...

Il leva la main pour frapper son fils et demeura

le bras en l'air, les yeux injectés de sang, la face tordue dans une grimace de fureur démente. Nicolas n'avait pas bronché. Il se sentait extraordinairement calme et malheureux.

— Père, dit-il, si quelqu'un mérite une leçon, c'est moi et non ma femme. Pour qu'elle accepte de m'épouser, je lui ai fait croire que vous m'aviez adressé votre bénédiction par lettre.

Michel Borissovitch laissa retomber sa main. Les traits de son visage s'affaissèrent. Il bégaya :

— Quoi ?... Que dis-tu ?

— Comprenez-moi, père...

Il y eut un silence. Puis Michel Borissovitch marmonna lentement :

— Tu as donc menti à cette femme comme tu m'as menti à moi-même ?

— Il le fallait, sinon elle ne m'aurait pas suivi...

— Elle s'imagine encore ?...

— Plus maintenant !

— Quand lui as-tu dit la vérité ?

— Tout à l'heure, en sortant de table.

— Et jusque-là ?...

— Jusque-là, père, elle était persuadée que vous approuviez notre union !

La tête de Michel Borissovitch s'inclina sur sa poitrine. Visiblement, il refusait encore d'accepter une révélation si pénible pour son amour-propre.

— Tu mens, une fois de plus, dit-il entre ses dents.

— Non, père.

— Jure-le !

— Si vous voulez, dit Nicolas.

Il se dirigea vers un petit oratoire dressé dans un coin de la pièce et mit un genou à terre. De nombreuses icônes entouraient une belle copie de la Vierge miraculeuse de Kazan, qui avait sauvé la Russie de l'invasion française.

— Je jure, murmura Nicolas, je jure que tout

ce que je viens de dire à mon père est l'expression de la vérité.

Il se signa, se releva, baisa dévotieusement le bas de l'image sainte et retourna vers son père, qui le considérait avec une attention sourcilleuse.

— Me croyez-vous maintenant ? demanda-t-il.

Michel Borissovitch se rassit lourdement derrière sa table. Consterné, hagard, il contemplait les gouttes d'huile qui tombaient une à une dans le manchon en verre de la lampe.

— C'est bien cela, grommela-t-il enfin, tu n'as même pas l'excuse de t'être fait monter la tête ! Tu as préparé le coup tout seul ! Et tu viens à moi, maintenant, avec ton sale cadeau ! Toi, mon fils, mon fils dont j'aurais voulu être si fier !

Nicolas se taisait, irrité par les paroles de son père mais impuissant à le contredire. Soudain, les joues de Michel Borissovitch se marbrèrent de rougeurs.

— Misérable ! cria-t-il.

Puis il s'apaisa. Dans le silence qui suivit, Nicolas entendit le pas d'un domestique traversant la pièce voisine. On fermait les volets avec fracas, on poussait les chevilles dans les trous des barres de sûreté. Bientôt, le veilleur de nuit passerait sous les fenêtres avec sa crécelle.

— Cette femme, que pense-t-elle de moi, maintenant ? dit Michel Borissovitch comme se parlant à lui-même. Tout est gâché, tout est faussé !

Encore un long silence. L'ombre et la neige ensevelissaient la maison. Un chien aboya au loin. Une odeur de choux s'insinua sous la porte. Il y aurait du *borsch* pour le souper. Nicolas se raidit contre mille souvenirs d'enfance et prononça d'une voix ferme :

— Père, j'ai pris une grave décision : Sophie et moi ne resterons pas à Kachtanovka.

Michel Borissovitch releva le front. Il n'avait

pas prévu ce coup. Il réfléchissait. Au bout d'un moment, il dit :

— Est-ce toi qui veux partir, ou elle ?

— Peu importe, père.

— Réponds : est-ce toi qui as résolu de quitter Kachtanovka ?

Nicolas s'échauffa inutilement :

— Sophie ne peut demeurer sous un toit où...

— Bon ! trancha Michel Borissovitch. L'idée vient donc de ta femme. Pour elle et pour moi, ce départ est, en effet, la meilleure solution...

Il avait rassemblé ses mains devant lui, sur la table, et les pétrissait l'une dans l'autre, comme pour s'interdire la violence. Une respiration de lutteur haussait et abaissait ses épaules. Il toussa et dit encore :

— Où l'emmèneras-tu ?

— Je ne sais pas encore, répondit Nicolas. A Saint-Pétersbourg, je pense.

— Ah ? dit Michel Borissovitch.

Un éclair de contentement passa dans ses yeux. Cette expression, si brève qu'elle eût été, n'échappa point à Nicolas. Sans doute son père avait-il redouté un départ pour la France.

— Saint-Pétersbourg, ce sera très bien ! reprit Michel Borissovitch. Je te donnerai des lettres de recommandation pour mes amis. Ils te trouveront une place, à l'ombre de quelque haut fonctionnaire.

— Je ne puis accepter cela, père, dit Nicolas fièrement.

Les deux poings de Michel Borissovitch se levèrent et s'abattirent sur la table : des bibelots tressautèrent, une plume d'oie tomba de son cornet.

— Tu feras ce que je te dis ! glapit-il. Comment oses-tu discuter maintenant ? Tu t'es conduit avec ton épouse comme un fourbe et un paltoquet ! Et tu veux l'entraîner dans une aventure plus lamentable encore ?

Il se radoucit, discipline sa respiration et poursuivit d'une voix sourde :

— De quoi vivrez-vous à Saint-Pétersbourg, si je ne vous aide pas au début ? Cette femme porte ton nom, notre nom. Elle a droit à une existence décente. Vous vous installerez dans notre maison, là-bas. Elle est assez délabrée, mais il doit être facile de la remettre en état. Six domestiques vous suffiront pour commencer. Tu les prendras ici. Je te donne Grichka comme cuisinier et Savély comme cocher. Ils sont propres et ne boivent pas. Tu emmèneras aussi des chevaux. Il t'en faut quatre.

Il jeta un regard sur Nicolas pour quêter son approbation, rencontra un visage de marbre et grogna :

— Quatre ! Tu as entendu ?

— Oui, père.

— Ces quatre chevaux te reviendront à quarante ou cinquante roubles par mois en avoine et en foin ! Ah ! et la vaisselle, le linge que j'oubliais, les provisions d'hiver...

Il ramassa la plume, la trempa dans l'encre et lança des chiffres sur une feuille de papier blanc. Cette sollicitude imprévue attendrissait moins Nicolas qu'elle ne le froissait dans son orgueil. Venu pour affirmer son indépendance, il souffrait de se retrouver dans la situation d'un obligé. Quand donc n'aurait-il plus besoin de son père pour vivre ?

— Je compte qu'il te faudra quelques jours pour les préparatifs du voyage, reprit Michel Borissovitch.

Nicolas secoua la tête et, regardant son père dans les yeux, avec une assurance cruelle, il dit lentement :

— Non. Pas quelques jours. Nous partirons le plus vite possible. Demain, après-demain au plus tard.

★

En sortant du bureau, Nicolas n'était qu'à demi soulagé. Une épreuve l'attendait, plus redoutable encore que la précédente. Après l'avoir chassé hors de sa vue, Sophie accepterait-elle seulement de l'entendre ? L'incertitude lui mettait une barre sur l'estomac. Il monta droit au premier étage, frappa à la porte, reçut la permission d'entrer et s'arrêta, muet d'étonnement, sur le seuil. Au milieu de la chambre, sa sœur appliquait la robe flamme de punch, à deux mains, sur son corsage, et se mirait dans une glace. Debout derrière elle, Sophie lui tendait une capeline de velours noir épinglé pour qu'elle s'en coiffât. Le visage de Marie rayonnait de bonheur.

— Regarde, Nicolas ! s'écria-t-elle. Ai-je l'air d'une Parisienne ?

Il hocha la tête, sans trouver un mot à répondre. Etait-il possible que Marie eût arrangé les choses en son absence ?

— Tu es charmante, dit-il enfin. Seulement, je voudrais que tu nous laisses.

— C'est bon, dit Marie. Dépêchez-vous. Dans une demi-heure, on passe à table...

Elle jeta sur Sophie un regard d'amitié farouche et reprit avec élan :

— Vous descendrez souper avec nous, n'est-ce pas ?

— Je t'ai déjà demandé de nous laisser ! dit Nicolas en lui ôtant la robe des mains.

Une petite fille terne émergea des reflets chatoyants de l'étoffe. Elle avait une figure de mendiante.

— Non, Marie, c'est impossible ! dit Sophie avec tendresse.

— Oh ! pourquoi ? Je parlerai à père, je le raisonnerai ! Vous verrez comme il sera gentil avec vous !...

Nicolas craignit qu'elle n'exaspérât Sophie par son insistance. Un mot de trop et tout pouvait être gâché !

— Vas-tu te taire ? dit-il brièvement.

Marie baissa la tête :

— Ce sera si triste, sans vous deux, ce soir !

— Nicolas ira souper avec vous, dit Sophie.

Il observa sa femme avec surprise, ne sachant s'il devait interpréter cette décision comme une marque de faveur ou comme une disgrâce.

— Et vous ? demanda Marie. Vous allez rester dans votre chambre ?

— Oui.

— Sans manger ?

— Je n'ai pas faim !

— Mais c'est absurde ! protesta Nicolas. Vous tomberez malade !

— Je vais vous faire monter un plateau plein de bonnes choses ! s'écria Marie. Et, après, nous viendrons vous voir !...

Elle s'éclipsa, ravie de cette idée, et Nicolas ferma la porte derrière elle.

— Vous tenez vraiment à souper toute seule ? demanda-t-il.

— Oui, mon ami, dit-elle en lui tournant le dos.

Le ton était si froid que les dernières illusions de Nicolas s'évanouirent.

— Peut-on savoir ce que vous avez fait cet après-midi ? reprit-elle.

Avec un sentiment de considération envers lui-même, il répondit :

— Je me suis occupé de notre départ pour Saint-Pétersbourg.

Elle pivota sur ses talons et attacha sur lui un regard indifférent :

— Quand partons-nous ?

Cette question le rassura : elle acceptait donc de le suivre !

— Après-demain, dit-il.

— Pourquoi si tard ?

— Il faut le temps de tout préparer : j'ai l'intention d'emmener des chevaux, des domestiques...

En disant cela, il était gêné de sa hâblerie. Mais pouvait-il avouer à Sophie que c'était son père qui organisait le déménagement ?

— Quels domestiques emmenez-vous ? demanda-t-elle.

— Je ne sais pas... Grichka, Savély...

— Et Antipe ?

— Vous voulez que je prenne Antipe avec nous ? dit-il, étonné.

Elle s'indigna :

— Cela me semble tout à fait normal ! Cet homme vous est profondément dévoué. Il vous a suivi en France...

— Il nous suivra donc à Saint-Pétersbourg, dit Nicolas, trop heureux de donner satisfaction à sa femme sur ce point secondaire.

L'image d'Antipe repassa dans l'esprit de Sophie.. Elle pensait à lui comme à un chien fidèle. Son seul ami, peut-être, dans la maison.

— Je suis sûr que la vie à Saint-Pétersbourg vous plaira beaucoup ! poursuivit Nicolas en prenant la main de Sophie.

C'était une main de cadavre, parfaitement inerte. Il allait la porter à ses lèvres, quand les doigts de Sophie lui échappèrent. Elle s'écarta de lui et, sans plus le voir que s'il eût déjà quitté la chambre, continua de ranger ses robes dans la malle.

★

Le souper fut lugubre. Personne ne parlait de Sophie, mais sa pensée planait au-dessus des assiettes. Michel Borissovitch, le teint gris, l'œil vague, ne se moquait même plus de M. Lesur, qui profitait de l'accalmie pour manger comme quatre. Marie rêvait tristement à de jolies robes, à une grande amitié, au bonheur qu'elle aurait connu si sa belle-sœur était restée à Kachtanovka. Dès qu'il entendait un bruit au plafond, Nicolas levait les yeux avec inquiétude. Sa conviction était faite : désormais, Sophie et lui seraient des étrangers l'un pour l'autre, sous la fallacieuse apparence d'un ménage uni. Après le dessert, il pria son père de l'excuser et se retira précipitamment. Marie voulut le suivre. Il refusa avec rudesse :

— Je n'ai pas besoin de toi là-haut !

Elle l'embrassa. Il gravit l'escalier dans l'état d'esprit d'un prévenu retournant devant ses juges après une suspension d'audience. Dans le couloir, il faillit buter sur le plateau que Sophie avait posé à côté de la porte. En se penchant, il constata qu'elle avait à peine touché à la collation. Cela lui parut de mauvais augure.

Quand il entra, elle était assise à son secrétaire, la plume en main, le visage baignant dans la clarté dorée d'une lampe. Elle ne tourna même pas la tête à l'approche du pas qui faisait craquer le plancher. Perdue dans ses pensées, elle écrivait une lettre. « Elle raconte tout à ses parents ! », se dit Nicolas, et une nouvelle vague de honte le submergea. Le peu d'espoir qu'il avait de la reconquérir s'effaçait à la vue de cette personne d'ordre, occupée à recenser des griefs. Il resta longtemps silencieux pour se bien convaincre de sa défaite, puis, à regret, il murmura :

— Sophie !

— Oui ? dit-elle sans lever les yeux de son papier.

— Je venais vous souhaiter une bonne nuit...

Elle le regarda enfin, les sourcils hauts, ses nobles petites narines serrées, ses lèvres entrouvertes sur un éclat de nacre. Son visage exprimait la surprise, mais non l'amour. Pas un mot de pitié ne tomberait donc de cette bouche tendre !

— Où allez-vous à cette heure-ci ? demanda-t-elle.

— Je ne veux pas m'imposer à vous, dit-il en rougissant. Il y a une chambre vide à côté...

— Eh bien ?

— Je vais m'y installer pour la nuit.

Elle demeura une seconde interloquée, comme s'il lui eût manqué de respect.

— Vous êtes fou ! dit-elle soudain avec colère.

Et, pour l'empêcher de se méprendre sur le sens de cette exclamation, elle ajouta aussitôt :

— Votre père serait trop content s'il constatait que nous faisons chambre à part !

— Ainsi, vous préférez que je reste ? dit-il humblement.

— Mais oui, mon ami ! Soyez simple, je vous en prie...

Malgré cette invitation à la simplicité, Nicolas se sentait encore dans une situation délicate. Il avait trop conscience de la répulsion qu'il inspirait à Sophie depuis son mensonge, pour ne pas appréhender l'instant de la toilette nocturne et du coucher. Accepterait-elle de se laisser embrasser avant de s'endormir ? Il en doutait à la voir si calme, si résolue, avec un profil irréel de fragilité.

— Je vous remercie, dit-il.

— De quoi ?

— Vous ne pourriez pas comprendre...

— Mais si ! Dites !...

— Non, Sophie...

Il y eut entre eux une succession de petits mots pour rien. L'un et l'autre, maintenant, semblaient redouter le silence. Partiellement réprouvé, partiellement acquitté, Nicolas résistait mal à la montée d'un désir profanateur. Tout en parlant, il fit deux pas vers sa femme et jeta un regard sur la lettre :

« Mes chers parents,

« Rassurez-vous : je suis très heureuse... »

Une joie violente, intolérable, frappa Nicolas au cœur, pareille à l'asphyxie, à l'étouffement d'un sanglot. Il se laissa tomber à terre et écrasa son visage contre les genoux de Sophie. Froissant sa robe, respirant son parfum, il gémissait :

— Mon Dieu ! serait-ce vrai ? Vous m'aimez donc encore un peu, Sophie ? Tout peut reprendre ?...

Au milieu du délire où il se débattait, une main fraîche se posa sur son front.

5

Nicolas sortit avec Sophie et Marie sur le perron pour voir où en étaient les préparatifs du voyage. Des domestiques chargeaient des malles, des paquets, des meubles, des ustensiles de cuisine, sur un grand traîneau découvert. Un autre était réservé aux serviteurs que le jeune barine emmenait à Saint-Pétersbourg. Les maîtres, eux, devaient prendre place dans une voiture plus petite et fermée, qui avait l'air d'une boîte sur des patins. Du côté des communs, ce n'étaient que soupirs, larmes et signes de croix entre les serfs qui partaient et ceux qui demeuraient à Kachtanovka. Parmi tous ces illettrés, Antipe, le Parisien, se donnait de l'importance. Il criait, gesticulait, abrégeait les adieux, déchirait les familles. Quand tous les bagages furent arrimés, il fallut les défaire : on avait oublié trente-deux pots de confiture. Ils surgirent, portés processionnellement par les filles de cuisine. Et les poulets froids ? Où étaient-ils ? Qui s'en était occupé ? Sophie protesta qu'il était inutile d'emporter tant de nourriture. Mais Marie était d'avis que la pitance aux relais était trop mauvaise et qu'il valait mieux prendre ses précautions. Justement, un homme sortait de la maison, avec un panier sur la tête. Marie crut que c'étaient les poulets froids ; ce n'étaient que des livres français. M. Lesur marchait par-derrière :

— J'ai fait un petit choix ! dit-il à Sophie.

Elle eut à peine la force de l'en remercier, tant elle le trouvait déplaisant dans sa gentillesse. S'il fallait qu'un de ses compatriotes vécût à Kachtanovka, elle lui eût souhaité plus de caractère. La prenant à part, M. Lesur chuchota :

— Ah ! Madame, je vous envie de partir !

— Qui vous empêche d'en faire autant ? dit-elle avec brusquerie.

Il s'effaroucha :

— Vous n'y pensez pas ? Ce serait trop d'ingratitude !...

Sa ronde figure se plissait, se fendillait d'amabilité, sous le dôme luisant de sa calvitie. Elle le soupçonna de se complaire dans l'humiliation et la sécurité de l'état domestique.

Enfin, les poulets arrivèrent. C'était la *niania*, Vassilissa, qui en avait pris soin. Elle les déposa elle-même dans le traîneau de tête, puis revint à Nicolas, trembla des joues, poussa un profond sanglot et baisa l'épaule de son poupon de cinq pieds huit pouces. Gagnée par l'émotion, Marie essuya les larmes qui lui montaient aux yeux.

Sophie observait avec curiosité ces débordements de tristesse et jugeait que les Slaves manquaient de décence dans l'expression de leurs sentiments. Aucune mesure, chez eux. Tous, jeunes ou vieux, humbles ou riches, se conduisaient, pensait-elle, comme des enfants ! A commencer par son mari ! Pour l'instant, il jouait au chef de convoi. Ayant écarté la molle et reniflante Vassilissa, il s'était approché des traîneaux et les inspectait, sourcils froncés, mains derrière le dos. Une lourde pelisse lui élargissait les épaules. Il avait coiffé un bonnet de loutre aux oreillettes relevées sur le sommet du crâne. Dans cet accoutrement, il paraissait plus russe que jamais, un boyard, un chasseur de loups. Sophie lui adressa un hommage vindicatif. Elle le regardait marcher, parler à un paysan, vérifier les nœuds d'une corde, et en éprouvait un trouble suave, comme si, rien qu'en vivant devant elle, il lui eût accordé une faveur. Cependant, elle ne lui avait pas rendu entièrement sa confiance. Pardonné, il demeurait pour elle un objet de mystère. Après ce qu'il avait fait, elle le croyait capable de tout. N'allait-il pas la trahir, la décevoir encore dans l'avenir ? A certains moments, elle s'en voulait de l'aimer ainsi et avait envie de le torturer à son tour. A d'autres, elle s'attendrissait de le deviner plein de gratitude et de repentir, animé du grand zèle que donne une mauvaise conscience. La nuit surtout, elle était sans défense contre le goût qu'il lui inspirait. Hier, il ne l'avait pas laissée de la journée, prenant ses repas avec elle dans la chambre et l'aidant à boucler ses bagages. Pas une fois, il ne lui avait demandé de revoir son beau-père. Sans doute Michel Borissovitch estimait-il, comme elle, que cette rencontre était à présent inutile. Terré dans son bureau, il attendait, avec impatience, que sa belle-fille eût décampé. Elle espéra pouvoir quitter la maison sans avoir à lui dire adieu.

Quand donc se mettrait-on en route ? Quelle lenteur chez ces paysans russes ! Ils étaient de plus en plus nombreux devant le perron. Tous les serfs de la propriété semblaient s'être donné rendez-vous pour assister au départ. Enfin, des palefreniers amenèrent les chevaux. Une dispute s'éleva parmi les moujiks : Antipe refusait de voyager avec les autres domestiques et prétendait s'installer sur la montagne de valises et de paquets accrochée à l'arrière du traîneau des maîtres. Pour une raison inexplicable, le cocher, Savély, un colosse barbu, voulait l'empêcher de prendre cette place et criait en brandissant son fouet. Nicolas dut intervenir pour les calmer l'un et l'autre. Antipe obtint gain de cause, grimpa, hilare, sur son siège improvisé, se pelotonna et rabattit une peau de mouton sur sa tête. Tel il était venu, tel il repartait. Marie pressa le bras de sa belle-sœur et soupira :

— L'instant approche !

Nicolas passa devant elles d'un air affairé, rentra dans la maison et reparut bientôt, pâle, solennel, son bonnet à la main.

— Mon père nous attend, dit-il.

— Pour quoi faire ? s'écria Sophie avec une violence soupçonneuse.

Elle flairait un piège. Nicolas redevenait son ennemi.

— Pour la prière du départ, dit Marie précipitamment. C'est une coutume russe, une coutume sacrée. Vous ne pouvez pas refuser !

Le visage de la jeune fille était empreint d'une telle supplication, celui de Nicolas exprimait une telle angoisse, que Sophie, brusquement désarmée, se résigna. Ce serait, pensait-elle, sa dernière concession.

Michel Borissovitch reçut ses enfants au salon. Derrière eux, entrèrent M. Lesur, Vassilissa et quelques vieux serviteurs. Sophie s'attendait que son beau-père lui souhaiterait au moins la bienvenue. Mais il n'eut pas un regard pour elle. Il avait revêtu sa redingote noire pour la circonstance. Sa figure était lasse, ravinée, et comme salie de poudre de plomb autour des yeux et dans le creux des joues. D'un geste, il invita tout le monde à s'asseoir. Il n'y avait pas assez de sièges. M. Lesur apporta deux chaises de la salle à manger. Nicolas prit place à côté de Sophie. Soudain, elle vit les têtes se courber, les mains se joindre. Le silence ne fut plus troublé que par le bruit des respirations oppressées.

Au bout d'une minute, Michel Borissovitch se dressa sur ses grandes jambes et tous les assistants l'imitèrent. Après s'être incliné devant l'icône qui décorait un angle du salon, il s'avança vers son fils, l'embrassa, le signa et lui parla en russe. Puis il se tourna vers Sophie. Une main exsangue se leva devant elle et traça dans l'air un large signe de croix. Elle fut tentée de baisser le front par déférence, mais se ravisa et défia du regard l'homme qui la bénissait. Un reflet tremblait dans les yeux de Michel Borissovitch, comme dans une eau remuée. Il paraissait en lutte contre lui-même, victime d'un orgueil démesuré, prisonnier d'une décision douloureuse. Ses lèvres molles prononcèrent faiblement :

— Je vous souhaite une vie heureuse à Saint-Pétersbourg.

Et, fâché de son attendrissement, il s'éloigna. Les accolades et les signes de croix continuèrent dans l'assemblée. Marie serra Sophie dans ses bras avec passion et chuchota :

— Je prierai Dieu tous les jours pour que vous reveniez bientôt ! Ne dites pas non ! Oh ! je vous en supplie, ne dites pas non ! En vous, j'ai trouvé mieux qu'une amie, une sœur !

Elle pleurait.

— Allons ! il faut nous dépêcher, dit Nicolas d'une voix enrouée par l'émotion. Marie, tu prendras soin de père. Je compte sur toi. Ecris-nous souvent !...

Le premier, il se dirigea vers la porte. Sophie, Marie, M. Lesur et les domestiques le suivirent. Michel Borissovitch demeura dans le salon. Il avait les membres lourds, l'esprit maussade, comme s'il n'eût pas désiré, ni même prévu, le départ de son fils et de sa belle-fille. « Je ne pouvais pourtant pas leur demander de rester ! », songea-t-il avec colère. Il s'approcha de la fenêtre. Une foule de paysans piétinait autour des traîneaux. Les chevaux excités encensaient de la tête. Des clochettes tintaient, des voix amorties bourdonnaient derrière la vitre :

— Au revoir ! Bon voyage !

Michel Borissovitch sentit que, si l'attente se prolongeait, il ne saurait plus maîtriser le tremblement de ses nerfs. Le front au carreau, les mains crispées dans les poches, il ne quittait pas des yeux la voiture couverte où se trouvaient son fils et sa belle-fille. Ni elle ni lui ne se montraient à la portière. Recroquevillé derrière eux, sur les bagages, Antipe était une boule de fourrure sale, avec un nez rouge au milieu. Le convoi s'ébranla enfin dans l'allée centrale. Trois taches noires glissèrent, l'une derrière l'autre, sur la neige, entre les haies de sapins. Le regard de Michel Borissovitch se brouilla.

— Que Dieu vous garde ! grommela-t-il en signant la vitre.

Le son des clochettes s'atténuait. Bientôt, le dernier chariot disparut au tournant du chemin.

Michel Borissovitch éprouva l'impression d'un vide angoissant autour de lui. Que faisaient tous ces gens dehors ? Pourquoi le laissait-on seul ? Avec fureur, il ouvrit la porte et hurla :

— Eh bien ! M. Lesur ! Vous en prenez à votre aise ! Notre partie d'échecs ne vous intéresse plus ?

— Mais si, Monsieur, mais si ! répondit une voix lointaine.

M. Lesur accourut, s'assit devant l'échiquier, leva les yeux sur son adversaire et attendit avec résignation les premiers sarcasmes.

Les principaux personnages de ce roman se retrouvent dans le tome II : La Barynia, *dans le tome III :* La Gloire des Vaincus, *dans le tome IV :* Les Dames de Sibérie, *et dans le tome V :* Sophie ou la fin des Combats, *qui termine le cycle romanesque de* « La Lumière des Justes ».

Littérature extrait du catalogue

Cette collection est d'abord marquée par sa diversité : classiques, grands romans contemporains ou même des livres d'auteurs réputés plus difficiles, comme Borges, Soupault, Goes. En fait, c'est tout le roman qui est proposé ici, Henri Troyat, Bernard Clavel, Guy des Cars, Alain Robbe-Grillet, mais aussi des écrivains étrangers tels que Moravia, Colleen McCullough ou Konsalik.

Les classiques tels que Stendhal, Maupassant, Flaubert, Zola, Balzac, etc. sont publiés en texte intégral au prix le plus bas de toute l'édition. Chaque volume est complété par un cahier photos illustrant la biographie de l'auteur.

ADAMS Richard	Les garennes de Watership Down 2078******
AKÉ LOBA	Kocoumbo, l'étudiant noir 1511***
ALLEY Robert	La mort aux enchères 1461**
ANDREWS Virginia C.	Fleurs captives :
	- Fleurs captives 1165****
	- Pétales au vent 1237****
	- Bouquet d'épines 1350****
	- Les racines du passé 1818****
	Ma douce Audrina 1578****
APOLLINAIRE Guillaume	Les onze mille verges 704*
	Les exploits d'un jeune don Juan 875*
AUEL Jean M.	Ayla, l'enfant de la terre 1383****
AVRIL Nicole	Monsieur de Lyon 1049***
	La disgrâce 1344***
	Jeanne 1879***
	L'été de la Saint-Valentin 2038**
BACH Richard	Jonathan Livingston le goéland 1562* illustré
BALZAC Honoré de	Le père Goriot 1988**
BARBER Noël	Tanamera 1804**** & 1805****
BAUDELAIRE Charles	Les fleurs du mal 1939**
BAUM Frank L.	Le magicien d'Oz 1652**
BELMONT Véra	Rouge Baiser 2014***

BLOND Georges	*Moi, Laffite, dernier roi des flibustiers* 2096****
BOLT Robert	*La Mission* 2092***
BORGES & BIOY CASARES	*Nouveaux contes de Bustos Domecq* 1908***
BOVE Emmanuel	*Mes amis* 1973***
BRADFORD Sarah	*Grace* 2002****
BREILLAT Catherine	*Police* 2021***
BRENNAN Peter	*Razorback* 1834****
BRISKIN Jacqueline	*Les sentiers de l'aube* 1399**** & 1400****
BROCHIER Jean-Jacques	*Odette Genonceau* 1111*
	Villa Marguerite 1556**
	Un cauchemar 2046**
BURON Nicole de	*Vas-y maman* 1031**
	Dix-jours-de-rêve 1481***
	Qui c'est, ce garçon ? 2043***
CALDWELL Erskine	*Le bâtard* 1757**
CARS Guy des	*La brute* 47***
	Le château de la juive 97****
	La tricheuse 125***
	L'impure 173****
	La corruptrice 229***
	La demoiselle d'Opéra 246***
	Les filles de joie 265***
	La dame du cirque 295**
	Cette étrange tendresse 303***
	La cathédrale de haine 322***
	L'officier sans nom 331**
	Les sept femmes 347****
	La maudite 361***
	L'habitude d'amour 376**
	Sang d'Afrique 399** & 400**
	Le Grand Monde 447**** & 448****
	La révoltée 492****
	Amour de ma vie 516***
	Le faussaire 548****
	La vipère 615****
	L'entremetteuse 639****
	Une certaine dame 696****
	L'insolence de sa beauté 736***

CARS Guy des (suite)	L'amour s'en va-t-en guerre 765**
	Le donneur 809**
	J'ose 858**
	De cape et de plume 926*** & 927***
	Le mage et le pendule 990*
	Le mage et les lignes de la main... et la bonne aventure... et la graphologie 1094****
	La justicière 1163**
	La vie secrète de Dorothée Gindt 1236**
	La femme qui en savait trop 1293**
	Le château du clown 1357****
	La femme sans frontières 1518***
	Le boulevard des illusions 1710***
	Les reines de cœur 1783***
	La coupable 1880***
	L'envoûteuse 2016*****
	Le faiseur de morts 2063***
CARS Jean des	Sleeping Story 832****
	Haussmann, la gloire du 2nd Empire 1055****
	Louis II de Bavière 1633***
	Elisabeth d'Autriche (Sissi) 1692****
CASTELOT André	Les battements de cœur de l'Histoire 1620****
	Belles et tragiques amours de l'Histoire-1 1956****
	Belles et tragiques amours de l'Histoire-2 1957****
CASTILLO Michel del	Les Louves de l'Escurial 1725****
CASTRIES Duc de	La Pompadour 1651****
	Madame Récamier 1835****
CATO Nancy	L'Australienne 1969**** & 1970****
CESBRON Gilbert	Chiens perdus sans collier 6**
	C'est Mozart qu'on assassine 379***
	La ville couronnée d'épines 979**
	Huit paroles pour l'éternité 1377****
CHARDIGNY Louis	Les maréchaux de Napoléon 1621****
CHASTENET Geneviève	Marie-Louise 2024*****
CHAVELET Élisabeth & DANNE Jacques de	Avenue Foch 1949***
CHEDID Andrée	La maison sans racines 2065**
CHOUCHON Lionel	Le papanoïaque 1540**

DANA Jacqueline	L'été du diable 2064***
DAUDET Alphonse	Tartarin de Tarascon 34*
	Lettres de mon moulin 844*
DECAUX Alain	Les grands mystères du passé 1724****
DÉCURÉ Danielle	Vous avez vu le pilote ? c'est une femme ! 1466*** illustré
DÉON Michel	Louis XIV par lui-même 1693***
DHÔTEL André	Le pays où l'on n'arrive jamais 61**
DIDEROT	Jacques le fataliste 2023***
DJIAN Philippe	37,2° le matin 1951****
	Bleu comme l'enfer 1971****
	Zone érogène 2062****
DORIN Françoise	Les lits à une place 1369****
	Les miroirs truqués 1519****
	Les jupes-culottes 1893****
DOS PASSOS John	Les trois femmes de Jed Morris 1867****
DUMAS Alexandre	La dame de Monsoreau 1841*****
DUTOURD Jean	Henri ou l'éducation nationale 1679***
DZAGOYAN René	Le système Aristote 1817****
EXMELIN A.O.	Histoire des Frères de la côte 1695****
FERRIÈRE Jean-Pierre	Jamais plus comme avant 1241***
	Le diable ne fait pas crédit 1339**
FEUILLÈRE Edwige	Moi, la Clairon 1802**
FIELDING Joy	La femme piégée 1750***
FLAUBERT Gustave	Madame Bovary 103***
FRANCIS Richard	Révolution 1947***
FRANCOS Ania	Sauve-toi, Lola ! 1678****
	Il était des femmes dans la Résistance... 1836****
FRISON-ROCHE	La peau de bison 715**
	Carnets sahariens 866***
	Premier de cordée 936***
	La grande crevasse 951***
	Retour à la montagne 960***
	La piste oubliée 1054***
	La Montagne aux Écritures 1064***
	Le rendez-vous d'Essendilène 1078***
	Le rapt 1181****

	Djebel Amour 1225****
	La dernière migration 1243****
	Peuples chasseurs de l'Arctique 1327****
	Les montagnards de la nuit 1442****
	Le versant du soleil 1451**** & 1452****
	Nahanni 1579***
GALLO Max	*La baie des Anges :*
	1 - La baie des Anges 860****
	2 - Le palais des Fêtes 861****
	3 - La promenade des Anglais 862****
GEDGE Pauline	*La dame du Nil* 1223*** & 1224***
	Les seigneurs de la lande 1345**** & 1346****
GERBER Alain	*Une rumeur d'éléphant* 1948*****
GOES Albrecht	*Jusqu'à l'aube* 1940***
GRAY Martin	*Le livre de la vie* 839**
	Les forces de la vie 840**
	Le nouveau livre 1295***
GRÉGOIRE Menie	*Tournelune* 1654***
GROULT Flora	*Maxime ou la déchirure* 518**
	Un seul ennui, les jours raccourcissent 897**
	Ni tout à fait la même, ni tout à fait une autre 1174***
	Une vie n'est pas assez 1450***
	Mémoires de moi 1567**
	Le passé infini 1801**
GUERDAN René	*François Ier* 1852****
GURGAND Marguerite	*Les demoiselles de Beaumoreau* 1282***
GUTCHEON Beth	*Une si longue attente* 1670****
HALÉVY Ludovic	*L'abbé Constantin* 1928**
HALEY Alex	*Racines* 968**** & 969****
HAYDEN Torey L.	*L'enfant qui ne pleurait pas* 1606***
	Kevin le révolté 1711****
HAYS Lee	*Il était une fois en Amérique* 1698***
HÉBRARD Frédérique	*Un mari, c'est un mari* 823**
	La vie reprendra au printemps 1131**
	La chambre de Goethe 1398***
	Un visage 1505**
	La Citoyenne 2003***

272
★★★

Impression Brodard et Taupin à La Flèche (Sarthe)
le 17 novembre 1986
6903-5 Dépôt légal novembre 1986. ISBN 2-277-13272-1
1er dépôt légal dans la collection : août 1974
Imprimé en France
Editions J'ai lu
27, rue Cassette, 75006 Paris
diffusion France et étranger : Flammarion